Die erste Sammelausgabe der Werke Ernst Tollers hat seit ihrem Erscheinen 1978 große Beachtung erfahren. Eine Aktualisierung der literarischen und politischen Schlüsselfigur aus der ersten Hälfte unseres Jahrhunderts bahnt sich an. Innerhalb der Auseinandersetzung mit der Problematik der Weimarer Zeit und den Greueln des Nationalsozialismus findet auch die Person Tollers neue Aufmerksamkeit. Seine einst Aufsehen erregenden Dramen werden wieder aufgeführt.

›Der Fall Toller‹ will das Bild des Autors, seines Lebens und seiner Werke, seines »Falles«, vor Augen führen. Eine ausführliche Zeittafel informiert zunächst über die äußeren Fakten, über den Ablauf der Ereignisse von 1893-1939. Die umfangreiche Dokumentation (mit einer Fülle bisher unbekannten Materials, dazu zahlreiche unveröffentlichte Fotos) belegt Tollers Entwicklung im Spiegel von öffentlichen und privaten Äußerungen, Reaktionen, Angriffen und Verteidigungen.

Das Nachwort von Wolfgang Frühwald beschreibt Person und Werk Tollers, die politischen und kulturellen Ereignisse, versucht eine zeit- und literarhistorische Einordnung. Großen Raum nimmt die Analyse von Tollers dramatischem Schaffen ein. Denn das Theater wurde mit dessen Dramen zum Widerstandszentrum und Mittelpunkt der politischen Auseinandersetzung. So wird am Beispiel Tollers ein Stück Zeitgeschichte sichtbar, dessen Bewältigung auch für uns noch immer problematisch ist.

Die Herausgeber:

Wolfgang Frühwald, Dr. phil., geboren 1935 in Augsburg, Professor für Neuere deutsche Literaturgeschichte an der Universität München. Hauptarbeitsgebiete: Geistliche Prosa des Mittelalters, deutsche Literatur der Romantik, moderne deutsche Literatur.

John M. Spalek, geboren 1928 in Warschau. Professor für deutsche Literatur und vergleichende Literaturwissenschaft an der State University of

Der Fall Toller

Kommentar und Materialien

Carl Hanser Verlag

Herausgegeben von
Wolfgang Frühwald und John M. Spalek

ISBN 3-446-12691-0
Alle Rechte vorbehalten
© 1979 Carl Hanser Verlag München Wien
Umschlag: Klaus Detjen
unter Verwendung eines Fotos von Ernst Toller
(Sammlung Ernst Toller, Akademie der Künste Berlin)
Gesamtherstellung: Appl, Wemding
Printed in Germany

Inhalt

Vorbemerkung

Der vorliegende Dokumentationsband versucht, durch die kommentierte, chronologische Anordnung von Archivmaterialien, Briefen, Kritiken und Berichten einen Überblick über Tollers bewegtes Leben im Spiegel der Rezeptionsdokumente seines Werkes zu geben. Von Tollers erstem öffentlichen Auftreten innerhalb der deutschen pazifistischen Bewegung im Jahre 1917 bis zu seinem Tod im Jahre 1939 wird seine Tätigkeit als Politiker, Schriftsteller und Redner dokumentiert, wobei aus mehreren tausend Seiten unbekannter oder schwer zugänglicher Quellenmaterialien eine lesbare Auswahl getroffen werden mußte.

Über die Register und die Verweise innerhalb der – durch den kleineren Schriftgrad erkennbaren – Zwischenerläuterungen ist dieser Band zugleich als Kommentar zu den fünf Bänden der *Gesammelten Werke* (1978) zu lesen, deren bibliographischer und dokumentarischer Anhang die vorliegende Zusammenstellung ergänzt. Von einem Einzelstellenkommentar zu den *Gesammelten Werken* wurde abgesehen, da er häufig nur hätte enthalten können, was in jedem neueren Handbuch der Zeitgeschichte nachzulesen ist.

Über den weit verstreuten und lückenhaften Nachlaß Tollers, der in sämtlichen Bänden der Ausgabe, vor allem aber im Dokumentationsband ausgewertet wurde, existieren bisher drei Berichte: der in der Auswahlbibliographie (unter: 7. Wissenschaftliche Literatur) verzeichnete Nachlaßbericht John Spaleks, Spaleks Toller-Bibliographie (von 1968, Nachdruck: New York 1972) und das ›Verzeichnis der Quellen und Materialien der deutschsprachigen Emigration in den USA seit 1933‹ (Charlottesville 1979, S. 892 ff.) desselben Verfassers. Der Nachlaß Tollers, die Akten seines Hochverratsprozesses (1919), die von 1917 bis 1939 in Deutschland geführten Polizeiakten, die Berichte der deutschen Auslandsvertretungen über seine Tätigkeit im Exil etc., die wir sämtlich verwendet haben, werden u. a. in folgenden Archiven aufbewahrt: Manuscript Division, Library of Congress, Washington, D. C.; Staatsarchiv für Oberbayern, München; National Archives, Washington, D. C.; Hoover Institution, Stanford, California; Toller Collection der Yale University Library, New Haven, Conn.; Kurt Wolff-Archiv der Yale University Library; Sammlung Harold Hurwitz, Berlin; Bundesarchiv, Koblenz; Deutsches Literaturarchiv, Marbach a. N.; Politisches Archiv des Auswärtigen Amtes, Bonn.

Editorisch folgt auch der Dokumentationsband den Prinzipien der *Gesammelten Werke,* die hier nochmals kurz zusammengefaßt werden:
1. Da sich die *Gesammelten Werke* von zahlreichen Kassetten-Ausgaben auch dadurch unterscheiden, daß jeder Band einzeln erhältlich ist – um den unterschiedlichen Leserinteressen und -möglichkeiten entgegenzukommen –, mußte jeder Band auch eine in sich geschlossene Phase von Tollers Werk oder eine gattungsorientierte Werkeinheit enthalten. Dabei umfaßt Band I der Ausgabe nicht lediglich die von Toller selbst in *Quer durch. Reisebilder und Reden* (1930) gesammelten (und überarbeiteten) Texte, sondern eine erste Sammlung kritischer und politischer Schriften und Reden des Autors von 1917-1939; Band II die Werke aus der Zeit der Festungshaft; Band III nach der Festungshaft (hier mit dem zeitüblichen Begriff ›Politisches Theater‹ genannt) und im Exil entstandene Dramen; die Bände IV und V die großen Prosawerke der dreißiger Jahre. Der Dokumentationsband enthält Rezeptionsdokumente zu sämtlichen in die *Gesammelten Werke* aufgenommenen Texten, auch zu denen, die nur als Teildruck erscheinen konnten.
Er enthält darüber hinaus auch Dokumente zu Werken, die nicht in die Edition aufgenommen werden konnten. Wenn nämlich Toller mit dieser Ausgabe, die leicht um mehrere Bände hätte erweitert werden können, damit aber auch einen weit höheren Verkaufspreis hätte erhalten müssen,

nicht eines der bekannten »Editionsgräber« bereitet werden sollte, so mußte der Umfang der Ausgabe notwendig limitiert werden. Diese Limitierung bedeutete den für die Herausgeber selbst schmerzlichen Verzicht auf den vollständigen Abdruck etwa der *Reisebilder* und des Dramas *Die blinde Göttin*. Den von manchen Kritikern vermißten Text des Schauspieles *Bourgeois bleibt Bourgeois* aber hätten wir auch bei einer Aufhebung der Umfangsbegrenzung nicht bieten können, da sich nicht einmal ein Bühnenexemplar dieses Textes erhalten hat.

2. Der Dokumentationsband versucht wenigstens skizzenhaft ein Gesamtbild von Tollers Werk, er schließt einzelne Editionslücken, wobei die – durch die notwendige Umfangsbegrenzung auch des vorliegenden Bandes – erzwungenen Dokumentationslücken durch die Angaben in der ›Lebens- und Werkchronik‹ ersetzt werden. Außerdem ist die Bibliographie so angelegt, daß der interessierte Leser über die Literaturverzeichnisse der angegebenen Titel weiterfinden kann.

Innerhalb der einzelnen Dokumentationsabschnitte wurde, ebenfalls aus Umfangsgründen, auf die Wiederholung anderweitig ausführlich dokumentierter Phasen im Leben Tollers (Teilnahme an der Räterepublik in München) verzichtet.

3. Sämtliche Texte innerhalb der Edition und innerhalb der Dokumentation wurden kritisch durchgesehen, Druckfehler korrigiert, charakteristische Schreibversehen aber belassen. Den Texten der *Gesammelten Werke* liegen meist die Erstfassungen zugrunde, da diese die Bestseller-Fassungen waren und – im Bereich der kritischen Schriften und der Reden – nur ihnen Ereignisnähe attestiert werden kann. Die überarbeitete Fassung von Tollers 1919 gehaltener Rede vor dem Münchner Standgericht mag im Jahre 1930 für die Entwicklung des Autors charakteristisch sein, die Atmosphäre des Prozesses gibt nur die Erstfassung wieder. Textkürzungen wurden durch ⟨...⟩ gekennzeichnet, Zusätze der Herausgeber stehen in Winkelklammern ⟨ ⟩.

4. Über die Korrektur von Druckfehlern hinaus wurden keine weiteren Texteingriffe vorgenommen; so wird z. B. auch ein von Germanismen durchsetzter und stilistisch nicht einwandfreier englischer Text Tollers in der Originalfassung gedruckt, da er – auch durch seine sprachliche Eigenart – die Situation des Autors im Exil kennzeichnet.

Für die Hilfe bei der Materialbeschaffung danken wir Friedrich Pfäfflin (Marbach a. N.), Hermann Haarmann (Berlin), Harold Hurwitz (Berlin) und den Beamten der beteiligten Archive; für das Mitlesen der Korrekturen Brigitte Schillbach und Susanne Vogl (München), für die Mühe der Redaktion Hans-Joachim Simm (München).

LEBENS- UND WERKCHRONIK

1893

1. Dezember: Ernst Toller wird als Sohn der Kaufmannseheleute Max und Ida Toller in Samotschin bei Bromberg (in der damaligen preußischen Provinz Posen) geboren.

ab 1900

Besuch einer privaten Knabenschule in Samotschin.

ab 1906

Besuch des Realgymnasiums in Bromberg. Die Ausbildung wird etwa im 12. Lebensjahr wegen Krankheit und einer schweren Operation unterbrochen. Herz- und Nervenstörungen bleiben zurück.

1914

Februar-Juli: Studium an der Ausländeruniversität Grenoble in Frankreich. Reise durch Südfrankreich und Norditalien. – *August:* Toller erfährt in Lyon von der Kriegserklärung; er erreicht mit einem der letzten Züge, ehe die Grenzen geschlossen werden, München und meldet sich freiwillig zum Kriegsdienst. Am *9. August* wird er in das 1. Bayerische Fuß-Artillerie-Regiment eingestellt. Ab *Wintersemester 1914/15* bis *25. 9. 1917* ist er an der Universität München immatrikuliert.

1915

Januar-März: Tollers Bataillon ist in der Nähe von Straßburg stationiert. – *März:* Toller wird auf eigenen Wunsch an die Front kommandiert und vor Verdun eingesetzt.

1916

Bis *Mai* an der Front. – *Mai-September:* Wegen Herz- und Nervenleiden im Lazarett und im Sanatorium Ebenhausen sowie bei der Genesungskompanie in Mainz. Toller wird am *4. 1. 1917* als »kriegsuntauglich, aber dauernd arbeitsverwendungsfähig« inaktiviert; er belegt ab *Wintersemester 1916/17* als stud. iur. et phil. Vorlesungen an der Universität München.

1917

Februar-März: Toller wird wegen »psychachetisch-nervöser und depressiver Störungen« von dem Münchener Psychiater Professor Isserlin behandelt. – *Sommer:* Toller besucht an der Münchener Universität das Seminar von Arthur Kutscher. – *September:* Auf Einladung von Eugen Diederichs Teilnahme an der Lauensteiner Tagung. Bekanntschaft mit Max Weber, Richard Dehmel, Theodor Heuß u. a. – Im *Wintersemester 1917/18* ist Toller in Heidelberg für Soziologie immatrikuliert. – *24. November:* Gründung des »Kulturpolitischen Bundes der Jugend« in Heidelberg. – *Dezember:* Toller nimmt Verbindung mit Gustav Landauer auf. – *21. Dezember:* Toller in Berlin. Er trifft Kurt Eisner und spricht auf einer Versammlung mit dem Motto »Arbeiter der Stirn und der Faust vereinigt Euch«. Ein anderer Redner dieser Versammlung ist der expressionistische Schriftsteller Armin T. Wegner.

1918

Januar: Toller folgt Kurt Eisner nach München. – *25. Januar:* Er spricht bei einer Studentenversammlung in Hörsaal 224 der Münchener Universität. Kurz darauf veranstaltet er im Steinicke-Saal »einen Vortragsabend eigener Werke«. Er trägt eigene Gedichte *(Der Entwurzelte)* vor, Grotesken und Nachdichtungen (nach Morgenstern, Werfel und Däubler), läßt Szenen aus seinem Drama *Die Wandlung* und »eine groteske Gesellschaftsskizze *Der Ehebruch*« darstellen. – *28. Januar:* Bei einem von den Schwestern Landauer veranstalteten Diskussionsabend spricht er für einen Verständigungsfrieden. – *1. Februar:* Toller spricht auf einer Streikversammlung in der Schwabinger Brauerei und begleitet eine der Delegationen, die im Polizeipräsidium die Freilassung des am *31. Januar* verhafteten Kurt Eisner fordern. Auch am *2. und 3. Februar* spricht er zu den streikenden Munitionsarbeitern auf der Theresienwiese und wird anschließend verhaftet. – *Februar-September:* Toller wird wieder zum Militärdienst eingezogen, drei Monate im Militärgefängnis wegen versuchten Landesverrats inhaftiert und in der Münchener psychiatrischen Klinik untersucht. Aus der in Neu-Ulm stationierten Genesungsbatterie wird er im *September 1918* endgültig als kriegsdienst-untauglich entlassen. – *Oktober:* Toller spricht auf einer von dem Reichstagsabgeordneten Wolfgang Heine organisierten Kundgebung gegen die nationale Verteidigung. – *7./8. November:* Bildung eines Arbeiter-, Bauern- und Soldatenrates in München. Die Republik wird ausgerufen. Kurt Eisner bildet eine provisorische Regierung. – *12. November:* In Regensburg wird die Bayerische Volkspartei gegründet. – *Mitte November:* Toller in München. Er wird zum zweiten Vorsitzenden des Vollzugsrates der Bayerischen Arbeiter-, Bauern- und Soldatenräte gewählt. – 23. *November:* Kurt Eisner veröffentlicht »Urkunden über den Ursprung des Krieges«. – 11. *Dezember:* Gründung der Münchener Spartakusgruppe. – 13. *Dezember:* Eröffnung des Provisorischen Nationalrates des Volksstaates Bayern. – 30. *Dezember:* Im bayerischen Nationalrat wird die Interpellation Toller und Gen. gegen die Errichtung einer Bürgerwehr behandelt.

1919

12. *Januar:* Landtagswahlen im rechtsrheinischen Bayern. Toller kandidiert für die USPD, wird aber nicht gewählt, da die Partei nur 3 Sitze (von isg. 180 Sitzen) erringt (BVP 66, MSPD 61). – *Anfang Februar:* Toller nimmt als Delegierter des Vollzugsrates der Arbeiterräte Bayerns am Kongreß der Zweiten Sozialistischen Internationale in Bern teil. – 11. *Februar:* Friedrich Ebert wird zum Reichspräsidenten gewählt. – 21. *Februar:* Kurt Eisner wird auf dem Weg zur Eröffnung des Landtages ermordet. Bildung eines Revolutionären Zentralrats. Am gleichen Tag kehrt Toller aus Bern nach München zurück. – 25. *März:* Der Kongreß der Arbeiter-, Bauern- und Soldatenräte Bayerns tritt in München zusammen. – *März:* Toller wird Vorsitzender der bayerischen USP. – 17. *März:* In München wird die Regierung Hoffmann gebildet, die vor der Agitation für die Räterepublik ihren Sitz nach Bamberg verlegt *(18. März).* – 6./7. *April:* Ausrufung der Räterepublik durch den Revolutionären Zentralrat in München. Toller wird als Nachfolger Niekischs Vorsitzender des Zentralrats. Die Kommunisten unter Max Levien und Eugen Leviné verweigern dieser »Scheinräterepublik« die Unterstützung. Auf den Versammlungen der Betriebsräte (ab 10. *April)* wirbt Toller vergeblich um eine sozialistische Einheitsfront. – 13. *April:* Putsch der Münchener Garnison gegen die Räterepublik. Im Gegenstoß reißen die Kommunisten die Macht an sich. Toller wird Abschnittskommandeur der Roten Armee. – 14. *April:* Die Regierung Hoffmann ruft in Bamberg zur Bildung einer »wahren Volkswehr« auf. – 16./17. *April:* Toller stürmt mit der Roten Armee das von Truppen der Landtagsregierung besetzte Dachau. – 20. *April:* Augsburg wird von gegen die Räteregierung aufgebotenen bayerischen und württembergischen Truppen besetzt. – 26. *April:* Toller, der sich für einen Verhandlungsfrieden einsetzt, tritt wegen Differenzen mit der kommunistischen Räteregierung als Abschnittskommandeur der Roten Armee zurück. – 30. *April - 2. Mai:*

14

München wird in heftigen Straßenkämpfen von den von der Landtagsregierung zu Hilfe gerufenen Truppen erobert. – *30. April:* In München werden von der Roten Armee zehn Geiseln erschossen. Toller kann weitere Bluttaten, vor allem die Ermordung des schwer verletzten Eisnermörders Graf Arco und des MSP-Führers Erhard Auer, verhindern. – *2. Mai:* Gustav Landauer wird von den siegestrunkenen »Weißen« ermordet. Toller verbirgt sich in verschiedenen Verstecken in München (u. a. in der Wohnung von Tilla Durieux und des Fürsten Löwenstein). – *12. Mai:* Auf Tollers Ergreifung wird eine Belohnung von 10 000 Mark ausgesetzt. Der Steckbrief wird am *13. Mai* veröffentlicht. – *14. Mai:* Eugen Leviné wird in München entdeckt und verhaftet. – *2. Juni:* Die preußischen Truppen unter General von Oven verlassen München. – *3. Juni:* Eugen Leviné wird von einem Standgericht wegen Hochverrats zum Tode verurteilt. – *4. Juni:* Toller wird in seinem Versteck bei dem Kunstmaler Reichel nach einer Denunziation entdeckt und verhaftet. Am gleichen Tag bestätigt der Bayerische Ministerrat das Todesurteil gegen Leviné. – *5. Juni:* Leviné wird hingerichtet. – *28. Juni:* Der Versailler Friedensvertrag wird unterzeichnet. – *14.-16. Juli:* Hochverratsprozeß gegen Toller. Er wird zu 5 Jahren Festungshaft verurteilt. – *24. September:* Toller wird aus dem Münchener Gefängnis Stadelheim in die provisorische Festungshaftanstalt Eichstätt verlegt. – *30. September:* Uraufführung von Tollers Drama *Die Wandlung* unter der Regie von Karlheinz Martin in der Tribüne, Berlin. Buchausgabe des Dramas im gleichen Jahr. – *Oktober:* Beginn der Arbeit an *Masse Mensch*.

1920

Januar: Toller beendet das »Spiel einer heiteren Laune« *Die Rache des verhöhnten Liebhabers oder Frauenlist und Männerlist. Ein galantes Puppenspiel in zwei Akten. Frei nach einer Geschichte des Kardinals Bandello.* Das Stück erscheint im gleichen Jahr in den ›Weissen Blättern‹, in einer Buchausgabe erst *1925.* – *16. Januar:* Der Eisner-Mörder Graf Anton Arco-Valley wird zum Tode verurteilt und am *17. Januar,* auf Beschluß des Bayerischen Ministerrates, zu lebenslanger Festungshaft begnadigt. – *3. Februar:* Toller wird in die Festungshaftanstalt Niederschönenfeld eingeliefert. – *24. Februar:* Erste Massenversammlung der NSDAP in München. – *13. März:* Kapp-Putsch. – *3. Juni:* Im Wahlkampf wird in den Sendlingertor-Lichtspielen in München Tollers *Wandlung* gelesen. – *6. Juni:* Landtagswahlen in Bayern, gleichzeitig Reichstagswahlen. Toller, der bei beiden Wahlen für die USP kandidiert, wird jeweils erster Ersatzmann. – *11. August:* In München wird als Dachorganisation der bewaffneten Einwohnerwehren die »Organisation Escherich« (Orgesch) gegründet. – *November:* Toller vollendet die Sprechchordichtung *Der Tag des Proletariats. Ein Chorwerk.* Die darin enthaltenen Chöre *Der Tag des Proletariats* (dem Andenken Karl Liebknechts gewidmet) und *Requiem den erschossenen Brüdern* (dem Andenken Gustav Landauers gewidmet) erscheinen als Buchpublikation *Ende 1920/Anfang 1921.* – *15. November:* Uraufführung von *Masse Mensch* in Nürnberg in einer geschlossenen Aufführung für Gewerkschaftsmitglieder. Buchausgabe im *Januar 1921.* – *17. Dezember:* Im Bayerischen Landtag teilt ein Regierungsvertreter mit, daß auch geschlossene Vorstellungen von *Masse Mensch* untersagt wurden.

1921

Anfang Februar: Konflikt Bayerns mit dem Reich wegen der vom Reich geforderten Entwaffnung der Einwohnerwehren. – *27. Mai:* Alfred Beierle liest Tollers neues Drama *Die Ludditen* (d. h. *Die Maschinenstürmer*) in Dresden. – *10. Juni:* Karl Gareis, der Fraktionsführer der USP im Bayerischen Landtag, wird von einem Offizier der Einwohnerwehr ermordet. Am *21. Juni* teilt der Präsident des Landtages dem Plenum mit, daß an Stelle von Gareis Ernst Toller als Abgeordneter nachrückt. Auf die Haft hat dies keinen Einfluß; auch Urlaubsgesuche Tollers werden abgelehnt. – *28. Juni:* Die bayerischen Einwohnerwehren werden aufgelöst. – *Juni-August:* Toller bereitet die Edition seiner *Gedichte der Gefangenen* vor. – *16. August:* Toller klagt wegen Beleidigung gegen den Herausgeber des ›Miesbacher Anzeigers‹ Nikolaus Eck. – *26. August:* Matthias Erzberger wird ermordet. – *11. September:* Toller und Mühsam werden in Niederschönenfeld von dem Reichstagsabgeordneten Radbruch besucht, der wenig später Reichsjustizminister wird. – *29. September:* In Berlin wird an der Volksbühne Tollers *Masse Mensch* in einer rasch berühmt gewordenen Inszenierung durch Jürgen Fehling erstmals aufgeführt. – *4. November:* In München wird die SA gegründet. – *23. Dezember:* Das Bayerische Justizministerium übermittelt dem Landtag die ›Denkschrift über die Erfahrungen beim Vollzuge der Festungshaft‹. Heftige öffentliche und parlamentarische Diskussion des »Falles Toller«.

1922

24. Juni: Reichsaußenminister Walther Rathenau in Berlin ermordet. – 30. Juni: Uraufführung von Tollers Schauspiel *Die Maschinenstürmer* im Großen Schauspielhaus, Berlin, unter der Regie von Karlheinz Martin. Die Buchausgabe des Stückes erschien im gleichen Jahr, noch vor der Uraufführung. – 6. August: Auf dem 25. Gewerkschaftsfest in Leipzig wird das Massenspiel *Bilder aus der großen französischen Revolution* nach einem Szenarium von Toller aufgeführt.

In diesem Jahr beginnt – vor allem mit den Aufführungen von *Masse Mensch* und der *Maschinenstürmer* im Ausland – die große internationale Erfolgsserie des Dramatikers Ernst Toller.

1923

26. Februar: Der Deutsche Pazifistische Studentenbund organisiert in Berlin einen Ernst Toller-Abend, an dem u. a. Alfred Kerr und Fritz Kortner mitwirken. – 8. Mai: Uraufführung von *Die Rache des verhöhnten Liebhabers* an der Freien Volksbühne in Jena. – 7. August: Auf dem Leipziger Gewerkschaftsfest wird Tollers Massenspiel *Krieg und Frieden* aufgeführt. – 19. September: Uraufführung von Tollers Drama *Der deutsche Hinkemann* am Alten Theater in Leipzig unter der Regie von Alwin Kronacher. Buchausgabe des Dramas im gleichen Jahr. Auch die Komödie *Der entfesselte Wotan* erscheint 1923. – 26. September: Über Bayern wird der Ausnahmezustand verhängt. – 8./9. November: Hitlerputsch in München.

1924

17. Januar: Heftiger Theaterskandal bei der Aufführung des *Hinkemann* im Dresdener Staatstheater. – 10. Februar: Die Wiener Aufführung des *Hinkemann* wird unter Polizeischutz gestellt. – 26. Februar: Beginn des Hochverratsprozesses gegen Hitler in München. – 9. April: *Hinkemann*-Skandal in Delitzsch. – 11. April: Die *Hinkemann*-Aufführung in Berlin findet unter Polizeischutz statt. – 13. April: Die Strafvollstreckung gegen den Eisnermörder Graf Arco-Valley wird ausgesetzt. – April: Das *Schwalbenbuch* erscheint. – 15. Juli: Toller wird nach Verbüßung seiner Haftstrafe aus Bayern ausgewiesen und von zwei Kriminalpolizisten nach Hof an der Saale eskortiert. – 18. Juli: Toller berichtet in Berlin vor Abgeordneten des Rechtsausschusses des Deutschen Reichstags über die Zustände in Niederschönenfeld. Er wird am Abend dieses Tages in einer *Hinke-*

mann-Aufführung im Berliner Residenz-Theater stürmisch gefeiert. – *2.-6. August:* Toller nimmt am Gewerkschaftsfest in Leipzig teil. – *3. August:* Aufführung von Tollers Massenspiel *Erwachen* in Leipzig. – *20. Dezember:* Hitler wird in Bayern Bewährungsfrist gewährt. Im Laufe dieses Jahres erscheint Tollers Gedichtsammlung *Vormorgen*.

1925

16. Januar: Toller liest in Berlin aus eigenen Werken und eröffnet damit eine Reihe großer Vortrags- und Lesereisen. – *29. Januar:* Erste deutschsprachige Aufführung des *Entfesselten Wotan* auf der Kleinen Bühne des Deutschen Theaters, Prag. Toller nimmt an dieser Aufführung teil. – *März:* Palästinareise Tollers mit Vorträgen und Lesungen. Die Reise wird wegen Krankheit vorzeitig abgebrochen. – *26. April:* Hindenburg wird zum Reichspräsidenten gewählt. – *8. November:* Toller spricht im Großen Schauspielhaus in Berlin über *Deutsche Revolution.* – *Dezember:* Englandreise Tollers auf Einladung des PEN-Clubs.

1926

23. Februar: Jürgen Fehling inszeniert in der Tribüne, Berlin den *Entfesselten Wotan.* – *Frühjahr:* Die *Hinkemann*-Übersetzung von Vera Mendel erscheint mit den Zeichnungen von George Grosz in London unter dem Titel *Brokenbrow. A Tragedy by Ernst Toller.* – *Anfang März-Mitte Mai:* Reise Tollers in die Sowjetunion. Öffentliche Auseinandersetzung um Tollers Rolle in der Bayerischen Räterepublik. – *Juni-Oktober:* Toller meist in Frankreich. Die Bildhauer Harald Isenstein und Renée Sintenis arbeiten an Porträtbüsten des Autors. Toller wird Mitglied der »Gruppe revolutionärer Pazifisten«. – *November/ Dezember:* Öffentliche Kontroverse um die abgesetzte *Hinkemann*-Aufführung in Oldenburg. – *14. Dezember:* Toller nimmt in Berlin an der Gedenkfeier für Siegfried Jacobsohn teil. – Beginn der Kampagne für die Wiederaufnahme des Prozesses von Max Hölz.

1927

Januar: Lesereise durch Österreich. In Wien werden u. a. *Hinkemann* und *Masse Mensch* aufgeführt. – *10.-14. Februar:* Toller nimmt am Kongreß der ›Liga gegen die koloniale Unterdrückung‹ in Brüssel teil. Freundschaft mit Jawaharlal Nehru. – *19. Februar:* Toller hält in

Kopenhagen die Totenrede für Georg Brandes. – *März:* Lesungen in Dänemark und Norwegen. – *24. März:* Toller spricht über Mussolini und den Faschismus für Angelika Balabanoff in Berlin. – *Ende Mai:* Das Buch *Justiz. Erlebnisse* erscheint. – Bis *Juli* arbeitet Toller zusammen mit Erwin Piscator an dem neuen Stück *Hoppla, wir leben!* – *Juli:* Urlaub auf Sylt. – *1. September:* Uraufführung von *Hoppla, wir leben!* an den Hamburger Kammerspielen. – *3. September:* Mit *Hoppla, wir leben!* wird in Berlin die Piscator-Bühne eröffnet. – *19. September:* Unter der Leitung von Armin T. Wegner und in Anwesenheit des Autors wird in der Volksbühne Berlin über Tollers neues Stück diskutiert. – *7. Oktober:* Erste Aufführung von *Hoppla, wir leben!* im Alten Theater in Leipzig (mit der von Toller bearbeiteten Fassung der Schlußszene). – *25. November:* Beginn der *Hinkemann*-Aufführungen in der Berliner Volksbühne. Toller führt zusammen mit Ernst Lönner selbst Regie.

1928

8. Januar: Toller spricht in Berlin bei der Protestkundgebung wegen des Hochverratsprozesses gegen Johannes R. Becher. Der für den *16. Januar* angesetzte Prozeß wird vertagt und dann niedergeschlagen. – *Ende März-Anfang Mai:* Reise nach Italien und Tripolis. Freundschaft mit Hermann Kesten. – *Juni:* Autounfall. – *September:* Lesereise nach Schweden und Norwegen. – *11. November:* Toller spricht beim Reichsgründungskongreß des ›Internationalen Komitees der Freunde Sowjetrußlands‹ in Berlin. – *20. November:* Toller wird in den ›Reichsausschuß zum Kampf gegen den Strafgesetzentwurf‹ gewählt.

Um *1928/29* vollendet Toller sein (bisher unveröffentlichtes) Hörspiel *Berlin, letzte Ausgabe*.

1929

2. Februar: Uraufführung von *Bourgeois bleibt Bourgeois* unter der Regie von Alexander Granowsky im Lessing-Theater, Berlin. – *24. Februar:* Bei der Eisner-Gedenkfeier im Theater am Schiffbauerdamm spricht Toller über *Kurt Eisner: Der Sozialismus und die Jugend*. – *Anfang März:* In London anläßlich einer Aufführung von *Hoppla, wir leben!* im Gate Theatre. – *Oktober-Dezember:* Reise in die USA und nach Mexiko. Toller spricht auf 35 Veranstaltungen.

Am Ende dieses Jahres erscheint unter dem Titel *Verbrüderung. Ausgewählte Dichtungen* ein kleines Bändchen mit Texten Tollers.

1930

Jahresanfang: Öffentliche Auseinandersetzung um die USA-Reise. Toller wird von Karl Kraus und vor allem von der kommunistischen Presse angegriffen. – *Juni:* Beim PEN-Club-Kongreß in Warschau. – *31. August:* Toller nimmt an der Premiere seines neuen Stückes *Feuer aus den Kesseln* im Theater am Schiffbauerdamm in Berlin teil. Buchausgabe des Stückes (mit einem dokumentarischen Anhang) im gleichen Jahr. – *16.-23. September:* Toller spricht auf dem 4. Kongreß der Weltliga für Sexualreform in Wien über *Gefangenschaft und Sexualität.* – *12. Oktober:* Zu Ehren der *1917* hingerichteten Matrosen Köbis und Reichpietsch liest Toller im Theater am Schiffbauerdamm. – *Oktober:* Tollers Buch *Quer durch. Reisebilder und Reden* erscheint. – *4. Dezember:* Toller gehört zu den Unterzeichnern der Resolution des »Internationalen Verteidigungskomitees für die Sowjetunion – Gegen die imperialistischen Kriegstreiber«.

In diesem Jahr wird die Aufzeichnung einer Rundfunkdiskussion *Nationalsozialismus. Eine Diskussion über den Kulturbankrott des Bürgertums zwischen Ernst Toller und Alfred Mühr, Redakteur der Deutschen Zeitung* publiziert.

1931

Sommer: Toller und Hermann Kesten arbeiten an ihrem gemeinsam verfaßten Schauspiel *Wunder in Amerika.* – *September:* Toller besucht das Gefängnis Thorberg in der Schweiz und im Untersuchungsgefängnis Burgdorf (Schweiz) die angeblichen Giftmörder Max Riedel und Antonia Guala. – *17. Oktober:* Ernst Toller und Hermann Kesten nehmen im Mannheimer Nationaltheater an der Uraufführung ihres Schauspiels *Wunder in Amerika* teil. Das Stück erscheint erstmals im Druck (in englischer Sprache) in *Seven Plays.* – *Ende Oktober:* Toller reist mit Lotte Israel durch Spanien. Über die Reise, von der er *Anfang März 1932* zurückkehrt, berichtet er *1932* in der ›Weltbühne‹. – *November:* Unter dem Titel *Which World – Which Way? Travel Pictures from America and Russia by Ernst Toller* erscheinen in London (in der Übersetzung von Hermon Ould), mit einem Vorwort des Autors, die *Reisebilder* aus *Quer durch.*

Walter Hasenclever und Ernst Toller sind in diesem Jahr an der deutschen Fassung des Filmes ›Big House‹ beteiligt, der als deutscher Metro-Goldwyn-Mayer-Sprechfilm den Titel *Menschen hinter Gittern* erhält.

1932

22. April: Mit Unterstützung der Deutschen Liga für Menschenrechte liest Toller seine Spanien- und Afrikareportagen im Rundfunk. – *Juni:* Toller spricht auf dem PEN-Club-Kongreß in Budapest. Kontroverse mit Marinetti über den Faschismus. – *31. Oktober:* Im Wiener Raimund-Theater wird unter der Regie von Jürgen Fehling Tollers Drama *Die blinde Göttin* erstmals aufgeführt. Die Buchausgabe erscheint 1933. Sie wurde bereits in Österreich gedruckt.

1933

30. Januar: Hitler als Reichskanzler vereidigt. – *27. Februar:* Brand des Reichstagsgebäudes. Toller entgeht der Verhaftung, da er sich zu einem Radiovortrag in der Schweiz aufhält. Er lebt zunächst in Zürich im Haus von Emil Ludwig. – *10. Mai:* Auf den Scheiterhaufen vor den deutschen Universitäten werden Tollers Bücher mitverbrannt. – *27.-29. Mai:* Toller spricht auf dem PEN-Club-Kongreß in Ragusa (Dubrovnik). Die reichsdeutsche Delegation verläßt daraufhin den Kongreß. – *Juni/Juli:* Lesereise durch Jugoslawien. – *23. August:* Toller wird ausgebürgert, sein Besitz in Deutschland beschlagnahmt. – *14.-20. September:* Toller sagt in London vor einem Untersuchungsausschuß des Unterhauses über den Reichstagsbrand aus. – *10. November:* Rede Tollers vor dem Englischen jungen PEN-Club, der ihn als Ehrenmitglied aufgenommen hat. – *November:* Im Exilverlag Querido in Amsterdam erscheint Tollers Autobiographie *Eine Jugend in Deutschland*. – *26. Dezember:* Tollers Mutter stirbt in Deutschland.

1934

Januar: Die junge Schauspielerin Christiane Grautoff reist Toller in die Schweiz nach. – *Februar-Juli:* Toller lebt in London. – *16. Februar:* Vortrag über das moderne deutsche Drama an der Universität Manchester. – *17.-22. Juni:* Unter Leitung von Rudolf Olden und Ernst Toller Gründung des deutschen PEN-Clubs im Exil. Toller spricht auf dem PEN-Club-Kongreß in Edinburgh. – *August/September:* Toller nimmt am Ersten Kongreß der Schriftsteller der Sowjet-Union in Leningrad teil. Er spricht dort über das *Werk des Dramatikers*. – *17. November:* Toller sammelt Geld zur Unterstützung der Frau des in Deutschland inhaftierten Carl von Ossietzky. – *3.-8. Dezember:* Toller in Welwyn Garden City bei den Aufführungen von

The Blind Goddess. – Im Dezemberheft der Emigrantenzeitschrift ›Die Sammlung‹ (Amsterdam) erscheint Tollers »Chorwerk« *Weltliche Passion*.

Im Laufe dieses Jahres erscheinen bei Bodley Head, London *The Blind Goddess, I was a German* und *Masses and Man*.

1935

Januar: Ein Vortrag Tollers in Irland wird von der Deutschen Botschaft in Dublin verhindert. – *Januar/Februar:* Toller in Manchester bei den Proben zu *Draw the Fires (Feuer aus den Kesseln)*. – *1. Februar:* Tollers Dramensammlung *Seven Plays* erscheint bei Bodley Head, London. – *8. Februar:* Bei Bodley Head erscheint *Draw the Fires*, das ab *10. Februar* in Manchester aufgeführt wird. – *März:* Toller berichtet von einem Versuch Hans Wesemanns, ihn nach Deutschland zu verschleppen. – *16. Mai:* Toller und Christiane Grautoff heiraten in London. – *21.-25. Juni:* Toller nimmt am Ersten Internationalen Schriftstellerkongreß zur Verteidigung der Kultur (in Paris) teil.

Im Laufe des Jahres erfährt Tollers Plan, »to help German emigrants ⟨...⟩ the help of Conservatives, Liberals, and Labor Members of Parliament and was favorably accepted by the British government«. – Vermutlich im Herbst des Jahres erscheinen im Querido-Verlag (Amsterdam) Tollers *Briefe aus dem Gefängnis*.

1936

6. Februar: Toller nimmt an der Gründungssitzung des Komitees zur Schaffung der Deutschen Volksfront teil. – *März/April:* Toller und seine Frau reisen sechs Wochen mit dem Auto durch Spanien und Portugal. – *April:* In London erscheinen bei Bodley Head die *Letters from Prison. Including Poems and a New Version of ›The Swallow Book‹*. – *Mai/Juni:* Toller ist in London mit den Proben seiner neuen Komödie *No More Peace* beschäftigt. – *11. Juni:* Uraufführung von *No More Peace* im Gate Theatre, London. Tollers Frau spielt die weibliche Hauptrolle. – *19. Juni:* Toller hält die Eröffnungsrede beim PEN-Club-Kongreß in London *(Das Wort)*. – *17./18. Juli:* Mit der Rebellion der spanischen Marokko-Armee beginnt der Spanische Bürgerkrieg. – *12. Oktober:* Toller kommt zu einer ausgedehnten Vortragsreise (durch die USA und Kanada) im Hafen von New York an. Er wird für das Schreiben von Drehbüchern von Metro-Goldwyn-

Mayer unter Kontrakt genommen. – *14. Oktober:* In Spanien werden die ersten Internationalen Brigaden aufgestellt. – *30. Oktober:* Toller spricht im Mekka-Tempel in New York über *Hitler: Promise and Reality.* – *1. November:* Toller spricht in Montreal über *Are You Responsible for Your Times.* – *14. Dezember:* Rede Tollers auf dem Deutschen Tag in New York *(Unser Kampf um Deutschland).* – *15. Dezember:* Radio-Vortrag (CBS network) über das moderne Theater. – *21. Dezember:* Toller spricht in der New School for Social Research in New York über *The Theatre in a Changing World.*
Im Laufe des Jahres arbeitet Toller an Drehbüchern mit den Titeln: *Lola Montez* und *Der Weg nach Indien.*

1937

Januar/Februar: Toller setzt seine Vortragsreise – hauptsächlich im Westen der USA – fort. – *12. Januar:* Toller spricht auf einer Massenversammlung im Shrine Auditorium in Los Angeles. – *Februar:* Toller wohnt in Santa Monica und arbeitet an seinen Drehbüchern. – *26. April:* Der baskische Ort Guernica wird durch Flugzeuge der Legion Condor zerstört. – *Juni:* Das Drehbuch für den (nicht produzierten) Film *Lola Montez* ist fertiggestellt. – *September:* Die Buchausgabe von *No More Peace* erscheint in London bei Bodley Head. – *Mitte November-20. Dezember:* Toller reist durch Mexiko und hält einige Vorträge. Er leidet unter starken Depressionen.

1938

10. Februar: Toller wieder in New York. – *Mai:* Denis Johnston verwendete für sein Stück *Blind Man's Buff* Motive aus Tollers Drama *Die blinde Göttin.* Das Stück trägt daher den Untertitel *A Play in Three Acts by Ernst Toller and Denis Johnston.* Es erscheint in der Buchausgabe im *Mai* in London, wurde aber schon am *26. Dezember 1936* am Abbey Theatre in Dublin uraufgeführt. – *Juni:* In der Zeitschrift ›Das Wort‹ (Moskau) erscheint Tollers Gedichtzyklus auf den Reichstagsbrand *Die Feuerkantate.* – *Juli:* Toller trennt sich von seiner Frau. Er löst den Vertrag mit Metro-Goldwyn-Mayer. – *25. Juli:* Toller spricht auf dem PEN-Club-Kongreß in Paris. Er reist anschließend nach Spanien und wird von Barcelona mit dem Flugzeug in das belagerte Madrid gebracht. – *26. August:* Toller bittet *Am Sender von Madrid* den amerikanischen Präsidenten Roosevelt um Hilfe für die hungernde spanische Zivilbevölkerung. – *4.-20. September:* Toller in

Frankreich. Beginn der internationalen Aktion für die Spanien-Hilfe. – *21. September-22. Oktober:* Toller wirkt in London für sein Spanien-Projekt. – *29. September:* Rede Tollers *An England* in der Londoner Conway Hall. – *24.-29. Oktober:* In Schweden auf Werbereise für das Spanien-Projekt. Toller wird von Erzbischof Erling Eidem und dem schwedischen Kronprinzen empfangen. – *29. Oktober:* Toller in Kopenhagen. – *30. Oktober-2. November:* In Oslo wegen des Spanien-Projektes. – *4.-12. November:* Toller verhandelt in London mit dem Außenministerium wegen seines Spanien-Projekts. Er wird vom Erzbischof von Canterbury empfangen. – *17. November:* Toller beginnt in New York seine Werbekampagne für das Spanien-Projekt. – *30. November:* Dorothy Thompson unterstützt die Hilfs-Aktion publizistisch. – *15.-24. Dezember:* Toller verhandelt in Washington mit Regierungsstellen über das Spanien-Projekt. Die Presse in Washington unterstützt ihn. Er ist Gast im Weißen Haus. – *23. Dezember:* Offensive der Franco-Truppen in Katalonien. – *30. Dezember:* Präsident Roosevelt ernennt ein Komitee zur Organisation der amerikanischen Hilfe für die spanische Zivilbevölkerung.

1939

26. Januar: Die Franco-Truppen erobern Barcelona. – *Januar-Mai:* Toller arbeitet an der Revision des letzten Aktes seines Dramas *Pastor Hall.* Das Stück erscheint (in englischer Sprache) erstmals am *22. Juni* in London bei Bodley Head. – *28. März:* Francos Truppen ziehen in Madrid ein. – Trotz umfangreicher Vorarbeiten gibt Toller den Plan eines Buches über das Spanien-Projekt auf. – *1. April:* Die USA erkennen, wie England und Frankreich, das Franco-Regime an. – *Mai:* Toller spricht auf dem PEN-Club-Treffen in New York. Er nimmt an einem Empfang im Weißen Haus teil. – *22. Mai:* Toller erhängt sich in seinem Zimmer im Hotel Mayflower in New York.

Unterschrift Tollers im Brief an Maximilian Harden, 16. 1. 1926.

DOKUMENTATION

Revolution und Räterepublik
1917-1919

Auf die Burg Lauenstein in Thüringen lud im Juni 1917 der Jenenser Verleger Eugen Diederichs »einen bunten Kreis: Gelehrte, Künstler, politische Schriftsteller, ›Lebenspraktiker‹, freideutsche Jugend zum Austausch über Sinn und Aufgabe unserer Zeit«. (Weber S. 608) Toller nahm erst an der Herbsttagung 1917 teil, nach der er sich an der Universität Heidelberg immatrikulierte. Er begegnete auf Burg Lauenstein erstmals Max Weber, dessen Gedankenwelt sein politisches Handeln und später sein schriftstellerisches Werk beeinflußte. Marianne Webers Biographie Max Webers (1926) gehört zu den Quellen von *Eine Jugend in Deutschland* (vgl. Bd. IV, S. 77 ff.).

⟨*Theodor Heuß (1963) über die Lauensteiner Tagungen*⟩
Diese paar Tage auf der malerisch-reizvollen Burg erhielten aber ihre Bedeutung durch die Wucht der Anklagen, die Max Weber gegen den Kaiser und seine Umgebung schleuderte; er forderte geradezu heraus, ihn wegen Majestätsbeleidigung anzuklagen, daß er dann die und die und die zum Zeugenschwur unter Eid laden könne – es war eine richtige Explosion, die manche der Hörer einschüchterte. (Ernst Krieck, der spätere führende »Pädagoge« des Nationalsozialismus, so fleißig wie langweilig, beschwor mich, auf Weber dämpfend einzuwirken; die ganze Veranstaltung könne sonst polizeilich aufgehoben werden. Ich antwortete ihm nur: »Löschen Sie einen Vulkan mit einem Glas Wasser.«) Richard Dehmel war da, Paul Ernst, der junge Kommunist Ernst Toller, ein im Grunde zarter Enthusiast, der nach ein paar Jahren zu einer politisch-militärischen Führungsrolle in dem Zwischenspiel der Münchener Räteherrschaft ansteigen sollte, der er nach seiner Natur gar nicht gewachsen sein konnte; die Freundschaft mit Walter von Molo wurde geschlossen, mit Wilhelm Vershofen erneuert. Friedrich Meinecke schenkte mir sein Wohlwollen. Unvergeßlich ein Abschiedsabend mit Max Weber im Weimarer Park, in Goethes »Gartenhaus« ... Ich war ein paar Tage

in einer Welt gewesen, die in ihrer geistigen Buntheit lockte, bei aller freudigen Arbeit in der Heimat verlockte. (Heuß S. 215)

Nicht nur in der Erinnerung Tollers dominierte auf Burg Lauenstein das Rededuell zwischen Max Weber und dem evangelischen Theologen und Publizisten Max Maurenbrecher, der die Ideen der Deutschen Vaterlandspartei schon vor deren Gründung vertrat (vgl. Bd. IV, S. 78 f.).

⟨*Marianne Weber (1926) über die Lauensteiner Tagungen*⟩
⟨...⟩ Unter den Älteren sucht vor allem der vielfach gewandelte, nunmehr »alldeutsch« orientierte Schriftsteller Max Maurenbrecher für seine konservative Staatsidee zu werben. Er stellt sie als spezifisch deutsch dem »demokratischen Individualismus« Westeuropas entgegen – der Staat als »Idee«, als Objektivierung des »Absoluten« soll den Subjektivismus überwölben. Weber ist in diesem Augenblick, wo alles darauf ankommt, die notwendigen inneren Reformen durchzusetzen, solche Staatsromantik verhaßt. Er bekämpft sie scharf, das politische Duell der beiden Männer droht fast, alle andern Diskussionen zu erdrücken. Alle die zahllosen politischen Fehler des wilhelminischen Zeitalters sind ihm gegenwärtig. Es erregt ihn schwer, daß sich auch in diesem Kreise Intellektueller so viele der notwendigen inneren Umbildung des mißleiteten Staatswesens entgegenstemmen – können oder wollen sie denn *immer* noch nicht sehen? Sind sie denn *nie* dazu zu bringen, sich auf den Boden illusionsfreier Wahrheit zu stellen? Er äußert gegen den Gesinnungsgenossen Th. Heuß mit leidenschaftlicher Geste: »Sobald der Krieg zu Ende ist, werde ich den Kaiser so lange beleidigen, bis er mir den Prozeß macht, und dann sollen die verantwortlichen Staatsmänner Bülow, Tirpitz, Bethmann-Hollweg gezwungen werden, unter Eid auszusagen.« (Weber S. 609 f.)

Das Jahr 1917 – von den Historikern als ein Epochenjahr der Weltgeschichte bezeichnet – ist das Jahr der letzten Hoffnungen auf einen

Verständigungsfrieden in Europa. Die Resolution des Deutschen Reichstages vom 19. Juli 1917, die sich für einen »Frieden der Verständigung und dauernden Versöhnung der Völker« aussprach, und die Friedensnote des Papstes vom 1. August 1917 schienen den Weg dahin freizumachen. In Deutschland sammelten sich die Gegner des Verständigungsfriedens in der 1917 gegründeten Deutschen Vaterlandspartei, die am 28. November 1917 den Reichstag »um Aufhebung der Friedensresolution« ersuchte und im Laufe des Wintersemesters 1917/18, u. a. in Berlin und München, zahlreiche studentische Ortsgruppen gründete.

Ernst Toller trat mit seinen Freunden der lärmenden Agitation für einen »Siegfrieden« entgegen und kam dadurch in Verbindung mit dem deutschen Pazifismus, der über die Schweiz u. a. mit österreichischen und französischen Kriegsgegnern zusammenhing. Toller trat vor allem für den konsequentesten deutschen Pazifisten ein, den Münchener Ordinarius für Pädagogik, Friedrich Wilhelm Foerster, der zutiefst von der Kriegsschuld Deutschlands überzeugt war. Im Mai 1916 war der »Fall Foerster« entstanden, als die ›Deutsch-evangelische Korrespondenz‹ wegen eines in der Schweiz erschienenen Artikels über ›Bismarcks Werk im Lichte der großdeutschen Kritik‹ Foerster heftig angegriffen und im Juni des gleichen Jahres die Philosophische Fakultät der Universität München ihm wegen dieses Artikels »ihre schärfste Mißbilligung« ausgesprochen hatte. »Erst durch diese heftigen Polemiken wurde der Münchner Professor einer breiten deutschen und europäischen Öffentlichkeit als Sprecher eines politischen Versöhnungs- und Erneuerungswillens bekannt, der seine Kraft und Konsequenz aus religiösen und ethischen Prämissen schöpfte.« (Lutz S. 485) Als Foerster Ende Oktober 1917 aus der Schweiz zurückkehrte und seine Vorlesungen wieder aufnahm, kam es zu lärmenden Protesten, bei denen er von »vaterländisch« gesinnten Studenten aus dem Hörsaal geprügelt werden sollte, aber von seinen Hörern beschützt wurde (vgl. Foerster S. 210). Der nachfolgend gedruckte Aufruf Tollers, der als Flugblatt verbreitet wurde und am 10. November 1917 auch in der ›Münchener Zeitung‹ erschien, bezieht sich auf diese Vorgänge; er ist seine erste politische Publikation.

Der neue Fall Förster als Anlaß zum Protest gegen die Einschränkung der politischen Freiheit der Studierenden in Deutschland.

Wir unterzeichneten Studierenden der Universität Heidelberg erheben Protest gegen die unwürdigen Vorgänge, die sich anläßlich der Wiederaufnahme der Vorlesungen durch Prof. Förster an der Universität München abgespielt haben.

Wir vertreten den Grundsatz, daß man eine in jedem Fall – man mag zu ihr stehen, wie man will – Achtung gebietende Persönlichkeit niemals in dieser Weise zu politischen Sensationen und Lärmszenen mißbrauchen darf.

Die Möglichkeit zu solchen unangenehmen Vorfällen wäre erheblich verringert, wenn unsere hier aufgestellten Forderungen verwirklicht wären:

Falls der Dozent *in seinem Kolleg* – was Förster nicht getan hat – ausgesprochen parteipolitische Ansichten mit dem Lehrgegenstand verquickt, muß den Studierenden allerdings das Recht, Kritik zu üben, zugestanden werden. Dieses Recht ist notwendig als Gegengewicht gegen Mißbrauch der unbedingt zu fordernden Lehrfreiheit. Ihre Einengung würde zu Korruptionen führen. Natürlich muß sich diese Kritik – wie jede Äußerung des Dozenten – in den Grenzen des Takts bewegen. Hiebe sind keine wissenschaftlichen Argumente! Keinesfalls darf das Recht der Kritik mit Hinweis auf die autoritäre Stellung des Dozenten geschmälert werden.

Außerhalb der Universität muß Dozenten *und* Studierenden unbeschränkte politische Bewegungsfreiheit zustehen. Die Einschränkung des Vereins- und Versammlungsrechts, die in allen Universitätsordnungen mehr oder minder deutlich ausgesprochen ist, läuft darauf hinaus, uns Studierenden jegliche politische Betätigung unmöglich zu machen. Wir empfinden es heute besonders erniedrigend und beschämend, daß wir für den Bestand einer staatlichen Ordnung nicht mitverantwortlich sind, für die wir Leben und Kraft einsetzen müssen.

Wir fordern keine Sonderrechte, fordern aber die Aufhebung aller Sonderbeschränkungen, d. h. auch für uns die politische und rechtliche Freiheit jedes anderen achtzehnjährigen Staatsbürgers! Umsomehr, da wir wissen, was die Studentenschaft in entscheidenden Zeiten als politischer Faktor bedeuten kann.

Für 135 Studierende der Universität
Heidelberg
gez. Ernst Toller, cand. iur.
Elisabeth Harnisch, cand. rer. pol.

An diese Initiative schloß sich Anfang November 1917 der Versuch, den Kampf für den Frieden und gegen die Vaterlandspartei zu organisieren. An alle deutschen Universitäten und an zahlreiche Persönlichkeiten des öffentlichen und politischen Lebens wurden die folgenden hektographierten Aufrufe versandt. Die Heidelberger Ortsgruppe des *Kulturpolitischen Bundes der Jugend in Deutschland,* die Ernst Toller zum Vorsitzenden wählte, wurde am 24. November 1917 gegründet (vgl. Bd. I, S. 31 ff.). In diesem Zusammenhang nahm Toller im Dezember 1917 auch Verbindung mit Gustav Landauer auf (vgl. Bd. I, S. 34 ff.), dessen ›Aufruf zum Sozialismus‹ (1911) eine der bestimmenden Quellen seines Denkens wurde.

⟨*Tollers Aufruf zur Gründung eines Kulturpolitischen Bundes der Jugend in Deutschland*⟩

Wir, ein Kreis von Studierenden der Universität Heidelberg, haben uns zusammengefunden unter dem gleichen Empfinden, daß die Gegenwart der Studentenschaft kein dumpfes Dahinvegetieren den öffentlichen Ereignissen gegenüber gestattet.

Wir wissen, daß es auch an andern Universitäten Menschen gibt, die entschlossen sind, sich gegen den jetzigen Zustand der Verlogenheit, durch Gewalt »legitimiert«, aufzulehnen. An alle diese wenden wir uns mit der Aufforderung, sich zusammenzuschließen, um statt der bisherigen kraftvergeudenden Einzelarbeit ein geschlossenes, stoßkräftiges Vorgehen zu ermöglichen.

Wenn unsere Idee Ihre Zustimmung findet, bitten wir Sie, den beigelegten Aufruf Gleiches-Wollenden zur Unterschrift zu reichen und ihn uns möglichst bald zurückzusenden.

Der Aufruf soll nur als erster Schritt betrachtet werden. Wir wissen, daß er kein Programm darstellt. Das ist auch nicht unsre Absicht.

Drei Wirkungen soll der Aufruf haben:

1. Aufrüttelung der Studierenden zur Stellungnahme überhaupt,
2. Zusammenschluß aller der, die im wesentlichen Gleiches bekämpfen (um herauszugreifen: Kriege, Machtpolitik, Militarismus, Ansicht, daß *die* deutsche Kultur vernichtet werden kann, die Menschheitssittlichkeit als Inhalt hat) – und Gleiches wollen,
3. übernationale Wirkung eines Gesinnungsbeweises.

Der Aufruf soll an alle deutschen Universitäten geschickt und mit der Zahl der sich Anschließenden veröffentlicht werden. Da wir das formale Haupthemmnis zu einem Zusammenschluß in der Beschränkung unseres Vereins- und Versammlungsrechts sehen, haben wir die Forderung ihrer Beseitigung in einem Aufruf und einer Eingabe an den Senat erhoben. Vielleicht können Sie es erwirken, daß sich Ihre Universität unserem Schritt anschließt (den Text fügen wir bei).

Um bei entsprechenden Aktionen solidarisch vorgehen zu können, bitten wir Sie, uns für Ihre Universität einen Vertrauensmann namhaft zu machen.

Wir wären Ihnen sehr verbunden, wenn Sie uns Ihre *persönliche Meinung* darlegen wollten.

Wir wollen rasch beginnen!

Aufruf.

Wir unterzeichneten Studenten und Studentinnen der Universitäten. . . . . nehmen das Wirken der deutschen Vaterlandspartei zum Anlaß, um entschiedenen Protest gegen ihre Grundsätze zu erheben und unsererseits folgende *kultursittliche Forderungen* aufzustellen:

Wir verwahren uns gegen die Anmaßung der deutschen Vaterlandspartei und ähnlicher Strömungen, Sonderinteressen mit dem Wort »vaterländisch« zu decken und zu schützen.

Wir wissen, daß unsere Kultur von keiner fremden Macht erdrückt werden kann, verwerfen aber auch den Versuch, andere Völker mit unserer Kultur zu vergewaltigen. Statt Machterweiterung, Vertiefung der Kultur, die Menschheitssittlichkeit zum Inhalt hat! Statt geistloser Organisation, Organisation des Geistes!

Wir erklären weiter, daß wir Achtung empfinden vor all den Studenten in fremden Ländern, die gegen die unfaßbare Sinnlosigkeit und Entsetzlichkeit der Kriege, sowie gegen jegliche Militarisierung überhaupt schon jetzt protestieren.

Aufrütteln wollen auch wir alle Teilnahmslosen, sammeln alle Gleichgesinnten! Studierende aller deutschen Hochschulen schließen wir uns zusammen! Nehmen wir offen Stellung zu allen Gegenwartsfragen! Entschließen wir uns – bei allen Angelegenheiten, die uns angehen – zu gemeinsamer Aktion!

Dem Aufruf stimmten u. a. zu Friedrich Wilhelm Foerster, Walter Hasenclever, Carl Hauptmann, Karl Henckell, Heinrich Mann, Walter von Molo und Alfred Wolfenstein. Als er durch eine denunziatorische Veröffentlichung in der Presse vorzeitig bekannt wurde, entspann sich eine publizistische Kontroverse, die u. a. zwischen der ›Deutschen Tageszeitung‹ (Berlin) und dem ›Berliner Tageblatt‹ geführt wurde. Die Auseinandersetzungen endeten vorläufig mit Tollers Wegweisung aus Heidelberg; der drohenden, vorzeitigen Reaktivierung zum Militärdienst mußte er sich durch eine fluchtartige Reise nach Berlin entziehen. Zu den Heidelberger Aufrufen schrieb die ›Deutsche Tageszeitung‹ am 11. Dezember 1917 u. a.:

Der Aufruf Heidelberger Studenten

⟨...⟩ Die vaterländische Gesinnungstüchtigkeit dieser beiden Schreiben bedarf für urteilsfähige Leser keiner Erörterung. Schon durch ihre phrasenhafte Sprechweise kennzeichnen sie sich als Äußerungen unklarer Köpfe ohne geschichtliche und politische Bildung und bekunden einen erschreckenden Mangel an vaterländischem Empfinden. Immerhin scheinen sie geeignet, dem offenbar immer moderner werdenden Gerede über »Menschheitssittlichkeit« unter vaterländisch haltlosen Gemütern weitere »gleicheswollende« Vorkämpfer für eine

»Organisation des Geistes« und eine »übernationale Wirkung eines Gesinnungsbeweises« zu gewinnen. Uns will es scheinen, als ob es auch jetzt noch um unser Dasein und nicht um die Erfüllung schillernder Redensarten geht. Das ist *unsere* »persönliche Meinung«, und es steht zu hoffen, daß gegen die Rundschreiben der Heidelberger Studenten und verwandte Schritte politischer Einsichtslosigkeit ganz energisch Front gemacht wird.

In Berlin lernte Toller – nach eigenen Angaben – Kurt Eisner kennen, an dessen Agitation für den Friedensstreik er sich in München, im Januar und Februar 1918, beteiligte. Dort lief seit Anfang Januar eine neue Kampagne gegen Friedrich Wilhelm Foerster, in deren Folge sich »das offizielle Deutschland« von ihm trennte. »Daß Toller (ebenso wie Kurt Eisner) in den Tagen der Streikagitation mit Foerster zusammengetroffen ist, geht aus Polizeiberichten hervor, die im Kriegsministerium im Laufe des Februar einliefen.« (Lutz S. 505 f.) Foerster stellte sich nach der Revolution Eisner als bayerischer Gesandter in Bern zur Verfügung (vgl. Foerster S. 211 ff.).
Toller wurde mit anderen Streikführern, unter denen sich auch Sarah Sonja Lerch, die Gattin eines Münchener Privatdozenten, befand (vgl. die Gestalt der Sonja Irene L., Bd. II, S. 63 ff.), Anfang Februar 1918 verhaftet und – da seine Freistellung vom Militärdienst am 1. Februar 1918 abgelaufen war – reaktiviert. Nach der Haft im Militärgefängnis und den Untersuchungen in der Münchener psychiatrischen Klinik wurde er im September 1918 wieder aus dem Militärdienst entlassen.
Die Polizeiakten Tollers enthalten über diese Vorgänge umfangreiches Material. Daraus geht hervor, daß seine pazifistischen Aktivitäten in Heidelberg unmittelbar durch die Agitation für den Friedensstreik fortgesetzt wurden und diese überging in seine Tätigkeit während der Revolutionszeit und der Räterepublik in München.
Auf den Flugblättern, die zum Generalstreik rufen, spielen Tollers Gedichte und erste Szenen seines Dramas *Die Wandlung* (vgl. Bd. II, S. 7 ff.) eine Rolle. Der im nachfolgenden Bericht genannte Student Metzger ist der Vorsitzende der studentischen Ortsgruppe der Vaterlandspartei in München. An der Versammlung am 25. Januar 1918 nahmen etwa 300 Studierende teil, darunter rund 150 Studentinnen. An der Universität München waren damals 7886 Studierende immatrikuliert, 2300 waren im Wintersemester 1917/18 »ortsanwesend«.

〈Aus einem Bericht des Rektors der Universität München
an das K. Staatsministerium des Inneren,
für Kirchen- und Schulangelegenheiten〉

München, 7. Februar 1918.
Betreff: Die allgemeine Studentenversammlung
vom 25. Januar 1918

Die allgemeine Studentenversammlung, die im Hörsaal 224
der Universität am 25. vor. Mts. stattfand, hat nach manchen
Richtungen hin beachtenswerte Streiflichter auf den Gegenstand Studentenschaft und Politik geworfen. Im Einverständ-
nis mit dem akademischen Senat halte ich es deshalb für
meine Pflicht, dem Kgl. Staatsministerium über diese Vorgänge, die mehrfach auch in der Presse berührt wurden, aus-
führlichen Bericht zu erstatten. 〈...〉 Die Einberufer der Versammlung hatten es verstanden, in letzter Stunde, vom Rektor
unbeachtet, einen 2. Gegenstand »Verschiedenes« in die Tagesordnung einzuschmuggeln. Als erster Redner ergriff hierzu
der Studierende Ernst Toller, der an der hiesigen Universität
nicht immatrikuliert ist (Toller war an der Universität München immatrikuliert vom W. S. 14/15-25. 9. 17. Nach seinem
Zählbogen stand er vom 9. 8. 14-4. 1. 17 im Heere. Vorlesungen hat er hier belegt im W. S. 16/17 und im S. S. 17) und im
Winterhalbjahr 17/18 an der Universität Heidelberg immatrikuliert war, das Wort. Toller ist im Laufe dieses Winters
der Öffentlichkeit bekannt geworden durch einen pazifistischen Aufruf, den er von Heidelberg aus zur Werbung von
Unterschriften versandte und der vorzeitig in die Öffentlichkeit gebracht wurde. 〈...〉 Inwieweit der Aufruf, der vielfache
Zurückweisung namentlich auch vom Heidelberger Studen-
tenausschuß erfuhr, auch in der hiesigen Studentenschaft verteilt wurde, wissen wir nicht. Aus dem Kreise unserer Studierenden wurde uns mitgeteilt, daß dem Toller'schen Aufruf eine zu Agitationszwecken unternommene Reise eines
Münchner Studenten nach Heidelberg vorausgegangen sei.
Näheres konnte darüber nicht festgestellt werden. Unwahr-

scheinlich erscheint die Behauptung nach Inhalt und Fassung des Heidelberger Aufrufes, die deutlichen Anklang an die Förster'sche Ausdrucksweise aufweist, nicht. ⟨...⟩ Über die Persönlichkeit Tollers schreibt mir der Herr Prorektor Endemann der Universität Heidelberg unterm 30. vor. Mts.:

»Die Personalien des stud. iur. et phil. Ernst Toller ergeben sich aus der beiliegenden Zählkarte.

Als E. Toller nach Heidelberg im Wintersemester 1917/18 kam, fühlte er sich sofort berufen, eine Agitation unter den Studenten einzuleiten, die unter Ausnutzung des Falles Förster die ungehemmte Freiheit der politischen Bewegung und zwar in der Richtung der Unabhängigen Sozialdemokratie erwirken sollte. Sein Antrag auf Änderung der Universitätsstatuten wurde auf meine Veranlassung einstimmig vom Senate abgewiesen.

Toller ist daraufhin an die Öffentlichkeit gegangen. Sein Vorgehen wird aus den drei in der Anlage mit der Bitte um Rückgabe beigefügten Zeitungsausschnitten erkenntlich. Ich hebe besonders hervor, daß die Anhängerschaft Tollers aus etwa 10-12 Studenten und Studentinnen bestanden hat.

Die Universität hat gegen Toller und Genossen kein Verfahren eingeleitet. Über die militärischen und sonstigen Maßnahmen ist mir keine amtliche Mitteilung zugegangen; tatsächlich aber befinden sich Toller und seine Hauptgenossen nicht mehr an unserer Universität. Die Sache schwebt beim Kultusministerium und Generalkommando in Karlsruhe.«

Über das Auftreten Tollers in der Studentenversammlung vom 25. nun berichtet der Studierende Leutnant Metzger:

»Als erster Redner ergriff zu Punkt 2 »Sonstiges« Herr Toller, Heidelberg, das Wort. Die ihm anfänglich erteilte Redezeit von 7 Minuten wußte er durch sehr geschicktes Lavieren und Appell an die Versammlung auf 20 Minuten zu verlängern. Der Vorsitzende befragte die Versammlung dreimal in Abständen, ob Herr Toller weiter reden solle, und erhielt jedesmal mit großer Mehrheit eine bejahende Antwort.

Zunächst protestierte Toller gegen die angeblichen Beschimpfungen, die ihm auf seinen Aufruf hin von einem großen Teil der deutschen Studentenschaft zuteil geworden war, insbesondere erhob er auch gegen den Professor Oncken, der das Katheder zu partei-politischen Zwecken gemißbraucht hätte, derartige Beschuldigungen, daß er mehrmals vom Vorsitzenden zur Ordnung gerufen wurde. Ordnungsrufe erfolgten übrigens auch in die Versammlung hinein, aus der öfters entrüstete Proteste gegen T. laut wurden. T. berichtete dann weiter eine Affäre aus dem Hauptausschuß des Reichstags, wo es zur Sprache gekommen war, daß 2 österr. Studentinnen – Anhängerinnen Tollers – die Rückkehr aus Österr. in reichsdeutsches Gebiet untersagt worden war. Auch daß er sich an den sozialdemokratischen Abgeordneten Wolfgang Heine bei dieser Gelegenheit gewandt hätte, hob er hervor. Großen Eindruck machten auch seine Schilderungen über die Maßregelung, die er und einige Gesinnungsgenossen zu erleben gehabt hatten, insbesondere die Tatsache, daß ihm bei strenger Strafe verboten sei, irgend etwas über den Grund seiner Maßregelung verlauten zu lassen. Dann ging er zu positiven Forderungen über und verlangte, daß das Recht der politischen Betätigung, insbesondere das Vereins- und Versammlungsrecht, das jedem gleichalterigen Arbeiter gewährt werde, auch der Student haben müsse. Hier wies er auf den Unterschied zwischen deutschen und ausländischen Studenten hin. Im Ausland seien die Studenten schon längst die Träger der neuen und großen Ideen, während wir noch immer zu rückschrittlich seien. Zum Schluß verlas er noch seine letzte, im Berliner Tagblatt veröffentlichte Entschließung, gegen die die Münchner studentische Gruppe der Deutschen Vaterlandspartei bereits scharf Stellung genommen hat. Seine Schlußworte zielten darauf hin, die Münchner Studentenschaft zur Stellungnahme für ihn zu bewegen; schließlich wurde ihm das Wort entzogen. Zu bemerken ist noch, daß gegen Schluß seiner Rede ein Zettel durch die Versammlung zirkulierte, der um Unterschriften für ihn warb.«

Von anderer Seite höre ich, daß Toller auch den Fall Förster in seinen Ausführungen herangezogen und gegen die erfolgten Kundgebungen polemisiert habe.

Toller hat, wie hier gleich bemerkt werden mag, an einem Abend nach dem 25. vor. Mts. im Kunstsaal Steinicke im Kreise von Studierenden (er hat, wie wir hören, hier vielfache literarische Beziehungen) ein eigenes Gedicht »Ein Entwurzelter« vorgetragen, das uns als »überrevolutionär« und »ganz kraß« bezeichnet wurde. Er hat sich sodann in der hiesigen Streikbewegung nach einer uns aus dem stellv. Generalkommando I. A. K. zugegangenen Mitteilung betätigt »und zwar in einer äußerst gefährlichen und sehr auffälligen Weise«; (in studentischen Kreisen geht das Gerücht, daß bei ihm russische Flugblätter bei einer Haussuchung gefunden worden seien) und ist inzwischen, da seine Zurückstellung vom Heeresdienst abgelaufen und lediglich sein Aufenthaltsort zuletzt unbekannt war, zum Heere eingezogen worden. ⟨...⟩

⟨Aus einer amtlichen Zusammenfassung der Verhöre und der Untersuchungen Tollers wegen der Generalstreiks- agitation im Januar/Februar 1918⟩

Toller ist z. Zt. des Ausbruchs des Streiks zufällig in München. Wie er unwiderlegt behauptet, war er damals nach München gefahren, um bei dem dortigen Generalkommando ein Gesuch um weitere Zurückstellung von seiner militärischen Dienstleistung – er war als Unteroffizier teils wegen Krankheit, teils zur Vollendung seiner Studien beurlaubt – persönlich vorzubringen. In München suchte er u. a. am 26. Januar auch Eisner auf, den er von Berlin her flüchtig kannte. Da Eisner ihm gesprächsweise mitteilte, daß er am 27. Januar im Kolosseum sprechen würde, besuchte Toller diese Versammlung. Dort lernte er die Mitangeschuldigte Kröpelin und die beiden Schwestern Landauer kennen, von denen er zum Besuche des am 28. Januar stattfindenden Diskussionsabends aufgefordert wurde. Toller, der schon in Berlin durch die Lektüre verschiedener gegen die deutsche Kriegspolitik gerichteter Schriften und durch die von Eisner am

27. Januar gehaltene Rede in hohem Maße erregt war, fand sich daraufhin in dem Diskussionsabend ein und hielt dort eine Ansprache, in der er gegen eine Fortsetzung des Krieges mit seinen entsetzlichen Leiden und für die Anbahnung einer Verständigung mit den Feinden sprach. – An dem Beginn des Streiks hat er anscheinend nicht weiter teilgenommen. Erst am 1. II. ist er, seiner eigenen Darstellung nach, in die Streikversammlung in der Schwabinger Brauerei gegangen, angeblich weil ihn der Verlauf des inzwischen ausgebrochenen Streiks interessierte. Als dort im Verlaufe der Reden die Sprache darauf gebracht wurde, daß eine Deputation zum Polizeipräsidium geschickt werden sollte, um die Freilassung der verhafteten Führer zu verlangen, unter denen sich auch Eisner befand, erklärte er sich bereit, die eine Deputation zu begleiten. Bei dieser Gelegenheit hielt er – wie er behauptet aus Freude darüber, daß die streikenden Arbeiter nicht um materieller Interessen willen, sondern für ideale Zwecke in den Streik getreten seien, – eine Ansprache, in der er erklärte, die Regierung solle aus der Bewegung sehen, daß das deutsche Volk in seiner Mehrheit einen Verständigungsfrieden wolle, sie handelten aus Liebe zum Vaterlande. Nach der Darstellung des Zeugen Gerner hat Toller allerdings nicht so harmlos gesprochen, wie er es jetzt darstellt, sondern ist in überaus aufreizenden Worten dafür eingetreten, den Streik weiterzuführen und die verhafteten Führer unter Umständen mit Gewalt zu befreien. ⟨...⟩

Toller hat ferner noch – nach seiner eigenen Darstellung – am 2. und 3. II. auf der Theresienwiese zu den Streikenden gesprochen. Was er in dieser Ansprache gesagt hat, konnte nicht festgestellt werden. Er will hierbei zur Fortsetzung des Streiks nicht aufgefordert haben.

Ob Toller sich weiterhin bei der Abfassung der stark aufreizenden, im Verlaufe des Streiks zur Verteilung gekommenen Flugschrift ›Kameraden‹ in strafbarer Weise beteiligt hat, konnte durch die Ermittelungen nicht aufgeklärt werden. Er selbst bestreitet, daß er an der Abfassung des Flugblattes so, wie es veröffentlicht worden ist, teilgenommen hat. Wenn hiernach auch bezüglich seiner, mit Rücksicht auf seine Ansprache am 1. Februar, der äußere Tatbestand des versuchten Landesverrats für erwiesen erachtet werden konnte, so erscheint doch ein ausreichender Beweis für das Vorliegen des inneren Tatbestandes nicht erbracht.

Toller ist offenbar einer von den politisch unreifen, ästhetisierenden und übersensitiven jungen Menschen, die nur in ihren Ideen leben, ohne die realen Vorgänge in der Welt richtig einschätzen zu können. Dabei ist er erheblich erblich belastet. Er ist vielfach wegen seines hysterischen Leidens in ärztlicher Behandlung gewesen. Nach dem Gutachten des Dr. Lipowski ist er ein schwerer Hysteriker, der die krankhafte Sucht hat, sich interessant zu machen.

Dr. Backhaus hält ihn für einen Neurastheniker mit stark erhabenem Selbstgefühl. – Nach dem Gutachten des Militärarztes Dr. Köhler, der ihn eine Zeit lang unmittelbar nach den hier erwähnten Vorfällen beobachtet hat, bot er das Bild eines sehr sensitiven, überaus empfindsamen Menschen, den äußere Einwirkungen aufs tiefste in seinem Handeln bestimmen und bei dem für andere Menschen oft entscheidende Hemmungen nicht zur Auslösung kommen. – Stabsarzt Dr. Wallensteiner hält ihn für einen hochgradigen Hyster-Neurastheniker und hat auch eine Reihe von Degenerationsmerkmalen bei ihm festgestellt. – Professor Dr. Isserlin hat ihn im Februar und März 1917 an psychachetisch-nervösen und depressiven Störungen behandelt. – Nach dem Gutachten des Sachverständigen Prof. Dr. Rüdin ist er eine psychachetische und hysterische Persönlichkeit, welcher neben desharmonischer Veranlagung, Erregbarkeit und Begeisterungsfähigkeit, Kritiklosigkeit, Eigensinn und Leichtgläubigkeit im Sinne der Idee, in die sie sich gerade verbissen hat, sowie Neigung zu hysterischer Reaktionsweise, starke Beeinflussung durch die Umwelt und abnorme Neigung, sich hervorzutun, zu Gute zu halten ist.

Alles in allem ist hiernach davon auszugehen, daß der Angeschuldigte bei seiner politischen Unreife für die Tragweite dessen, was er während des Streiks gesagt und getan hat, kein ausreichendes Verständnis hatte. Es läßt sich ihm sonach nicht genügend nachweisen, daß er mit dem Bewußtsein gehandelt hat, daß durch den Streik der Kriegsmacht des Deutschen Reiches Nachteil zugefügt werden könnte.

An der Revolution in München war Toller nicht direkt beteiligt; Mitte November 1918 erst kam er in München an, um Eisner beim Aufbau des revolutionären Volksstaates Bayern zu helfen. Eine konzise Darstellung von Tollers politischem Handeln in Bayern von November 1918-Mai 1919 hat schon 1919 Stefan Großmann in ›Der Hochverräter Ernst Toller‹ gegeben:

⟨*Stefan Großmann*
über den »Hochverräter« Ernst Toller⟩
⟨...⟩ Im November 1918 ist Toller in Berlin, die Revolution bricht aus.
Wieder sendet er ein jubelndes Telegramm ab, ein zweites Mal kriegsfreiwillig, diesmal an den Führer der bayrischen Revolution, den »landfremden Berliner«, wie die Einheimischen höhnten, ohne zu wissen, wie sie ihrer selber damit spotteten und zugaben, daß von ihrer bequemen Bierbank keiner aufgesprungen war. Eisner rief Toller zu sich. Dank der alten Partei, die höchstens auf die Ausbildung gehorsamer Rekruten bedacht war, gab es in Bayern fast keinen sozialistischen Nachwuchs. Kein Wunder also, daß Toller schnell in die Führerfront geschoben wurde, ohne daß er es wollte, vielleicht sogar, weil er es nicht wollte. Zweimal wird ihm eine führende Stellung angeboten, auch das Amt des Volksbeauftragten wird ihm dargebracht. Toller, im Bewußtsein unzureichender Qualifikation, lehnt ab. Das Mißtrauen, menschlich eine klägliche Eigenschaft, ist politisch eine Tugend und der wichtigste Schutz des Proletariers. Dieses Mißtrauen hat Toller überwunden, dank dem Militärgericht, dank seiner Weigerung. Er sitzt im provisorischen Nationalrat, aber seine Stimme bleibt noch im Hintergrund, Eisner ist ja da und die bayrischen Sozialdemokraten haben ihr Vertrauenskapital noch nicht ganz aufgebraucht. Einmal berichtet Toller in der

Nationalversammlung über die Eindrücke einer amerikanischen Lebensmittelkommission, die er, um sie von der fälschenden Hotelperspektive zu befreien, so lange durch Münchener Arbeiterquartiere geführt hat, bis sie, von Elendseindrücken erschöpft, gestehen: »Ich kann nicht mehr.« An die Schilderung dieses Jammers fügt er die Worte: »Heute wandern viele Menschen zum Isenheimer Altar des Meisters Mathias Grünewald in der alten Pinakothek. In jeder Proletarierwohnung werden sie alle das Elend zusammengeballt finden, das in diesem Gemälde so wunderbar und erschütternd gestaltet ist. In jeder Wohnung finden sie Gekreuzigte, nackte gekreuzigte Menschen.« Gute Ohren werden in diesem herbeigeholten Vergleich einen falschen Ton hören, ärgerlich banale Rhetorik, aber für Tollers Streben, Kunst- und Lebenseindrücke zu vereinigen, ist der Satz charakteristisch. Auch für seine Unreife, denn Grünewald ist kein Elendsmaler und, wahrhaftig, ein Hungriger ist noch kein Christus. Der stenographische Bericht, der an Beifallskundgebungen nicht arm ist, verzeichnet hier nicht einmal ein spärliches Bravo. Es gibt übrigens in keiner späteren Rede Tollers einen ähnlichen Rückfall ins sentimentale Literatentum.

Eisner wird erschossen. Der Landtag läuft auseinander, der Ministerpräsident schickt eine Postkarte an seinen Genossen Niekisch, worin er die Regierung für ziemlich tot erklärt. Die einzige ordnende Gewalt ist jetzt der Arbeiter-, Bauern- und Soldatenrat. Er wählt die Volksbeauftragten. Toller lehnt ab. Aber in der U. S. P. fällt ihm unwillkürlich das Erbe des seelenverwandten Eisner zu. Wie Eisner muß er politisch zwischen der Sterilität der bayrischen Sozialdemokratie und der dogmatischen, gegen Blutopfer gleichgültigen Verranntheit der Lewien und Leviné steuern. Der Rätegedanke wird von den alten Sozialdemokraten als nicht in ihrem alten Wörterbuch stehend abgelehnt, die Kommunisten aber propagieren eine Kopie des Lenin von vorgestern, eine proletarische Diktatur, die dem Bürgertum Lebensmittel und Lebensmöglichkeiten entziehen will. Toller, immer das Erbe Eisners verwaltend, will die Voraussetzung produktiver Räteherrschaft schaffen, die Einigung der drei sozialistischen Parteien. Gelingt es nicht, die drei Ströme in ein Bett zusammenfließen zu lassen, so fehlt die zum Aufbau unerläßliche Konzentration der Kräfte, der Demagogie nach drei Seiten wäre allzuviel Spielraum gelassen. Es kommt am 7. April zur ersten Ausrufung der Räterepublik, weil eine Nacht lang eine Einigung der drei Parteien wahrscheinlich schien. Aber Lewien zieht zu seinen Leuten und verlacht die Gläubigen des Einigungsfimmels, der Minister Schneppenhorst zieht nach Nürnberg und holt sich Militär. Toller, in der Mitte stehend, von Anfang an zweifelnd, wird zum Vorsitzenden des revolutionären Zentralrates gewählt. Diesmal kann er sich nicht verweigern. Jetzt ist er, mindestens als Hemmung, unentbehrlich. Es werden Revolutionstribunale eingesetzt – sie haben übrigens gar nicht böse gewirtschaftet – Toller verhindert, daß das Revolutionstribunal Todesurteile fällt, ohne daß der Zentralrat sie bestätigt. Es gibt kein Todesurteil. Dutzende von Haftbefehlen werden ihm vorgelegt, besonders von erbitterten Spießern, die bei dieser guten Gelegenheit lästige Nebenmenschen los werden wollten, Toller zerreißt die Haftbefehle. Rasende Burschen wollten Arco, den gelähmten Mörder Eisners, und den schwerverletzten Minister Auer aus der Klinik holen. Toller verhindert die Besuche der Soldaten. Es ist kein Blut geflossen in dieser ersten Periode der Räteherrschaft. Der Zweifel saß schon damals in Tollers Kopf, schon damals versuchte er mit dem Ministerium in Bamberg zu verhandeln. Es kommt nach acht Tagen zur Ausrufung der zweiten Räterepublik, Levien und Leviné sind jetzt die Herren. Das Proletariat wird bewaffnet. Toller, der die Torheit einer Schlacht bei München keinen Augenblick verkennt, wird, weil er offen verhandeln will, von Leviné ein »grüner Junge« genannt. Er hört es kaum. Plötzlich wird er zum Kommandanten der roten Armee in Dachau gemacht. Er weiß, wie aussichtslos dieser Kampf ist, eben deshalb darf er den Leuten nicht nein sagen. Er geht nach Dachau mit dem Vorsatz, sofort Verhandlungen anzuknüpfen. Levien will ihn verhaften lassen. In Dachau verhindert er vor allem Artilleriekämpfe. (Wenn je ein Ehrenbürgerrecht verdient war, so Tollers um Dachau.) Er läßt Feldgendarmen kommen, um »Requirierungen« zu verhindern. (Indes schießen die roten Garden mit Maschinengewehren auf Hühner und Schweine.) Er erhält von München den Befehl, gefangene Offiziere sofort zu erschießen, er zerreißt den Befehl. Dreimal versucht er zu verhandeln. Aber seine Truppen gehen eines Tages auf eigene Faust los. Toller hat (öffentlich) keinem verraten, was er von der Institution der roten Garde hält, er ist nicht genug Militarist, um jetzt den selbstverklärenden Beruf des Memoirenschreibers zu ergreifen, aber ein Satz, der in der stillen Zwiesprache mit seinem Verteidiger, der sich als sein politischer Gegner erklärte, gesprochen hat, wirft ein wenig Licht in seine Seele: »Ach was, ich bin mein eigener Gegner.« Seine letzte Tat ist die Befreiung von sechs Geiseln, die er in einem Keller des Luitpoldgymnasiums rechtzeitig entdeckt. Er läßt sie durch die Kellerluken ans Licht ziehen. Dann versucht er zu den roten Garden, die auf aussichtslosem Posten stehen, vorzudringen. Es gelingt nicht. Nun beschließen die Betriebsräte, er solle sich verbergen. Er färbt sich die Haare rot und versteckt sich vor den Truppen, die sich mit Gustav Landauers Leichnam begnügen mußten. Entdeckt, wird er vors Standgericht gestellt. Als Hochverräter. (Großmann S. 11-15)

Toller, der als Mitglied des Revolutionsausschusses des Landesarbeiterrates auch (als Nr. 9) zu den 256 Mitgliedern des provisorischen Nationalrates des Volksstaates Bayern gehörte, wurde zum zweiten Vorsitzenden der bayerischen Arbeiter-, Bauern- und Soldatenräte gewählt. Schon bei seinem ersten Auftreten im Nationalrat, in dessen 7. Sitzung am 30. Dezember 1918, errang er mit der Interpellation über die Bürgerwehr einen innenpolitischen Erfolg. Die Interpellation hatte folgenden Wortlaut:

1. Sind der provisorischen Regierung die gegenrevolutionären Machenschaften von Offizieren und Studenten bekannt, die zu dem Plane der Gründung einer sogenannten Bürgerwehr in engster Beziehung stehen?

2. Ist der Regierung, besonders dem Minister für militärische Angelegenheiten bekannt, daß an einigen Orten, wie z. B. Dachau, Ingolstadt, Endorf, Reichenhall, Baierbrunn, Maschinengewehre, Gewehre und Munition in größeren Mengen unter die städtische und ländliche Bevölkerung verteilt wurden oder zur Verteilung gelangen sollten? Woher stammen diese Waffen? Wer hat sie verausgabt?

3. Wie stellt sich das Gesamtministerium zu der Tatsache, daß zwei seiner Mitglieder, die Minister *Auer* und *Timm* sowie der Staatsrat Dr. Freiherr *von Haller* vom Finanzministerium, den Aufruf zur Gründung einer bewaffneten Bürgerwehr an erster Stelle unterschrieben und sich dabei entstellend auf angebliche Worte des Ministerpräsidenten bezogen haben?

Im Laufe der Debatte zogen die SPD-Minister Auer und Timm ihre Unterschrift unter den Aufruf zurück, da sie über die von Toller enthüllten Voraussetzungen der Bürgerwehr getäuscht worden seien. Am 2. Januar 1919 stimmte der Nationalrat dann einem Antrag »Toller und Genossen« mit 112:11 Stimmen zu: »Nach Aufdeckung gegenrevolutionärer Komplotte erklärt der provisorische Nationalrat des Volksstaates Bayern unter Bezugnahme auf die Erklärung des Ministerrates seinen entschlossenen Willen, ohne Rücksicht auf Parteirichtungen und Meinungsverschiedenheiten eine einheitliche Front des Sozialismus und der Republik zusammen mit einer geschlossen vorgehenden revolutionären Regierung gegen Kapitalismus und Imperialismus zu bilden.« In der Pressehetze gegen Toller, nach dem Sturz der Räterepublik, wurde dieser parlamentarische Sieg gegen ihn ausgespielt.

⟨ *Aus der ›München-Augsburger Abendzeitung‹.*
5. Mai 1919 ⟩
Das befreite München

Man erinnert sich an die Verfolgungswut, die noch unter Eisner ausbrach, als mit Zustimmung der Minister Auer und Timm und des Staatsrates von Haller in München eine Bürgerwehr gegründet werden sollte. Gerade der Fanatiker Toller, der durch seine hirnverbrannte, unreife Politik einen Riesenanteil der aufgehäuften Schuld zu tragen hat, hat damals aus der Gründung der Bürgerwehr ein staatspolitisches Verbrechen, eine Gegenrevolution zu konstruieren versucht. Heute hat ihn und seinen Anhang der lebendig gewordene Gedanke der Bürgerwehr hinweggefegt, ohne daß die Errungenschaften der Novemberrevolution zu Schaden gekommen wären.

Einer der Höhepunkte der ersten Revolutionsphase in München war – neben der Revolutionsfeier am 17. November 1918 – die Künstlerdebatte im provisorischen Nationalrat am 3. Januar 1919, die schon Stefan Großmann wert schien, »aus dem Archivdunkel geholt zu werden«. Sie wurde ausgelöst durch einen Antrag »Florath und Genossen betreffend Besserung der Lage aller künstlerischen Berufe«. Vier Fachgruppen der Künstlergewerkschaft Bayerns hatten Vertreter zu dieser Debatte entsandt: die Gruppe Theater, die Gruppe Bildende Kunst, Kunstgewerbe und Architektur, die Gruppe Musik und die Gruppe schöpferische Literatur. Es sprachen u. a. der Münchener Schriftsteller Hans Fischer-Aram, Ministerpräsident Kurt Eisner, der Minister für soziale Fürsorge Hans Unterleitner und Ernst Toller.

⟨*Aus den Verhandlungen
des provisorischen Nationalrates des Volksstaates Bayern.
9. Sitzung vom 3. Januar 1919. Stenographischer Bericht*⟩
Fischer-Aram: ⟨...⟩ bisher hat es derlei noch nie im deutschen Parlament gegeben, nur ein einziges Mal in jenem ersten Revolutionsparlament im Jahre 1848 in der Paulskirche in Frankfurt. Seit 70 Jahren war es nie wieder in Deutschland möglich, daß Künstler als Vertrauensmänner ihrer Berufe in einem deutschen Parlament selbst sagen konnten, wo sie der Schuh drückte, und selbst als Künstler mithelfen wollten an der Gestaltung der Verhältnisse des Volkes, was sie doch schließlich auch angeht und dessen Teile sie auch sind.
Sehen Sie, deshalb ist diese Stunde hier heute für uns Künstler eine Stunde von historischer Bedeutung.
(Sehr richtig!)

Denn es ist zum erstenmal wieder, daß so etwas möglich war, und wir wissen sehr gut, daß wir diese Stunde von historischer Bedeutung nicht zum wenigsten unserem Ministerpräsidenten verdanken, von dem jetzt schon ein Spottvogel sehr nett gesagt hat, er sei der Leiter des Ministeriums des schönen Äußern. Er wollte damit spotten. Ich muß sagen, wenn bisher vom Ministerium die Rede war, habe ich immer nur Worte gehört, wie: ekelhafter, widerwärtiger, schauderhafter Zustand in den Ministerien. Es ist schon ein großer Fortschritt, wenn einmal jemand von einem Ministerium mit dem Ausdruck »schön« redet und ich hätte meinesteils als Künstler nichts dagegen, wenn zunächst einmal alle Ministerien das Beiwort »schön« sich verdienen wollten. ⟨...⟩

Ministerpräsident Eisner: Meine Herren und Damen! Die Tatsache, daß zum ersten Mal in einem deutschen Parlament, wie der Herr Vorredner auf Grund seiner historischen Erinnerung festgestellt hat, zum ersten Mal seit 1848, über Kunst von Künstlern gesprochen wird, ist ein Ehrenzeugnis für diese provisorische revolutionäre Nationalversammlung. Daß die Regierung den Antrag »Florath« nicht nur akzeptiert, sondern daß sie bemüht sein wird, im Sinne dieses Antrags ihre Mitarbeit und Mitwirkung zu geben, ist so selbstverständlich, daß ich es gar nicht erst auszusprechen brauche. Ich habe nicht die Absicht, auf die Einzelheiten, die in das Gebiet der sozialen Fürsorge für die Künstler fallen, des näheren einzugehen. Das wird mein Kollege von der Sozialen Fürsorge erörtern. Mir bleibt nur übrig, die Stellung des Staates, die Stellung einer revolutionären Regierung zur Kunst und den Künstlern überhaupt in einigen Worten zu präzisieren.

Es gehört zu den deutschen Absonderlichkeiten, daß Politik etwas ganz Besonderes ist, daß Regieren eigentlich eine juristische Tätigkeit ist. Ich glaube, es war wohl Bismarck, der gemeint hat, daß Regieren eine Kunst wäre, und ich glaube allerdings, Regieren ist genau so eine Kunst, Politik treiben ist genau so eine Kunst, wie Bildermalen oder Streichquartette komponieren. Der Gegenstand dieser politischen Kunst, der

Stoff, an dem diese politische Kunst sich bewähren soll, ist die Gesellschaft, der Staat, die Menschen. Deshalb möchte ich glauben, daß ein wirklicher Staatsmann, eine wirkliche Regierung zu niemand ein stärkeres inneres Verhältnis haben sollte als zu den Künstlern, seinen Berufsgenossen. Ich bin mir darüber nicht im mindesten im Zweifel, ein deutscher Staatsmann, der im Verdachte steht, ein Gedicht machen zu können, ist hinreichend verdächtig, von Politik keine Ahnung zu haben.

(Heiterkeit.)

Aber das ist ein deutsches Reservatrecht, das daraus entstand, daß, ich glaube, seit den Zeiten des seligen Humboldt überhaupt in Deutschland keine Künstlernatur jemals in der Regierung gewesen ist, vielleicht mit Ausnahme des reaktionär künstlerisch begabten Otto Bismarck.

Und nun die Frage, was kann der Staat für die Kunst und was kann er für die Künstler tun? Wenn das Verhältnis von Staat und Kunst so ist, wie ich eben angedeutet habe, so hat der Staat – ich meine die Regierung des Staates – vor allen Dingen die Pflicht, selbst der Inbegriff aller Kultur zu sein, die im gegenwärtigen Zeitalter vereinigt ist.

(Zuruf rechts: Sehr wahr!)

Eine Regierung, die selbst in diesem Geiste Inbegriff der Kultur ist, fördert dadurch die Kunst an und für sich. Je höher die Staatsleitung geistig steht, desto höher wird auch das Niveau der Kunst sein. So sehe ich gar keinen Gegensatz, sondern nur das innerste, intimste Verhältnis zwischen Staat und Kunst. Unser klassisches Zeitalter flüchtete aus dem Reiche der unmöglichen Politik in das Reich des Schönen. Daß Freiheit nur im Reiche des Schönen gedeihen könnte und nicht in der Welt, war ein Dogma, ein Dogma verzweifelter Resignation. In der heutigen Zeit und in der Zukunft scheint es mir, als ob diese Flucht in das Reich des Schönen nicht mehr notwendig sein sollte, daß die Kunst nicht mehr ein Asyl für Verzweifelte am Leben sein soll, sondern daß das Leben selbst ein Kunstwerk sein müßte und der Staat das höchste Kunstwerk. ⟨...⟩

Toller: Meine Damen und Herren! Ich habe mich sehr gefreut, vom Minister für Soziale Fürsorge zu hören, daß er die Verordnung erlassen will, die Mindestforderungen der Künstler durchzuführen. Ich möchte nun auch heute eintreten für die Forderungen der Artisten. Unter den Zirkus-, Varieté- und Kabarettkünstlern oder -artisten herrscht heute eine große wirtschaftliche Not. Frauen erhalten 120 M monatlich, davon müssen sie ihre Kleidung, ihre Stiefel, ihre Trikots kaufen, davon müssen sie ihre Reisen bezahlen. Die Duldung dieses Zustandes ist gesetzlich erzwungene Prostitution. Von der Gage gehen noch Strafgelder ab, die für Kleinigkeiten von den Regisseuren erhoben werden. Die Direktoren dagegen verdienen sehr viel, bis zum Doppelten des Betriebskapitals in einer Saison. Die Internationale Artistenloge in Berlin, die eigentlich für die Artisten sorgen soll, tut das in einer ganz unzulänglichen Weise. Vor allen Dingen sorgt sie nicht für die geringbezahlten Artisten. Es sind hier gesetzliche Mindestgagen zu schaffen, und zwar eine Verordnung über eine Mindestgage von etwa 200 M monatlich. Ebenso ist darauf zu dringen, daß die Proben für die Artisten genau wie für die Angestellten am Theater bezahlt werden. Der Direktor und der Agent setzen in die Verträge häufig die Klausel ein, daß die Artisten nach ihrem Auftreten während eines Zeitraumes von ¼ bis 1 Jahr am Ort oder in den Orten eines bestimmten Umkreises von soundsoviel Kilometern nicht mehr auftreten dürfen. Er verpflichtet sie dazu durch Unterschrift und durch eine Konventionalstrafe. Diese Bestimmung muß verboten werden. Ich bitte den Minister für Soziale Fürsorge darum. Diese Zustände sind heute nur noch möglich, weil die Artisten nicht gewerkschaftlich organisiert sind. Eine Organisation ist wegen ihrer Lebensweise, wegen des ständigen Umherziehens nicht zustande gekommen. Sie haben keinen festen Wohnsitz, es fehlt auch an Initiative, es fehlt bedauerlicherweise an sozialem Empfinden, an Verantwortlichkeitsgefühl für die Kollegen. Da müßte nun, um die Artisten gegen die schlimmsten Ausbeutungen zu schützen, die Regierung eine Zwangsorganisation schaffen. Ich bin überzeugt und habe das aus Mitteilungen erfahren, daß die Artisten dieser zustimmen würden. Für diese Organisation hätte die Direktion den halben Beitrag und der Artist die andere Hälfte zu zahlen und der Organisation zuzuführen. Diese Artistengewerkschaft hätte dann die Interessen der Artisten zu vertreten und gewerkschaftliche Erziehungsarbeit zu leisten. Dieser außerordentliche Weg wäre durch die Umstände durchaus gerechtfertigt.

Es werden den Artisten auch sonst Schwierigkeiten gemacht, z. B. in der Frage des Gewerbescheins. Dieser wird in Preußen wenigstens für einen Regierungsbezirk ausgestellt, in Bayern aber vom Magistrat oder Bezirksamt nur für eine Stadt. Aus dieser Verordnung erwachsen aber den Artisten die größten Schwierigkeiten; denn es kommen da oft Schikanen der Beamten vor, es wird die Bedürfnisfrage aufgerollt usw. Ich glaube, wenn man den Artisten den Gewerbeschein erteilt, dann ist es notwendig – und ich bitte wiederum den Herrn Minister für Soziale Fürsorge das zu beachten –, den Gewerbeschein über ganz Bayern auszudehnen und zu verfügen, daß die bloße polizeiliche Anmeldung in den einzelnen Städten genügt.

Wenn Diebstähle in den Garderoben vorkamen, dann hatte der Direktor bisher nicht die Verpflichtung, das Gestohlene wieder zu ersetzen. Es muß daher eine Verordnung erlassen werden, daß der Direktor für die Diebstähle innerhalb des Betriebes haftet. Besonders schlimm sind die Gagenverhältnisse bei den Varietés.

Es ist im vorigen Jahre bekannt geworden, daß ein Direktor – er wurde die Hyäne des Überbrettls genannt – 40 bis 60 M seinen Angestellten, besonders den Frauen, bezahlte. Auch sonst wurden nicht nur von diesem Direktor, sondern von allen anderen Direktoren, besonders den Varieté- und Zirkusdirektoren, Schwierigkeiten gemacht, indem man den Leuten im Februar zwei Tage von der Gage abzieht, ferner den heiligen Abend und den Bußtag in Abzug bringt, dagegen den 31. im Monat nicht eigens bezahlt.

Es ist unbedingt erforderlich, einen Versicherungszwang der Zirkusdirektoren für ihre Mitglieder einzuführen. Ich kenne einen Fall in Breslau, wo in einem Zirkus bei einer Aufführung ein Artist – es war ein Turner – stürzte und beide Beine brach, wodurch es ihm unmöglich wurde, später aufzutreten. Der Direktor hatte nicht die geringste Verpflichtung, dem Mann etwas auszuzahlen. Der Mann lebte in den kümmerlichsten und dürftigsten Verhältnissen und war auf die Unterstützung seiner Kollegen angewiesen. Wir wollen aber keine Wohltätigkeitsbestrebungen; wir haben ein Ministerium für Soziale Fürsorge und wollen, daß dieses für solche Fälle eintritt.

Auf die Soubretten in den Varietés wird ein ungerechtfertigter, ungesetzlicher Zwang ausgeübt. Sie werden verpflichtet, während und nach der Vorstellung im Lokal zu bleiben und zu animieren, sonst werden sie nicht prolongiert. Dieser Druck muß ausgeschaltet werden. Ja, das geht sogar so weit, daß die Agenten in die Verträge oder vielmehr in ihre Mitteilung an die Direktoren folgende Klausel hineinbringen: »Die betreffende Soubrette ist künstlerisch und geschäftlich gut.« Das ist wiederum erzwungene Prostitution. Ich habe gar nicht die Absicht, hier irgendwie zu moralisieren, fällt mir gar nicht ein. Jeder Mensch hat Selbstbestimmungsrecht, also auch Selbstbestimmungsrecht über seine geschlechtlichen Beziehungen. Aufgehoben aber werden muß der Zwang zur Prostitution und in diesen Fällen liegt ein Zwang zur Prostitution vor und hier muß der Staat eingreifen.

Alle Artisten, Musiker, Wanderkünstler müssen endlich von der polizeilichen Bevormundung befreit werden. Ich bitte den Minister für Soziale Fürsorge, sich einmal die Polizeiverordnungen anzuschauen, die etwa für Musiker und Kaffeehausmusiker gelten. Da sind Bestimmungen darin enthalten, die heute keinesfalls mehr aufrechterhalten werden dürfen. Alle diese Bestimmungen sind wichtig. Ich sage noch einmal, die wirtschaftliche Not dieser Leute ist groß und wir haben die Pflicht, uns auch um diese Leute zu kümmern; denn auch sie sind Arbeiter, auch sie sind Volksglieder. Es ist viel wichtiger, der wirtschaftlichen Not dieser Leute abzuhelfen, als darüber zu beraten, wieviel Pension der König Ludwig, der ja daneben doch ein ziemlich beträchtliches Vermögen besitzt, für die Zukunft erhalten soll.

Präsident: Wir kommen nun zur Abstimmung über den Antrag:

> Der provisorische Nationalrat ersucht das Ministerium für Soziale Fürsorge, die Lage aller künstlerischen Berufe im Benehmen mit dem Kultusministerium und dem Vorstande der Künstlergewerkschaft Bayerns zu prüfen und Maßnahmen zu deren Besserung zu treffen.

Wer mit diesem Antrag einverstanden ist, den ersuche ich, eine Hand zu erheben.

(Geschieht.)

Der Antrag ist angenommen.

Die in dieser Debatte ausgesprochenen Leitgedanken der bayerischen Künstlerrepublik, die in der kurzlebigen ersten Räterepublik, unter Tollers Vorsitz, nochmals aktiviert wurden, erweckten – nicht einlösbare – Hoffnungen beim sog. Kunstproletariat Münchens. Beleg dafür ist u. a. ein Brief der bayerischen Autorin Lena Christ (geb. 1881), der bei der Fahndung nach Toller (im Mai/Juni 1919) im Ministerium für soziale Fürsorge entdeckt und zu den Polizeiakten Tollers gelegt wurde. Lena Christ, deren bekanntester Roman ›Die Rumplhanni‹ 1916 erschienen ist, starb durch Selbstmord in München 1920.

⟨ Lena Christ (1919) an Ernst Toller ⟩

München, Winthierstraße 41[4]
10. 4. 19.

An den Zentralrat, München.

Sehr geehrter Herr Toller!
In Anbetracht dessen, daß jetzt endlich etwas für die armen Leute geschieht, komme ich mit meiner Bitte vertrauensvoll zu Ihnen. Ich bin eine arme Schriftstellerin, mein Mann ist seit seiner Rückkehr aus dem Feld, wo er zuletzt als Unteroffizier

war, erwerbslos. Wir wissen nicht, wo wir für uns und die zwei Kinder noch das Geld zum Leben hernehmen sollen. Da ich lungenkrank bin, so kann ich nicht grobe Arbeit verrichten. Außerdem gilt ja auch in der Räte-Republik, wie ich sehe, der wirkliche Künstler etwas. Und daß Sie es mit einer anerkannten Schriftstellerin zu tun haben, mag Ihnen der Umstand beweisen, daß meine Bücher teilweise Auflagen bis zu 30 Tausend erlebten. Leider ohne daß ich dafür solche Honorare erhalten hätte wie Ludwig Thoma, Ganghofer und so weiter. Natürlich, denen schmeißt man es nach und uns drückt man es ab. Ich habe drei große Arbeiten angefangen; bitte, helfen Sie mir durch Ihre Hilfe in barer Unterstützung zur Vollendung! Ich bin aus dem Volk als lediges Kind einer Köchin und schreibe fürs Volk. Hauptsächlich Bauerngeschichten.

Sollten Sie meinen Arbeiten Interesse entgegenbringen, so bin ich gern bereit, Ihnen dieselben zu überreichen. – Zur Zeit habe ich fast 600 Mk Schulden und gar keine Einnahme. Ich muß alle Tag etwas von meinen sauer erworbenen Sachen verkaufen. Bitte unterstützen Sie mich durch eine einmalige größere Summe oder durch ein Monatsgeld, damit ich wieder aufschnaufen kann.

Im Voraus dankend, bin ich

Ihre

ergebene

Frau Magdalena Jerusalem

genannt Lena Christ.

Winthierstr. 41/4

Ich bitte aber inständig, meine Bitte nicht in der Zeitung zu veröffentlichen!

Der Vollzugsrat der Arbeiterräte Bayerns delegierte Toller im Februar 1919 zum ersten Nachkriegskongreß der II. Sozialistischen Internationale in Bern, wo Kurt Eisner, der am 23. November 1918 ›Urkunden über den Ursprung des Krieges‹ veröffentlicht hatte, seine Anklage gegen den deutschen Militarismus als Urheber des Krieges wiederholte. Toller sandte um diese Zeit, wie es scheint ohne Abstimmung mit Kurt Eisner, einen Aufruf zur gemeinsamen Friedensaktion der sozialistischen Jugend an die Delegierten, der schon im Februar 1919 in englischer Sprache, in deutscher erst nach seiner Verhaftung gedruckt wurde (vgl. Bd. I, S. 46 ff.). –

Am 21. Februar 1919 wurde Kurt Eisner auf dem Weg zur Eröffnung des neuen Landtages von dem Grafen Anton Arco-Valley erschossen. Toller kam am Tag dieses Mordes aus Bern zurück. Er und Gustav Landauer fühlten sich als die Erben Kurt Eisners, wie u. a. Tollers Rede auf dem Kongreß der bayerischen Arbeiter-, Bauern- und Soldatenräte am 27. Februar 1919 belegt.

⟨*Aus dem Stenographischen Bericht*
über die Verhandlungen des Kongresses der Arbeiter-,
Bauern- und Soldatenräte vom 25. Februar bis 8. März 1919.
2. Sitzung, München, den 27. Februar 1919⟩

Toller: Genossen, Genossinnen! Als ich gestern am Grabe Eisners stand, erfüllte mich nicht nur die Trauer um einen Toten, da erfüllte mich die Trauer um alle Lebenden, von denen ich wußte, in welch materieller und seelischer Not sie sich befinden und welch noch größerer materieller und seelischer Not sie in den nächsten Monaten entgegengehen werden. Eisner kämpfte nicht nur um die wirtschaftliche Umgestaltung Bayerns und Deutschlands, er kämpfte, er rang um die Seele des deutschen Volkes, das noch nicht um seine Seele weiß und das vielleicht von Elend zu Elend, von Station zu Station gehen wird, bis es endlich in sich den Menschen finden wird, den Menschen, den in Freiheit und Liebe zum Mitmenschen Gebundenen.

Mir fiel ein Wort Nietzsches ein: »Siehe die Guten und Gerechten. Wen hassen sie am meisten? Den, der zerbricht ihre Tafeln der Werte, den Brecher, den Verbrecher, der aber ist der Schaffende. Siehe die Gläubigen aller Glauben. Wen hassen sie am meisten? Den, der zerbricht ihre Tafeln der Werte, den Brecher, den Verbrecher, der aber ist der Schaffende.« Und gerade weil Eisner ein Schaffender war, gerade weil er ein Geistiger war, ging ich mit der Zuversicht fort, die Friedrich Adler bei seiner Verurteilung in die Worte gekleidet hat: Sie sind nicht tot, die gestorben sind, denn Sie töten den Geist nicht!

Als wir nach der Revolution immer wieder hinwiesen, wir befinden uns erst im Anfangsstadium, die Revolution wird noch durch ganz andere Etappen schreiten, da wurden wir von den »Ruhe- und Ordnung«-Schreiern als Unruhestifter, als unverantwortliche Elemente – auch von der »Münchener Post« – gekennzeichnet.

(Hört!)

Wir besaßen zwar hier eine andere Republik als in Norddeutschland, wo man den Kaiserismus ohne Kaiser hat. Das weiß man auch im Ausland und wir müssen es bestätigen, wenn wir in Preußen die Scheidemann, Ebert und Noske im Bunde mit Generalen und sämtlichen volksfeindlichen Kreisen sehen. Wir hatten in Bayern keine sozialistische Republik, denn wenn wir in unsere Verwaltung und Regierung hineinschauten, fanden sich noch Herren des alten Systems, jene Kompromittierten, die sich so schwer am deutschen Volke vergangen haben. Was geschah da? Eisner berief allzuschnell den Landtag ein. Dieser Landtag stob auseinander in dem Augenblick, wo Minister erschossen und schwerverwundet wurden und überließ das Geschick des Volkes den Arbeiterräten, jenen Arbeiterräten, von denen man nur als Volksfeinde gesprochen hatte. Dieser Landtag hatte nicht mehr den Mut, den Willen, das Verantwortlichkeitsgefühl, die Geschicke des Volkes in die Hand zu nehmen in einem Augenblick, in dem es am dringendsten nötig war. Ich sage Ihnen, Sie mögen sich zum Landtag stellen wie Sie wollen, für mich hat ein Landtag überhaupt keinen Sinn mehr. Dieser Landtag, dieser gewählte Landtag, der auseinandergelaufen ist, hat jedes Recht verloren, noch ein einziges Mal irgendwie die Geschicke des bayerischen Volkes leiten zu wollen.

(Sehr wahr!)

Wie stehen wir heute? Gerade weil wir das bayerische Volk nicht chaotischen Verhältnissen entgegenführen wollen, müssen wir, die Räte, die Beauftragten der körperlichen und geistigen Arbeiter, die Geschicke des Volkes in die Hand nehmen. Hier ist nun die große Streitfrage: Räterepublik oder parlamentarische Republik. Eigentlich, das muß ich konstatieren, sind wir von der äußersten Linken bis zur äußersten Rechten alle einig, daß wir im Augenblicke die Verwaltung durch die Räte haben müssen.

(Rufe: Sehr richtig!)

Also damit stimmen wir – wir wollen uns keine Illusionen vormachen – dem System der Räterepublik zu.

Einige, die sicherlich das gute Herz haben, aber mit den Worten nicht so herausrücken wollen, sagen, ja im Augenblick wollen wir schon dieses Rätesystem, aber später wollen wir zu einer Verbindung zwischen parlamentarischem System und Rätesystem zurückkehren. Ich kann diese Genossen ganz gut verstehen. Bis jetzt haben sie sich nicht mit dem Rätegedanken vertraut gemacht –

(Widerspruch)

in dieser Form, wie sie de facto besteht. Jetzt stehen sie nun vor vollendeten Tatsachen, ihr Herz will ganz gern mit, nur ihr Wort will nicht mit. Ich weiß nicht, vor wem sie sich da etwas vormachen wollen. Jedenfalls sagen sie: In Zukunft wieder das Parlament. Ich will mich mit diesen Genossen nicht lange auseinandersetzen. Sie mögen meinetwegen den Antrag annehmen, der nur für die nächste Zeit die Verwaltung durch die Räte proklamiert. Aber um der Wahrheit willen muß es ausgesprochen werden, machen Sie sich doch keine Illusionen vor. Wenn Sie einmal den Arbeitern, Bauern und Soldaten die Macht für einige Monate, sagen wir, bis die Errungenschaften der Revolution gesichert sind, in die Hand gegeben haben, glauben Sie, daß dann, wenn der Rätegedanke in den Massen verankert sein wird, die Räte sich wieder auf ein rückwärtiges Stadium zurückführen lassen werden? Das wäre gerade so, als wenn Sie einem Menschen einen Strick gäben und sagten, hänge dich auf. Also gut, bleiben Sie bei Ihrer Illusion, Genosse Löwenfeld, es freut mich, daß wir in diesem Augenblick – und darüber braucht es keine Debatte –

alle einig sind, daß der Zustand, wie er jetzt besteht, aufrechterhalten und ausgebaut werden muß. Ich mache mir keine
Illusionen und trete prinzipiell für die Räterepublik ein. Über
die *künftige* Verfassung bitte ich auch heute nicht mehr allzuviel Worte zu verlieren. Es können nur Anregungen hier vor-
gebracht werden, es bedarf dazu einer gründlichen Arbeit.
Jedenfalls ist die *künftige* Verfassung für uns heute von rein
sekundärer Natur. Freuen wir uns, daß diese Einigkeit besteht. Im Augenblick ist das Rätesystem erhalten. Im Gegen-
satze zum Parlament, bei dem die Arbeit des Volkes darin
besteht, daß es seine Stimme abgibt, wird das Volk endlich
der Auftraggeber. Die Beauftragten beraten die Gesetze, führen sie durch und lernen bei ihrer Durchführung, sie leisten
sowohl legislative wie exekutive Arbeit. Das ganze Rätesystem ist im Grunde genommen das mittelalterliche Dorfge-
meindesystem, auf den Staat übertragen. Es ist trotz der
scheinbaren Zentralisation die größte Dezentralisation und
Gott sei Dank die größte Dezentralisation, weil nun endlich
die einzelnen Gemeinden, Bezirke, Verbände ihr Geschick
selbst in die Hand nehmen, ihre beratenen und beschlossenen
Gesetze praktisch durchführen.
Aber, und darauf muß ich hinweisen, wir können dieses Rätesystem hier nicht verankern, wir können es nicht statuieren,
wenn nicht die Einigung im gesamten Proletariat besteht.
⟨...⟩

Tollers Rolle in der Bayerischen Räterepublik, sowohl in ihrer anarchistischen, wie in ihrer kommunistischen Phase, ist so vielfach dargestellt worden, daß sich eine dokumentierende Wiederholung hier
erübrigt.
Die von Toller unterzeichneten Erlasse, Aufrufe, Maueranschläge und
Flugblätter sind u. a. gesammelt bei: *Max Gerstl,* Die Bayerische Räterepublik. München 1919. Vgl. dazu auch: Revolution und Räteherrschaft in München. Aus der Stadtchronik 1918/19. Zusammengestellt und bearbeitet von *Ludwig Morenz* unter Mitwirkung von
Erwin Münz. München und Wien 1968 (Neue Schriftenreihe des
Stadtarchivs München. Bd. 29) und die lesenswerte, erläuterte Doku-

mentation: Revolution und Räterepublik in München 1918/19 in Augenzeugenberichten. Hrsg. von *Gerhard Schmolze*. Mit einem Vorwort von *Eberhard Kolb*. Düsseldorf 1969 (dass. München 1978 = dtv Bd. 1365). Eine Auswahl aus den zahllosen Erinnerungen der Zeitgenossen bietet auch das Bändchen: Die Münchner Räterepublik. Zeugnisse und Kommentar. Hrsg. von *Tankred Dorst*. Mit einem Kommentar versehen von *Helmut Neubauer*. Frankfurt a. M. 1966 (edition suhrkamp Nr. 178).

Zum Verhältnis von Literatur und Politik in der Zeit der Münchener Revolution vgl. u. a.: *Wolfgang Frühwald*, Kunst als Tat und Leben. Über den Anteil deutscher Schriftsteller an der Revolution in München 1918/19. In: Sprache und Bekenntnis. Sonderband des Literaturwissenschaftlichen Jahrbuchs. Berlin 1971. S. 361-389; *Kurt Kreiler*, Die Schriftstellerrepublik. Eine Studie zur Literaturpolitik der Rätezeit. Berlin 1978. Unter der umfangreichen historischen Literatur zu Revolution und Rätezeit in München sei hervorgehoben: *Hans Beyer*, Von der Novemberrevolution zur Räterepublik in München. Berlin 1957 (Schriftenreihe des Instituts für deutsche Geschichte an der Karl Marx-Universität Leipzig. Bd. 2. (Gilt als Standardwerk der marxistischen Geschichtsschreibung.) – *Helmut Neubauer*, München und Moskau 1918/1919. Zur Geschichte der Rätebewegung in Bayern. München 1958 (Jahrbücher für Geschichte Osteuropas. Beiheft 4). – *Allan Mitchell*, Revolution in Bayern 1918/1919. Die Eisner-Regierung und die Räterepublik. München 1967. (Übersetzung der englischen Ausgabe: Princeton 1965. Gilt noch immer als westlich orientiertes Standardwerk für die engere Revolutionszeit 1918/19.) – Bayern im Umbruch. Die Revolution von 1918, ihre Voraussetzungen, ihr Verlauf und ihre Folgen. Hrsg. von *Karl Bosl*. München und Wien 1969. (Eine Sammlung sozialgeschichtlicher Einzelstudien, die zum Teil erweitert dann auch in Buchform vorgelegt wurden. Mit einer Bibliographie über die in diesem Band verwendete und bearbeitete Literatur zur Geschichte der Revolution von 1918 in Bayern.) – *Albert Schwarz*, Die Zeit von 1918 bis 1933. Erster Teil: Der Sturz der Monarchie. Revolution und Rätezeit. Die Einrichtung des Freistaates (1918-1920). Zweiter Teil: Der vom Bürgertum geführte Freistaat in der Weimarer Republik (1920-1933). In: Bayerische Geschichte im 19. und 20. Jahrhundert 1800-1970. Hrsg. von *Max Spindler*. Erster Teilband: Staat und Politik. München 1978. S. 387-517. (Die neueste Handbuchdarstellung mit einer umfangreichen Quellenbibliographie und weiterführenden Literaturhinweisen.) – In Tollers Prozeß und der sich daran anschließenden, öffentlichen Diskussion um sein Verhalten in Revolution und Räterepublik (vgl. Bd. I, S. 51 ff. und Bd. IV, S. 239 ff.) spielte immer wieder die Frage eine Rolle, wieweit seine Versuche, mit den übermächtigen »Weißen« einen Verhandlungsfrieden zu erreichen, einer humanitären Grundhaltung entsprungen sind, oder lediglich politische Unreife dokumentierten. Tollers bis heute andauernde Einschätzung als Kompromißpolitiker (durch die kommunistische Kritik) nahm ihren Anfang in der ›Münchner Roten Fahne‹, die um eines politischen Zieles willen den aussichtslosen Kampf propagierte. Die den Zitaten aus der ›Roten Fahne‹ vorangestellte Notiz Konrad Heidens knüpft an Hitlers berühmtes Bekenntnis zur Legalität im Prozeß vor dem Reichsgericht in Leipzig (September 1930) an, in dem drei junge Reichswehroffiziere der politischen Zersetzung der Reichswehr angeklagt waren.

〈*Konrad Heiden (1934)*
über Ernst Toller als Mitglied der Räte-Regierung 1919〉
〈...〉 Einer der Prozeßbeteiligten suchte 〈Hitler〉 in Widersprüche zu verwickeln und hielt ihm frühere Äußerungen vor, darunter eine damals viel zitierte vom »Köpferollen«. Hitler wußte auch dies legal zu erklären:
»Wenn die nationalsozialistische Bewegung in ihrem Kampfe siegt, dann wird auch ein nationalsozialistischer Gerichtshof kommen, und der November 1918 wird seine Sühne finden, *und es werden auch Köpfe rollen.*«
Hitlers Drohung hallte in Deutschland wider wie kein anderes Wort, das er zuvor gesprochen hatte. Sie machte vermittels eines grauenhaften Gleichnisses deutlich, was die meisten im Unterbewußtsein spürten: daß die im Jahre 1918 begonnene Revolution noch nicht zu Ende war und samt Glanz und Greueln, die damals gefehlt hatten, einmal nachgeholt werden würde. Hitler zeigte an, daß er die Guillotinen errichten würde, auf die die Revolutionäre von 1918 zur Überraschung des Bürgertums verzichtet hatten. Vielleicht hatte Hitler selbst oder einer seiner Genossen jener Münchner Massenversammlung im Frühjahr 1919 beigewohnt, in der ein Hysteriker die

Lösung der sozialen Frage durch Aufstellung einer Guillotine auf dem Münchner Rathausplatz verlangt hatte, worauf der Dichter und damalige Volksbeauftragte Ernst Toller wütend aufgesprungen war: die Guillotine sei eine veraltete Maschine, des zwanzigsten Jahrhunderts nicht würdig und man lebe im Zeitalter der Humanität. Diesem Zeitalter sagte Hitler jetzt den Tod an und die tobende Zustimmung seiner Anhänger bewies, wieviel Bestialität sich auf diesen Tod freute. (Heiden S. 24)

⟨Aus der ›Münchner Roten Fahne‹. 28. April 1919⟩
Verhandeln?

⟨...⟩ Wer von Verhandlungen spricht, täuscht sich selbst über das Wesen des jetzigen Kampfes, oder er will die Arbeiterklasse täuschen. Er beweist seine politische Unfähigkeit und zugleich seine Charakterschwäche. Und bezeichnend ist es, daß gerade dieselben Leute, die sich am 5. April Hals über Kopf in das Abenteuer stürzten, jetzt das Verhandeln predigen. Haben sie Hoffmann gestürzt, um mit ihm zu verhandeln, um ihn zurückzuberufen? Damals, als ihr politischer Weitblick versagt, konnten sie wenigstens auf ihren politischen Mut trumpfen.

Heute ist selbst dieser dahin. Sie sind Schwarmgeister und keine Politiker. Die Arbeiterklasse soll sich vor Toller und Genossen hüten, wenn sie nicht noch mehr Erfahrungen mit bösen Konsequenzen machen will.

Verhandeln ist keine Parole. Verhandeln ist die versteckte, vor sich selbst feige verheimlichte Niederlage. Jede Feigheit entkeimt einem schwachen Charakter und sie zeugt weiters Schwäche. Für Politiker ist die Frage anders. Er hat die Situation zu beurteilen. Ist die Situation verzweifelt, so soll er sich das eingestehen und die Stellung offen aufgeben, die nicht zu halten ist. Diese Ehrlichkeit gegen sich selbst wird für ihn eine Quelle der Kraft. Ist die Aussicht auf Erfolg vorhanden, dann gibt es nur den Kampf, unerbitterlichen Kampf, mit dem Aufgebot aller Kräfte, mit dem Willen zum Siege. ⟨...⟩

Zwischen Schwäche und Verrat

⟨...⟩ Die Toller und Maenner verzieren ihre Politik mit dem Wort von der »Liebe zum Proletariat«. Phrasen mit Veilchenduft kann jeder Hans zum Besten geben, und wir werden mit Toller nicht darin konkurrieren. Unsere Arbeit für das Proletariat zeugt für uns. Aber uns scheint, daß den Toller und Genossen selber bange wird vor ihrem Beginnen. Die Politik, welche die Kommunisten im Aktionsausschuß getrieben haben, konnte scheitern an dem überstarken Widerstand der bürgerlichen Klassen, an der Schwäche des Proletariats. Die Niederlage der Kommunisten aber hätte dem Proletariat gedient, wie jede Niederlage, die eine revolutionäre Klasse in heroischem Kampfe erleidet. In ihr und durch sie hätte das Proletariat die Schwächen und Erbärmlichkeiten abgestreift, die ihm noch anhaften. Moralisch gestärkt wie das Berliner, das Bremer, das Stuttgarter Proletariat wären die Münchener Arbeiter aus dem Kampfe hervorgegangen.

Eine Niederlage durch die Feigheit schwächte das Proletariat, demoralisiert es. Und sie muß sich rächen an allen, die daran schuldig sind. ⟨...⟩

Draußen steht der Feind. Nichts darf den Willen des revolutionären Proletariats erschüttern, die Gefahr der weißen Garden von München abzuhalten. Wachsam muß es sein gegenüber der Bourgeoisie, die auf die Gelegenheit zum Vorbrechen lauert. Darum darf keine einzige Machtposition aufgegeben werden.

Die Rote Armee ist sich dieser ihrer Pflicht bewußt. Das Oberkommando hat den Betriebsräten folgende Erklärung vorgelegt:

Die Rote Armee wurde gegründet nicht als Instrument der Politik, sondern als Organ der Verteidigung der Diktatur des Proletariats und der Räterepublik gegen die Konterrevolution der weißen Garden. Entsprechend dieser Aufgabe erklärt -das Oberkommando, daß es das revolutionäre Proletariat,

61

koste es, was es wolle, gegen die weiße Garde verteidigen wird und sich von keiner Seite, auch nicht von den Betriebsräten, zu einem Verrat an der sozialen Revolution wird zwingen lassen. ⟨...⟩

Flucht, Verhaftung und Prozeß
1919

Als am 30. April 1919 in dem von Truppen der Bamberger Landtags-regierung belagerten München 10 Geiseln erschossen wurden, nahm die Erbitterung der Kämpfe auf beiden Seiten zu. München wurde zum Modell der Auseinandersetzung zwischen Links- und Rechts-extremismus, an der die Weimarer Republik schließlich gescheitert ist. Durch Horrorpropaganda und antisemitische Parolen wurde un-ter den gegen München vorgehenden Soldaten Pogromstimmung er-zeugt; ihr fielen nicht nur zahlreiche kämpfende Arbeiter zum Opfer, sondern auch 21 Mitglieder einer Versammlung des Kolpingsvereins, die als spartakistische Zusammenkunft denunziert worden war. Josef Hofmiller notierte am 4. Mai: »Zum Mittagessen kam plötzlich mein Schwager M., der beim Freikorps Werdenfels eingerückt ist. Er war dabei, als Giesing gesäubert wurde. ›Die Straßenkämpfe‹, sagte er, ›waren schlimm, ähnlich wie in Belgien im Jahr 14. Wer mit der Waffe in der Hand getroffen wurde, wurde augenblicklich erschos-sen.‹« Gustav Landauer wurde am 2. Mai 1919, dem Tag der endgül-tigen Eroberung Münchens, in Stadelheim bestialisch ermordet (vgl. Bd. I, S. 98 ff.; Bd. IV, S. 199 f.; Bd. V, S. 33 f.), Richard Eglhofer, Oberkommandierender der Roten Armee, »auf der Flucht erschos-sen«, wie die Zeitungen verfälschend meldeten; im unmittelbaren An-schluß an die Kämpfe sprachen Stand- und Feldgerichte mehrere hun-dert sofort vollstreckte Todesurteile aus.
Eugen Leviné, der Führer der kommunistischen Räterepublik, wurde am 14. Mai in seinem Versteck in München entdeckt und verhaftet, am 3. Juni 1919 »wegen eines Verbrechens des Hochverrats« zum Tode verurteilt, und, nach Bestätigung des Urteils durch den bayeri-schen Ministerrat (4. Juni), am 5. Juni 1919 hingerichtet (vgl. Bd. I, S. 45 f.; vgl. auch die Dokumente bei: Rosa Meyer-Leviné, Leviné. Leben und Tod eines Revolutionärs. Erinnerungen. Mit einem doku-mentarischen Anhang. München 1972).
Toller konnte sich in wechselnden Verstecken bis Juni verborgen hal-ten. Als er – nach einer Denunziation – entdeckt und verhaftet wurde (vgl. Bd. IV, S. 239 ff.), verlangten und erwarteten große Teile der Öffentlichkeit auch gegen ihn ein Todesurteil.

STADTKOMMANDANTUR   München, den 7. Mai 1919.
Fahndungsabteilung.

Betreff:
Toller Ernst, Student, geb. 1. 12. 93
in Samotschin,
wegen Hochverrats.

Nach umlaufenden Gerüchten in der Stadt soll Toller erschossen worden sein und seine Leiche im Ostfriedhof liegen.
Durch Erhebungen vom 7. 5. 1919 vorm. stellte ich aber fest, daß diese Gerüchte nicht der Tatsache entsprechen. Die Leiche, die als jene des Toller vermutet wurde, ist bis jetzt allerdings noch nicht agnosziert, doch wurde durch Herrn Dr. Marcuse, leitender Arzt der Kuranstalt Ebenhausen, am 7. 5. 19 vorm. 10 Uhr in meiner Gegenwart im Ostfriedhof festgestellt, daß der vermutliche Tote nicht Toller ist. Wie mir Herr Dr. Marcuse angab, war Toller schon oft in ärztlicher Behandlung bei ihm und er würde ihn ohne Zweifel bestimmt erkennen. Die Leiche habe große Ähnlichkeit mit Toller.
Bei der Leiche war ein Bund Schlüssel mit einem Sperrhaken. Diese Schlüssel zeigte ich der letztbekannten Mietgeberin des Toller, Frau Maier, Inh. d. Pension Ludwigsheim, Ludwigstraße 4/4 vor, welche mir angab, daß Toller seine Wohnungsschlüssel überhaupt nicht bei sich habe. Diese Schlüssel seien also nicht Eigentum des Toller.
Nach der Einwohnerliste b. d. Pol. Dir. hier hatte Toller in München folgende Wohnungen inne:
vom 21. 11. 16   Kurfürstenstraße 31/I bei Schlemau,
vom 19. 12. 16   Amalienstraße 44/III bei Herter,
vom 2. 1. 17-14. 10. 17 Akademiestraße 11/0 bei Huber,
vom 31. 1. 18   Akademiestraße 7/I Pension Romana,
vom 12. 12. 18   Ludwigstraße 4/4 Pension Ludwigsheim.
In der letztgenannten Wohnung – Pension Ludwigsheim – hat er z. Zt. noch einige Kleidungsstücke und Wäsche. Auch verschiedene Papiersachen und Zeitungen lagen bisher noch in

seinem Zimmer, welche die Pensionsinhaberin aber vor einigen Tagen herausgebracht und in das Stiegenhaus gelegt hat,
weil er seit etwa 14 Tagen nicht mehr zu ihr gekommen sei.

Seit dieser Zeit soll sich *Toller,* wie mir bekannt wurde, im
Hotel Marienbad an der Barerstraße aufgehalten haben. Mit
der Inhaberin des Hotels, Frau Durieux, soll er sehr gut bekannt sein und freundschaftlich verkehrt haben. Erst kürzlich
war Frau Durieux mit ihm im Kaffee Luitpold. Sie habe ihm
auch öfters Briefe geschrieben.

In Begleitung des Toller war in letzter Zeit ständig ein Matrose. Toller bezeichnete ihn als seinen Freund Hans. Der
Matrose war stets in Uniform und gut bewaffnet. Seit dem
Umsturz am 1. Mai ging er in Zivil. Am 1. oder 2. Mai wollte
er in der Pension Ludwigsheim in dem Zimmer des Toller
schlafen. Nachdem er sich eine Zeitlang dort aufgehalten
hatte, wurde er von dem Zimmermädchen Anna des Hotels
Marienbad telephonisch verständigt, daß er zu Stork, Barerstraße 7, kommen solle, woselbst er auch abends gegen
10 Uhr hinging. Am 4. oder 5. Mai brachte er Lebensmittel in
die Pension Ludwigsheim, angeblich für politische Flüchtlinge
und am nächsten Tage holte er sie wieder ab. Am 5. Mai holte
er von dort für Toller ein Paar Socken. Dabei äußerte er, daß
Toller gut versteckt sei. Nur er und Frau Durieux wissen, wo
er sei.

Bei der Bayerischen Hypotheken- und Wechselbank, Deposi-
tenkasse Schwabing, hat Toller unter Nr. 95251 ein Bank-
konto, wie aus beiliegendem Zettel ersichtlich ist.

gez. *Gradl,*
Kriminalbeamter.

〈 *Der Haftbefehl* 〉

München, den 12. Mai 1919.

Der Staatsanwalt bei dem standrechtlichen Gericht für München erläßt folgenden *Haftbefehl:*

Toller Ernst, led. Student, geb. am 1. Dezember 1893 in Sa-

motschin, Reg. Bezirk Colmar in Posen, Sohn des Max Toller
und der Ida, geb. Cohn,
ist in Untersuchungshaft zu nehmen.
Er ist dringend verdächtig, es unternommen zu haben, die
durch das vorläufige Staatsgrundgesetz des Freistaates Bayern
vom 17. März 1919 geschaffene Verfassung des Bundesstaates Bayern gewaltsam zu ändern und insbesondere Ende April
und anfangs Mai 1919 in der Umgebung von München als
Anführer der gegen die Regierungstruppen gewaltsam vorgehenden roten Armee gedient zu haben.

Verbrechen des Landesverrats gem. § 81 Ziff. 2 RStGB.

Toller ist flüchtig.

Auf seine Ergreifung oder auf die Schaffung der Möglichkeit
der Ergreifung ist eine Belohnung von

zehntausend Mark

ausgesetzt.

Personalbeschreibung:
Toller Ernst ist etwa 1,70 m groß, schlank, dunkle fast
schwarze Haare, kleinen dunklen Schnurrbart, Cottelettes,
gelbliche Gesichtsfarbe, mageres, schmales Gesicht, spricht
gut deutsch.

⟨*Der Steckbrief*⟩

München, den 12. Mai 1919.

Wegen Hochverrats nach § 81 Ziffer 2 des R. St. G. B. wird
gesucht der neben abgebildete Student der Rechte und Phi-
losophie

Ernst Toller,

geboren am 1. Dezember 1893 in Samotschin, Kreis Kolmar
in Posen, Sohn der Kaufmanneheleute Max und Ida Toller,
geborene Kohn, konfessionslos.
Toller ist von schmächtiger Statur und lungenkrank; er ist
etwa 1,65-1,68 m groß, hat mageres, blasses Gesicht, trägt
keinen Bart, hat große braune Augen, scharfen Blick, schließt
beim Nachdenken die Augen, hat dunkle, beinahe schwarze,
wellige Haare, spricht schriftdeutsch und war verschieden,
meist dunkel gekleidet.

Um eifrigste Fahndung und Drahtnachricht bei Festnahme wird ersucht; sachdienliche Mitteilungen sind an die Polizeidirektion München oder die Fahndungsabteilung der Stadtkommandantur München zu richten.

Für die Ergreifung ist eine Belohnung von

10 000 M

ausgesetzt.

STADTKOMMANDANTUR
Fahndungs-Abteilung.
Schuler.

⟨*Überwachung der Grenzen*⟩

München, den 13. Mai 1919.

Telegramm an Grenzschutzkommando

Kufstein

z. H. des Oberlt. Kohlhepp.

Hauptspartakistenführer Leviné-Nissen, Levien, Axelrod, Toller von hier flüchtig gegangen. Versuchten vermutlich über die Grenze zu entkommen. Um Maßnahmen zur scharfen Grenzüberwachung und besonders auch Straßen Kiefersfelden-Kufstein-Innsbruck wird gebeten.

STADTKOMMANDANTUR
München
Roth, Hauptmann.

Die Schauspielerin Tilla Durieux, Gattin des Kunsthändlers und Verlegers Paul Cassirer, gastierte auf ausdrücklichen Wunsch Kurt Eisners 1918/19 am Münchener Nationaltheater. Ernst Toller hatte sie durch ihren Mann kennengelernt. Während ihres Klinikaufenthaltes (behandelnder Arzt war Ferdinand Sauerbruch) versteckte sich Toller im Mai 1919, ohne ihr Wissen, mehrere Tage in ihrer Wohnung in der Brienner Straße. Sie wurde am 9. Mai 1919 in der Chirurgischen Klinik vernommen und dementierte mit dem folgenden Brief, der am 12. Mai 1919 in Abschrift zu den Fahndungsakten gelegt wurde, die über sie und Toller umlaufenden Gerüchte. In ihren Erinnerungen (Eine Tür steht offen. Berlin 1954) schreibt sie dazu: »⟨...⟩ in einer

67

der großen Zeitungen wollte man mich sogar in Dachau auf einem Schimmel mit einer roten Fahne den Soldaten vorausreitend gesehen haben. Abgesehen davon, daß ich seit Jahren nicht in Dachau war, und daß mein Gesundheitszustand mir keinen Schimmel erlaubt hätte, konnte man meine Aktivität in der Räterepublik nicht als erheblich bezeichnen. Gewiß, ich hatte Sauerbruch und Aumüller geholfen, hatte Toller zur Flucht Geld gegeben; das letztere konnte zudem niemand bekannt sein. Eisner, Landauer und auch Toller hatten wohl manche politische Gespräche bei mir gehabt, aber um Rat fragte mich keiner, und ich hätte auch keinen zu geben gewußt.«

⟨*Tilla Durieux dementiert Gerüchte*⟩
Sehr geehrter Herr!
Da ich hier in der Klinik im Bett liege, so wäre ich Ihnen sehr dankbar, wenn Sie die große Liebenswürdigkeit hätten, für mich an die zuständige Stelle zu gehen. Ich erkläre hier folgendes und bin bereit es zu beeiden: Ich habe Ernst *Toller* kennen gelernt als Schriftsteller, der dem Verlag ein Stück und Gedichte einreichte. Als die Räteregierung anfing, war mein Mann noch hier und bemühte sich, Toller von raschen unüberlegten Handlungen zurückzuhalten, denn er sah in dieser Entwicklung der Politik ein Unglück. Am 15. April verließ er München, um nach Holland zu gehen, seit diesem Tag hatte ich keinerlei Nachricht mehr von ihm, bis gestern. Ernst Toller kam nun hie und da zu mir, stets nur auf ganz kurze Zeit. Er sprach mir immer nur davon, daß er jedes Blutvergießen vermeiden wolle und einen Vergleich mit den weißen Garden anstrebe. Ein Gedanke, den ich aufs dringendste unterstützte. Als Geheimrat Sauerbruch als Geisel verhaftet werden sollte, hat er sich auf das energischste dagegen eingesetzt, auch die fortdauernden Besuche, die bewaffnete Rotgardisten in gewalttätigen Absichten den Herren Auer und Arco machten, hat er so gut er konnte verhindert. (Verzeihen Sie, wenn ich Auer und Arco in einem Satze nenne, aber in diesen Augenblicken waren es »Kranke«, die man schützen mußte.) Er hat sich stets in lustigen Reden gegen Levien und Leviné gewandt und hatte manchmal bei mir Verzweiflungsausbrüche, daß er

nicht im Stande war, Unheil zu verhüten. Über seine Tätigkeit in Dachau sprach er nicht mit mir, d. h. er versicherte mir immer, es würde zu einem Vergleich kommen. – Nun wurde der Besitzer des Hotels Marienbad als Geisel verhaftet und trotz meiner eifrigen Bemühungen wurde er nicht freigelassen. In der Nacht vom Sonntag auf Montag war Toller ins Marienbad gekommen mit noch einem Herrn, dies erfuhr ich aber erst am Montag Morgen, dem 28. und ließ Herrn Toller bitten, bei mir zu frühstücken, weil ich wegen Herrn Aumüller bitten wollte, ihn freizulassen. Er kam mit seinem Begleiter, dessen Name wie ich weiß, Röhl war. Das Gespräch drehte sich nur um Aumüller. Von Toller hatte ich den Eindruck, daß er sich in einer wahnsinnigen Erregung befand, er war vollkommen verzweifelt, versprach mir aber, Aumüller zu befreien. Als ich abends um $1/2$1 Uhr nach Hause kam, sagte mir der Portier im Hotel, daß Toller im Hotel sei, ich traf aber nur Herrn Röhl, der mir erzählte, sie seien von den Spartakisten verfolgt, hätten sich in das Hotel geflüchtet, aber Toller wäre gleich wieder fortgegangen. Ich legte mich schlafen und sah am Morgen diesen Herrn noch ganz flüchtig. Am Nachmittag ging ich in die chirurg. Klinik zu Geheimrat Sauerbruch, wie ich es schon längere Zeit ausgemacht, um mich hier einer Bestrahlungsbehandlung zu unterziehen. Ich lag dort im Bett, als etwa um 5 Uhr Toller in mein Zimmer stürmte und Geheimrat Sauerbruch zu sprechen verlangte. Er erklärte diesem in höchster Aufregung mit tränenerstickter Stimme, daß er erfahren hätte, daß man die Geiseln ermorden wolle. Aumüller hätte er noch frei bekommen, er fürchte aber für Auer und fürchte auch eine Mißhandlung Arco's. Die beiden Herren zogen sich zurück und seit dieser Zeit weiß ich nichts mehr von Toller. Er soll in der Nacht nochmal in der Klinik gewesen sein, aber bei mir war er nicht. Meine Jungfer Anni Wachsmut ist am 1. Mai zu ihren Verwandten gezogen auf meine Bitte, weil ich dieses junge Mädchen in dieser Zeit nicht allein im Hotel lassen wollte. – Meine Sachen können alle durchsucht werden, es ist nichts dabei, was auf die Vor-

gänge Beziehung hätte. Ich bin auch zu jeder Vernehmung
gerne bereit. –
Mit vielem Dank für Ihre liebenswürdigen Bemühungen
Hochachtungsvoll
Tilla Durieux-Cassirer.

Unter den zahlreichen Denunziationen, die seit der Veröffentlichung
von Tollers Steckbrief bei der Münchener Polizei eingingen, führte
erst die Spur vom 3. Juni zur Verhaftung. Toller wurde am 4. Juni
1919 im Hause Werneckstraße 1 bei dem Kunstmaler Reichel aufge-
spürt und verhaftet (vgl. Bd. IV, S. 169 ff.; S. 252 ff.); die »Vorfüh-
rungs-Note« der Polizeidirektion München ist datiert: »München,
den 4. Juni 1919. Vormittags 5 Uhr 45 Min.« Einige Denunziations-
dokumente sind abgebildet bei: Tankred Dorst, Peter Zadek und
Hartmut Gehrke, Rotmord oder I was a German. München 1969
(sonderreihe dtv 72).

⟨Aus der entscheidenden Denunziation⟩

Krm. Schutzmann
Johann Schachner   München, den 3. Juni 1919.
für den 26ten Bezirk
an die
K. Polizeidirektion
Betreff: *Toller Ernst,* led. Student,
   z. Zt. unbekannten Aufenthalts
   wegen Hochverrats.

Auf Grund vertraulich erhaltener Mitteilung eines vorerst
nicht genannt sein wollenden Herrn, bringe ich Folgendes zur
Anzeige:
Der Mitteiler hat sich am 1. Juni 19 abends gegen 10 Uhr in
den Anlagen der neuen Pinakothek auf eine Ruhebank nieder-
gelassen. Ganz nahe daneben haben sich zwei weitere Herrn
auf eine Bank gesetzt, welche infolge der starken Dunkelheit
den Mitteiler in ihrer nächsten Nähe nicht wahrgenommen
bzw. gesehen hatten.
Diese beiden Herrn, welche der Mitteiler nicht näher be-

schreiben kann, führten mitsammen ein Gespräch, wobei sie sich über den derzeitigen Aufenthalt des Toller äußerten. Einer von diesen beiden Herrn bekundete, daß er den Toller erst am Samstag, den 31. Mai 19 persönlich gesprochen hätte. Toller sei in Schwabing schon seit einigen Wochen wohnhaft und zwar in einem Hause Ecke Feilitzsch-Werneckstraße. Es sei dies ein sogenanntes verwunschenes Haus und ging schon das Gerücht, daß in diesem Hause der »Spuk« herrscht. Bei dem fragl. Haus sei rückwärts ein Park, welcher die Flucht des Toller erleichtern sollte.

Toller sei bei einem jungen, kinderlosen Ehepaar wohnhaft. Diese hätten nur 2 Diwans in der Wohnung, wovon auf einem Toller nachts über schlafen soll. Tagsüber soll sich Toller in einem Atelier in dem fragl. Hause, welches ebenfalls von diesen kinderlosen Eheleuten gemietet ist, versteckt aufhalten. In dem Atelier selbst sind mehrere große Bilder und hinter einem expressionistisch gemalten Bild ist eine Tapetentüre. Durch diese Türe gelangt man in eine kleine Kammer, in welcher sich Toller versteckt aufhalten soll. ⟨...⟩

Am 6. Juni schon begann in der Öffentlichkeit mit der Auseinandersetzung um den Tod Levinés auch der Kampf um die Beeinflussung des Toller-Prozesses.

⟨*Aus dem* ›*Vorwärts*‹. *Morgen-Ausgabe.*
Freitag, 6. Juni 1919⟩
Eine Hinrichtung
Standrechtliche Erschießung Levinés
Der Führer der Kommunisten, Dr. *Leviné*-Nissen ist gestern in Stadelheim bei München standrechtlich erschossen worden, nachdem die bayerische Regierung es abgelehnt hatte, das gegen ihn gefällte Todesurteil im Wege der Gnade zu mildern. Seit jenes Urteil gemeldet worden war, hatten wir keine Nummer unseres Blattes vorübergehen lassen, ohne seine Aufhebung zu fordern, und das gleiche hat unser Bruderorgan, die ›Münchener Post‹ getan. Die bayerische Re-

gierung hat sich diesen Stimmen der Besonnenheit und Menschlichkeit verschlossen und damit eine schwere Verantwortung auf sich geladen. ⟨...⟩

Die Sozialistische Studentenpartei erläßt einen Aufruf, der nach scharfen Angriffen auf die Regierung Hoffmann wegen der Erschießung Levinés zugunsten des verhafteten Studenten *Toller* folgendes ausführt:

»Wir fordern nachdrücklich die Verhandlung des Falles *Toller* vor einem ordentlichen Geschworenengericht, das sich aus Angehörigen aller Klassen der Bevölkerung zusammensetzt. Toller hat den Mörder Kurt Eisners, Graf Arco, vor der Lynchjustiz gerettet. Toller hat bis zum letzten Augenblick die Erschießung der Geiseln zu verhindern gesucht. Toller hat als Führer der Roten Garde alles darangesetzt, Blutvergießen in München zu vermeiden und der Regierung Hoffmann wiederholt Verhandlungen angeboten. Die Regierung Hoffmann hat diese Verhandlungen schroff abgelehnt. Die Regierung Hoffmann trägt damit die Schuld an allem Blut, das in den Straßen Münchens geflossen ist. Die Regierung Hoffmann hat auf den Kopf dieses Mannes einen Preis gesetzt und eine Hetze gegen ihn hervorgerufen, die befürchten läßt, daß Toller das Schicksal Levinés oder Karl Liebknechts und Rosa Luxemburgs teilen wird.«

Wir sehen davon ab, daß hier die Geschichte des Sturzes der Münchener Spartakistenherrschaft einseitig dargestellt wird, und sind mit den sozialistischen Studenten einig in der entschiedenen Forderung, daß dem jungen Toller das Schicksal Levinés erspart bleibt.

⟨*Aus der ›München-Augsburger Abendzeitung‹.*
Abend-Ausgabe. Dienstag, 17. Juni 1919⟩
Politische Stimmungsmache und Rechtsprechung
*München, 16. Juni
In den nächsten Tagen wird der Hochverratsprozeß Toller in München vor dem Standgericht verhandelt werden. Wenn je gegen alle Rechtsgepflogenheit in ein schwebendes Gerichts-

verfahren *absichtlich beeinflussend* eingegriffen worden ist, dann in der Strafsache Toller. Einschüchterungstelegramme wurden nach München und Bamberg gesandt, Namen führender und an verantwortlicher Stelle stehender Staatsmänner mißbraucht, linksstehende einflußreiche Blätter vom Schlage des »Berliner Tageblatt« und der »Frankfurter Zeitung«, nicht zu reden von der sozialdemokratischen und radikalen Presse, machen unentwegt Stimmung *für* Toller und werfen damit ihre frühere *Grundanschauung, daß die Rechtsprechung unbeeinflußt und unbeirrt von außen ihres Amtes walten muß,* über Bord. ⟨...⟩

War Toller der Idealist, als den man ihn jetzt von gewissen Seiten hinzustellen sucht, so hätte er wissen müssen, daß das Ende seines Treibens nur Blut und Schrecken sein konnten. Die verflossene sozialistische Regierung Hoffmann wird sich erinnern, daß sie in den Münchner Schreckenstagen von Bamberg aus durch Flieger Flugblätter nach München bringen ließ, in denen von wahnsinnigen Literaten und Akademikern die Rede war, Blätter, in denen sie von »schwerster Strafe« für die Volksverführer sprach. Das waren mannhafte Worte, die das schwer heimgesuchte München ausharren ließen in der berechtigten Hoffnung auf *Sühne.*

Die von uns hier angeführten Tatsachen sind ein kleiner Teil des Toller belastenden Materials. Es mußte leider beleuchtet werden, nicht etwa, um ein Gerichtsverfahren zu beeinflussen, sondern um *denen entgegenzutreten, die die öffentliche Meinung durch tatsächlich unrichtige Behauptungen und tendenziöse Kundgebungen zu verwirren* und dadurch das Gericht schon vor der Verhandlung einzuschüchtern suchen. Die gesamte Öffentlichkeit, ohne Rücksicht auf persönliche Anschauungen, muß eine Stimmungsmache auf das entschiedenste verurteilen, die *auf eine Rechtsbeugung hinausläuft.* Das Gericht muß durchaus unbeeinflußt von außen das Urteil fällen. Nur dem einen Satz möchten wir als *richtunggebend* für alle diese Hochverratsprozesse zustimmen, dem inhaltsschweren Satz, den der Ministerpräsident Hoffmann vor wenigen

Tagen dem versammelten Landtag vortrug: »Milde und Vergebung den Verführten, die volle Strenge des Gesetzes aber den Verführern!«

⟨*Ein Erlaß des bayerischen Innenministeriums*⟩

Staatsministerium des Innern.   München, 24. Juni 1919.
An
die Regierung von Oberbayern,
Kammer des Innern.
Betreff: Ernst Toller wegen Hochverrats,
hier: Belohnung für seine Ergreifung.
Beilagen: 2 Abdrucke.

Die für die Ergreifung des Ernst Toller ausgesetzte Belohnung im Betrage von 10 000 M ist an die Polizeidirektion München zur weiteren Verteilung an die Personen auszubezahlen, die die Ergreifung Tollers ermöglicht und bei ihr mitgewirkt haben. Maßgebend für diese Verteilung ist der von der Polizeidirektion München aufgestellte Verteilungsplan mit dem Abmaße, daß die Belohnung für Julius de Franzesco auf 4000 M, für Kriminaloberkommissär Hilzensauer auf 2000 M festgesetzt wird.

I. A.
gez. Völk.

Der Wiener Satiriker Karl Kraus verwendete die Auseinandersetzung um Tollers Prozeß zum eigenen Kampf gegen die bürgerliche Wiener Presse und seine Gegner im Lager der österreichischen Literaten. Er griff vor allem Albert Ehrenstein, Hugo Sonnenschein, den Schauspieler Alexander Moissi, Franz Werfel, Paris von Gütersloh, Franz Blei und Hermann Bahr an. Nach Beendigung des Toller-Prozesses beendete auch Kraus die Auseinandersetzung, von der der nachfolgende Artikel in der Wiener ›Arbeiterzeitung‹ nur einen charakteristischen Ausschnitt bietet, mit der glossierten Dokumentation ›Proteste‹ (in: Die Fackel. Nr. 514-518. Ende Juli 1919, S. 1-20); in ihr heißt es u. a.: »Daß Herrn Toller die ehrlichen Beweggründe seines Handelns zugebilligt würden, war vorauszusehen, und im vorhinein war es klar, daß hier nicht der Plan eines schlechten Menschen, sondern nur die Verwirrung eines schlechten Lyrikers an der Weltgeschichte beteiligt sei. Wir aber wollen nicht regiert und geängstigt sein von jenen, die zwar von Kindesbeinen intellektuell gereift waren, aber ihre Pubertätskrisen mit Maschinengewehren austragen müssen.«

⟨*Aus der Wiener* ›*Arbeiter-Zeitung*‹.
Samstag, 21. Juni 1919⟩
Tagesneuigkeiten

* *Eine ernste Satire.* Von Wien ist bekanntlich nach München ein Telegramm geschickt worden, das gegen die Justifizierung des Studenten Toller protestierte. Man weiß noch immer nicht, von wem das Telegramm, zu dem, da Toller noch gar nicht angeklagt ist, ein zwingender Anlaß sicherlich nicht vorlag, eigentlich herrührt; bisher haben die angeblichen Unterzeichner nur erklärt, daß ihre Unterschrift ohne ihr Wissen beigesetzt worden ist. Eine Reihe Wiener Schriftsteller ist allerdings noch weiter gegangen; sie haben nämlich mitgeteilt, daß sie von dem Telegramm zwar auch nichts gewußt haben, aber dem Anonymus, der ihre Unterschrift beigefügt hat, doch dankbar seien; was immerhin ein erstaunliches Bekenntnis war, weil es nämlich bekundete, daß die Protestler ohne den Anonymus auf den Gedanken, daß sie sich um Tollers Schicksal zu sorgen hätten, gar nicht gekommen wären. Und wie wir es sogleich sagten, man hat nur dann das Recht, sich gegen Gewalttaten zu wenden, wenn man Gewalt überhaupt verpönt und über jede entrüstet ist. Ein »Flugblatt«, das dieser Tage in Wien verbreitet worden ist, hat die Unehrlichkeit dieser Art von Protesten mit jener Kraft gegeißelt, die nur dessen Verfasser eigentümlich ist; es lautet:
»Wir waren jenem mutigen Anonymus dankbar dafür, daß er, noch ehe eine Gerichtsverhandlung gegen Toller stattgefunden hat, sich beeilte, unter seinen Protest gegen eine Hinrichtung Tollers unbekümmert unsere Namen zu setzen, und daß er auf diese Weise uns der Erfüllung unserer Humanitätspflicht enthoben hat. Wir wollen fortan keine der ungezählten

Gelegenheiten, die eine mit Todesurteilen verschwenderische Gegenwart dem in ihr noch Lebenden bietet, vorübergehen lassen, ohne unsere Stimmen zu einem weltbrüderlichen Protest zusammenzuschließen, mag nun einem namhaften Opfer der Todeswillkür die Rache des blutdürstigen Bürgertums erst drohen oder etwa an einem unbekannten Opfer die Rache einer blutdürstigen Rätediktatur schon vollzogen sein. So rufen wir – die Wahrheit der im ›Neuen Wiener Tagblatt‹ vom 17. d. mitgeteilten Tatsachen vorausgesetzt – Klage gegen den Diktator Szamuely, welcher den zum Tode Verurteilten Josef Glaser aus Czorna nach den Worten: ›Ich habe gehört, daß dir die kommunistische Wirtschaft nicht paßt!‹ mit einem Bajonett das rechte Auge ausstechen ließ und dann zurief: ›Du kannst mit dem linken Auge nun genug sehen, um zuzuschauen, wie die anderen sieben vor dir gehängt werden, denn du kommst als letzter dran!‹ Wir bekennen als Wiener Intellektuelle die Scham, in einer Zeit und auf einer Erde zu leben, wo solch ein Schauspiel möglich war. Wir benützen die Gelegenheit, um zu versichern, daß unsere Proteste gegen die Millionen Morde und Hinrichtungen Unschuldiger, die zwischen dem Kriegsbeginn und dem Zusammenbruch der Militärmonarchien erfolgt sind, nur deshalb nicht laut werden konnten, weil damals Schweigen geboten war und wir, mit Ausnahme des Kriegsfreiwilligen Moissi, uns alle in Positionen befanden, die wir andernfalls gegen die Aussicht eingetauscht hätten, unsere eigene körperliche Sicherheit zu gefährden. Hätte damals ein mutiger Anonymus unter seine Proteste gegen die Kriegsgewalt unbekümmert unsere Namen gesetzt, so wären wir geradezu gezwungen gewesen, ihn zu desavouieren. Genau so wie wir ihm heute, wenn er etwa diesen Protest gegen eine blutdürstige Rätediktatur an unserer Stelle abgefaßt hätte, nur vom ganzen Herzen dankbar sein müßten.«

Das »Flugblatt« trägt die »Unterschrift« jener Protestler, die den Einfall dem Anonymus überlassen haben (Blei, Ehrenstein, Moissi, Gütersloh, Sonnenschein, Werfel). Wir müssen es schon deshalb mitteilen, weil es wirklich Zeitungen gibt,

1

2

3

4

(Bildlegenden und Nachweise s. S. 297)

5

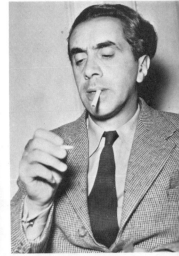

6

7

8

9

10

11

12

13

14

15

16

die die Satire nicht verstanden haben, also meinen, daß da wirklich ein neuer Protest vorliege und das »Flugblatt« als neuen Protest der »unterschriebenen« Herren bringen (»N. Fr. Pr.« und »Neues Wiener Tagblatt«), obwohl jedermann, der von Stil und Geist nur eine Ahnung hat, wissen mußte, wer diese Fackel angezündet hat. Es hat diese Grubenhundblätter nicht gestört, daß sich die Herren dankbar zeigen, daß man sie »auf diese Weise der Erfüllung ihrer Humanitätspflicht *enthoben* hat«; daß sie versichern, sie werden fortan »keine der ungezählten *Gelegenheiten* vorübergehen lassen«; daß sie gestehen, gegen die Kriegsmorde nur deshalb nicht protestiert zu haben, »weil damals Schweigen *geboten* war« und sie sich in »Positionen« (Kriegspressequartier?) befanden, die sie gegen die Aussicht nicht eintauschen wollten, *»unsere eigene körperliche Sicherheit zu gefährden«.* Nicht einmal, daß sie erklären, sie wären, wenn damals jemand unter einen Protest gegen die Kriegsgewalt ihre Namen gesetzt hätte, *»geradezu gezwungen gewesen, ihn zu desavouieren«,* hat die zwei Zeitungen zum Nachdenken veranlaßt! Das haben sie davon, daß sie Karl Kraus nicht lesen; dann verstehen sie nicht, was eine Satire ist! Für die Protestler ist aber dieser Protest des Mutigsten, der protestierte, auch als das Schweigen geboten war, immerhin eine gute Lehre ...

Über Tollers Prozeß vor dem Standgericht in München, vom 14. bis zum 16. Juli 1919, erschienen in zahlreichen großen Zeitungen, vom ersten Verhandlungstag an, ausführliche Berichte. U. a. in der ›München-Augsburger Abendzeitung‹, den ›Münchner Neuesten Nachrichten‹, der ›Münchener Post‹, der ›Frankfurter Zeitung‹, der ›Vossischen Zeitung‹, dem ›Berliner Tageblatt‹, dem ›Vorwärts‹, der ›Freiheit‹ (vgl. Spalek Nr. 1953 ff.). Die Anklage lautete auf Hochverrat wegen führender Teilnahme an beiden Phasen der Räterepublik. Den Vorsitz führte Landgerichtsdirektor Stadelmayer, der schon den Leviné-Prozeß geleitet hatte; der Erste Staatsanwalt Hahn vertrat die Anklage. Toller wurde verteidigt von Dr. Anton Gänßler und den Anwälten Adolf Kaufmann (wie Toller ehemals Mitglied des provisorischen Nationalrates des Volksstaates Bayern) und Hugo Haase. Für die

Verteidigung war als medizinischer Gutachter der Nervenarzt Dr. Julian Marcuse tätig, für die Staatsanwaltschaft der Psychiater Professor Dr. Rüdin, der Toller schon im Anschluß an den Januarstreik 1918 beurteilt hatte.

An der Verhandlung nahm auch ein Agent der Nachrichtenabteilung (Abt. Ib) des Reichswehrgruppenkommandos 4 teil, »dem alle in Bayern stationierten Reichswehreinheiten unterstellt« waren. Diese Nachrichtenabteilung war beauftragt, »sowohl die politische Entwicklung der Truppe zu beeinflussen als auch die allgemeine politische Entwicklung in Stadt und Land zu überwachen« (Deuerlein S. 43). In der Liste ihrer V-Männer findet sich schon Ende Mai 1919 der Name des Gefreiten Adolf Hitler. Über den antisemitischen Geist, der die Nachrichtenabteilung des Bayerischen Gruppenkommandos Nr. 4 beherrschte, gibt der vertrauliche Bericht ihres Agenten »A 47« über den Toller-Prozeß Aufschluß.

⟨*Aus dem*⟩
Bericht über die vor dem Standgericht *München*
am 14. Juli 1919 begonnene Verhandlung gegen *Ernst Toller*
angeklagt wegen *Hochverrats*

⟨...⟩ Persönliche Wahrnehmungen: Die Verteidiger des Angeklagten sind auf das vorteilhafteste gewählt. *Gänßler* ist bekannt als erstklassiger Rechtsanwalt und genießt bei Gericht hohes Ansehen, ist also mehr oder minder im Stande, das Kollegium persönlich zu beeinflussen. *Kaufmann* ist ein guter Bekannter des Angeklagten und hat während des Umsturzes mit demselben gearbeitet, von Konfession *Jude*.

Haase, Berlin, heute Kommunist, ebenfalls Jude.

Dr. *Marcuse,* ein persönlicher Bekannter des Angeklagten, ist demselben als Psychiater beigegeben. Personalakt beim Gr. Kdo. 4 Abt. 1 b N.

Derselbe hat schon viel Veranlassung zu Beanstandungen gegeben (bekannte Kommunisten-Herberge, Sanatorium *Ebenhausen*), daß es ausgeschlossen erscheint, ihn nicht als Kommunisten zu bezeichnen.

Der Verhandlung, die öffentlich geführt wird, und vorm. um 9 Uhr begann, wohnte A 47 ab 4 h nachm. bei. Der Zuhörerraum war von ca. 50 Personen bis auf den kleinsten Platz besetzt. Die Hälfte der Teilnehmer besteht aus Soldaten, bezw. Leuten in Uniform, die zur Glanzzeit des Angeklagten von seiner Huld abhängig waren. Das übrige Publikum sind Juden und etliche »Damen«. Auch die Berichterstatter der Zeitungen sind Juden und so steht die ganze Verhandlung im Zeichen Israels.

Während der Zeugenvernehmung, die sich rasch abwickelte, verhält sich das zuhörende Publikum ruhig und passiv.

Der Angeklagte fühlt sich am Tische seines Verteidigers sicher, was durch sein zielbewußtes, gesetztes Auftreten in Erscheinung tritt. Bei sich ergebenden Widersprüchen gerät er in Nervosität und ist bemüht, seine Entlastung, bezw. Verteidigung selbst zu führen. *Toller* macht vom Rechte der Fragestellung an die Zeugen hinlänglich Gebrauch, in einer Weise, die den Vorsitzenden beständig zu Rügen veranlaßt. Es gelingt ihm dabei die Beeinflussung der Zeugen.

Die von der Abt. 1 b dem 1. Staatsanwalt *Hahn* überlassenen belastenden Dokumente gegen *Toller* wurden demselben bereits am Vormittag unterbreitet, was mir der Anklagevertreter nach persönlicher Rücksprache versicherte.

Die allgemeine Zeugenaussage geht dahin, daß der Angeklagte ständig bemüht war, Gewaltakte und Grausamkeiten zu verhindern, im Gegensatz zu seinen Kollegen Leviné, Levien und Seidel.

⟨...⟩ Das Gericht stellt als Psychiater den Sachverständigen Dr. *Rüdin* auf, der, zusammengefaßt, über die Zurechnungsfähigkeit des Angeklagten zu dem Ergebnis kommt: T. ist unstreitbar nervenkrank und belastet mit hysterischen Störungen, Dr. *Rüdin* kennt Tollers Wesen sehr wohl aus früherer Zeit und hatte des öfteren Gelegenheit, den Menschen Toller zu studieren. Der heutige Zustand *Tollers* sei jedoch bedeutend besser, als im Frühjahr, und begründet er die Tatsache dahin, daß der Angeklagte in diesem Monat auch mehr Grund hierzu habe; weshalb dies der Fall sei, darüber könne er sich nicht aussprechen, jedoch ist er verantwortlich für seine Handlungen.

Der Angeklagte stellt hierauf an Dr. *Rüdin* die Frage: »Ist Ihnen bekannt, daß berühmte Männer, wie Schiller, Napoleon, Schopenhauer auch mit Hysterie belastet waren?« Die Verteidiger geraten in sichtliche Verlegenheit. Diese Äußerung ist für Dr. *Rüdin* der typische Beweis des zeitweisen hysterischen Stadiums des Angeklagten. Der Staatsanwalt führt daraufhin an, daß er zum Gerücht, die Justiz stelle die Zurechnungsfähigkeit *Tollers* in Frage, um denselben unschädlich zu machen, Stellung nehmen muß.

Es folgt nun die Entgegnung des Leiters des Sanatoriums *Ebenhausen, Dr. Marcuse,* der nach jeder Richtung hin bestrebt ist, den Angeklagten zu entlasten, indem er denselben als einen Menschen mit weichem Empfindungsvermögen bezeichnet, dessen Konstitution den Zusammenbruch infolge der politischen Verhältnisse erlitten hat.

Im persönlichen Verkehr zeigte sich *Toller* ihm gegenüber als eigensinnig und unbelehrbar und ist der Angeklagte ein Mensch, der an sich selbst glaubt. *Marcuse* gelingt es nun, vom eigentlichen Sachverständigengutachten abzuschwenken und sich für *Toller* zu erwärmen, indem er auf Grund der literarischen Betätigung den *Ethiker Toller* verteidigt. Die weitere Beweisführung der Verhandlung ist dazu angetan, festzustellen, daß der Angeklagte ruchloser od. niedriger Gesinnung nicht für fähig erachtet werden darf, und operiert die Verteidigung zur Begründung mit der Vernehmung der Literaten:

    Geheimrat *Martersteig,*

    Dr. Max *Halbe,*

    Björn *Björnson,*

    Prof. Max *Weber,*

die sich bis auf den letzten dahin einig waren, Dichtungen *Tollers* als Kulturwerte von großer Bedeutung anzusprechen (»Die Wandlung«, »Die Erhebung«), um zum Schlusse darauf zurückzukommen, daß ein Mensch mit so ausgeprägten moralischen Gefühlen niedriger Denkungsart nicht fähig sein kann.

Prof. Max *Weber* bezeichnet *Toller* als politisch ganz und gar unreifen Menschen während der Jahre 1916/1917, »den Gott in seinem Zorne zum Politiker auserwählte«.

Zeuge berichtet dann von Briefen *Tollers* aus dem Jahre 1917, in denen er gebeten wird, sich an die Spitze der Bewegung zu stellen, was jedoch von W. mit der Begründung abgelehnt wurde, er sei nur Lehrer, nicht Politiker. ⟨...⟩

Zum Prozeß gegen Toller waren 40 Zeugen geladen, unter ihnen Max Weber, Ferdinand Sauerbruch, Ernst Niekisch, Gustav Klingelhöfer. Da das Todesurteil im Prozeß gegen Leviné vor allem dadurch begründet wurde, »daß seine Handlung aus einer ehrlosen Gesinnung entsprungen« sei, und ihm demgemäß »mildernde Umstände versagt« wurden, bemühten sich Tollers Verteidiger, durch Gutachten bekannter Autoren und Theaterleute über Tollers Gedichte und sein im Manuskript vorliegendes Drama *Die Wandlung*, die ethische Grundhaltung des Angeklagten zu beweisen. Für Toller traten in diesem Sinne ein: Björn Björnson, Max Halbe, Carl Hauptmann, Thomas Mann und Max Martersteig. Auch wurde in Auszügen ein Brief des preußischen Innenministers Wolfgang Heine an den in Bayern kommandierenden Reichswehrgeneral von Oven verlesen. Auf die Vernehmung von Tilla Durieux wurde verzichtet.

⟨*Aus der Zeitung* ›Freiheit‹. *Morgen-Ausgabe.*
15. Juli 1919⟩

⟨...⟩ In der Reihe der Zeugenvernehmungen wird zuerst der Abg. *Eisenberger* vernommen. Er war als Bauernrat Teilnehmer am Rätekongreß in München und bezeichnet den Verlauf des Kongresses als »saudumm«. »Wissens, Herr Vorsitzender, meine Ansicht von der Gschicht war die, entweder sind die verrückt oder i.« Über die Verhandlungen des Kongresses erklärt der Zeuge dann, daß bei dem Beschluß, ein Kompromiß zustande zu bringen, durch das die Einberufung des Landtags und die Einsetzung einer Regierung genehmigt wurde, auf der Linken große Unruhe entstand. »Es ballten sich da Massen zusammen, aus denen wurde gerufen: ›*Rächt euch!*‹ Ob Toller auch dabei war unter denen, die die Fäuste

geballt haben, weiß i net.« Der Zeuge wendet sich dann zum
Verteidigertisch und ruft plötzlich dem Abg. *Haase* zu: »Grüß
Gott, Herr Kollege, wie gehts.«

⟨*Aus dem schriftlichen Gutachten von Max Martersteig*⟩
Die mir vorliegenden dichterischen Erzeugnisse *Ernst Tollers*
(5 Gedichte im Juniheft der »Weißen Blätter« von 1919 und
ein in Maschinenschrift für den Druck vorbereitetes Manuskript einer dramatischen Dichtung »Die Wandlung, das Ringen eines Menschen«, die im Verlage von Paul Cassirer in
Berlin erscheint) bringen in typischer Weise den allgemeinen
Charakterzug jener jugendlichen Generation geistiger, künstlerisch beanlagter Menschen zum Ausdruck, denen der Ausbruch des Weltkrieges eine längst erwartete und unvermeidli-
che Krisis im kulturellen und sozialen Leben Europas bedeutete. Diese Jugend erhoffte als Ausgang der in imperialistische
Ziele gekleideten, innerlich aber durchaus von kapitalistischen Interessen geschürten Katastrophe einen Sieg des geistigen und sittlichen Fortschritts der Menschlichkeit, kraft dessen auch ein größeres Maß von innerer Freiheit und Wohl-
fahrt des arbeitenden Volks errungen werden könnte. Man
kann von dieser Jugend sagen, daß sie, obwohl zumeist bürgerlicher Abkunft, aus durchaus geistigen Beweggründen in
den Gedankengängen eines ideellen Sozialismus groß geworden ist, die in der letzten Generation gerade intellektueller
Kreise die Oberhand gewannen.
Diese Gedankengänge mündeten in keiner Weise in das Ziel
einer gewaltsamen Änderung des Gesellschaftszustandes; sie
erhofften eine Erhöhung der seelischen Bereitschaften im gesamten Volke, gegenseitige Durchdringung mit hilfsbereiter,
Verständigung anstrebender Liebe, Vertiefung der inneren
Werte; dafür suchten sie Gestalt in künstlerischen und dichterischen Ausdrucksformen. Die Hauptperson auch in Tollers
dramatischem Gedicht, im dramaturgischen Sinne kein
»Held« also, ist in ganz durchsichtiger Weise ein autobiogra-
phisches Gebilde, ein Selbstbekenntnis, eine Selbstbeschrei-

bung, die mit rückhaltloser Aufrichtigkeit von seinem inneren Erleben vor dem Kriege, während seiner Teilnehmerschaft daran und vom Erleiden in der Nachkriegszeit Kunde gibt. Das Hauptgewicht ist auf die seelischen Erfahrungen und deren Willensauswirkungen, erkannte Übel abzustellen, gelegt. Dieser Held ist ein Bildhauer, also ein künstlerischer, kein politischer Mensch, der mit einer weit über das normale Maß gesteigerten Empfindsamkeit auf die Sturmzeichen der Zeit reagiert. Es muß jedoch hervorgehoben werden, daß diese gesteigerte Empfindsamkeit zunächst durchaus und durch lange Zeit noch eine starke und innig sich ausdrückende Hingabe an die vaterländische Aufgabe bewirkte, den Glauben sogar an eine Mission Deutschlands, zu einer gereinigten höheren Menschlichkeit durch sein Obsiegen in dem Weltvölkerkampfe emporzuführen. Der gegen die bürgerliche Gesinnung sich wehrende künstlerische Drang zu innerer Freiheit, der zum Ausdruck kommt, ebenso wie die antikirchliche Tendenz, entsprechen, wie in jeder jugendlichen Dichtung idealen Schwunges, eben jener ideellen revolutionären Einstellung, die gegen alle kompromißlichen Abschwächungen echte Menschlichkeit und echte Religiosität von den Widersprüchen der praktischen Lebensforderungen befreit sehen möchte und eine zum Extremen hinneigende Haltung: »Alles oder nichts« – ganz zwangsmäßig begründet. Diese oppositionelle Einstellung schließt – auch bei dem Helden der Dichtung – ein starkes Pflichtgefühl und Verantwortungsbewußtsein nicht nur nicht aus, sie ruft es ausdrücklich hervor: das Pflichtgebot in der Schicksalsstunde des Vaterlandes steht obenan.

Diese Haltung ist für Tausende unserer geistigen Jugend ganz allgemein gewesen; ebenso typisch aber auch ist für diese Tausende, diese »Idealisten«, wie sie schlichtweg zu nennen sind, dann draußen vor dem Feinde wie in der Heimat, unter den Eindrücken der in dieser Art nie mehr für möglich gehaltenen und immer steigernd sich enthüllenden Entsetzlichkeiten des Kriegs, unter seinen Rückwirkungen auf die sittlichen Zustände in der Heimat, *der jähe Umschlag in den extremsten*

Pazifismus erfolgt. Man hat darin die unbedingte Konsequenz jener nur idealistischen Einstellung zu erblicken, die vorher, trotz aller Wehrhaftigkeit, doch am wirklichen Weltbilde sich nicht zu orientieren vermochte und zudem recht häufig eine verzärtelte Empfindsamkeit noch geflissentlich zu nähren liebte, die neurasthenische Grundstimmungen, wenn nicht hervorrief, doch begünstigte. Wenn schon in einem gereiften Teil des Volkes sich zeigte, daß man dem Erleben eines solchen immer furchtbarer sich enthüllenden Schicksals nicht gewachsen war, so in noch stärkerem Maße begreiflicherweise bei dieser Richtung der Jugend, die mit Vorliebe ganz im Ethischen und Ästhetischen lebte. Und je stärker dieser Pazifismus der Jugend seine rein ethische Begründung betonte, sie ganz gewiß auch zutiefst innerlich fühlte, so lag doch dieser Neigung die Gefahr sehr nahe, von den objektiven Tatbeständen weg ins Pathologische, wenigstens ins Utopische und Ekstatische sich zu verlieren. Fast allen seinen Bekennern haftet und haftete der Zug von wunder Empfindsamkeit an, der das Erfassen und Bewerten des Wesentlichen, seine Unterscheidung vom Akzidentiellen in objektiver Weise einfach nicht mehr vollziehen kann, und im Erleiden mitgefühlter Schmerzen die Ausflucht sucht in einem *zu jedem Märtyrertum bereiten Parteinehmen* für die beleidigte, entstellte, geschändete Menschlichkeit.

Das ergibt sich als psychologische Analyse des Helden in der Dichtung Ernst Tollers, die als ein Selbstbekenntnis gewertet werden muß. ⟨...⟩

Gräfelfing, 7. Juli 1919.   *Max Martersteig*

Geh. Hofrat, Intendant a. D.

⟨*Max Weber über seine Aussage vor dem Standgericht*⟩
⟨...⟩ Ich habe leider in den Tagen, außer Seminar, auch den Prozeß Neurath, wo ich Zeuge bin, nachdem ich es schon bei Toller war – der 5 Jahre Festung bekam: Das Gericht geriet in gute Laune, als ich die ganze Seltsamkeit jener Lauensteiner Sache erzählte, und das nützt immer. (Weber S. 677 f.)

⟨*Carl Hauptmann an Ernst Toller*⟩

M.-Schreiberhau, 31. Juli 1919

Lieber Herr Ernst Toller

Ich kam mit meinem Wort für Sie zu spät.

Aber es lag nicht an mir.

Ich hätte Ihnen von Blutswegen gern in Ihrer Not hilfreich sein wollen ...

Nun sind Sie auf Festung.

Aber ein Lebensfeuer wie das Ihre kann in der Einsamkeit keinen Schaden nehmen.

Vielleicht werden Sie grade die gebundenen Zeiten einmal besonders preisen können.

Es ist erzwungene Einsamkeit.

Aber Einsamkeit ist die Quelle großer Gesichte und letzter Vertiefung.

Ich lasse meinen Ismael Friedmann in sein Tagebuch notieren: »Laß dir Fesseln an deine Füße legen, und wirf den Schlüssel dazu ins Meer! So wirst du dich auf deinem einsamen Felsen selber finden. Aber es wird auch der Tag kommen, wo ein Fisch den Schlüssel deiner Fesseln ans Land bringt, und die Menschen nach dir rufen werden, daß du die Schätze deiner Einsamkeit unter sie ausstreust und deine einsame Seele unter sie zerteilst.«

Mögen Ihnen viele gute Geister nahe sein!

Wenn Sie Bücher wünschen, lassen Sie es mich wissen. Und welche?

Ich möchte gern helfen, Sie dann und wann in Ihrer Einsamkeit zu erfrischen.

Mit herzlichen Grüßen Ihr

Carl Hauptmann

(Hauptmann S. 341 f.)

⟨ *Der Brief des Ministers Wolfgang Heine* ⟩

Abschrift

Der Minister des   Berlin, den 7. Juni 1919
Inneren.

Herrn General von *Oven*
München

Ew. Excellenz,

bitte ich unter Beziehung auf das gleichzeitig abgehende
Telegramm noch einmal zu Gunsten des verhafteten Studenten *Toller* ein Wort einlegen zu dürfen. Ich kenne Toller persönlich und kann über seinen Charakter nur Gutes sagen.

Wenn Toller auch zeitweise die »rote Truppe« in München
geführt hat, so kann man doch ihm nicht die Schuld an den
blutigen Ereignissen beimessen. Toller ist während der kurzen
Zeit seines Kommandos immer des Glaubens gewesen, alles
gütlich schlichten zu können. Daß dies sein Glaube war, kann
durch Zeugen bestätigt werden, und ist jedem, der Toller
kennt, begreiflich. Toller ist ein unverwüstlicher Optimist und
Friedensgläubiger und verwirft jede Gewalt.

Toller hat, wie ich höre, mit persönlicher Gefahr sich den
Versuchen der Rotgardisten widersetzt, den Grafen Arco und
den Minister Auer wegzuschleppen und umzubringen. Er hat
den Besitzer des Hotels Marienbad, der verhaftet war, befreit,
und sich bemüht, andere Verhaftete zu retten.

Dadurch hat er sich selbst den Haß der Rotgardisten zugezogen, so daß er tagelang vor dem Einmarsch der Regierungstruppen sich vor den Anschlägen der Kommunisten, die ihn
verhaften wollten, verborgen halten mußte.

Ich bitte als Zeugen den Professor Sauerbruch, einen Mann
von zweifellosester nationaler Gesinnung, und Frau Tilla *Durieux-Cassirer,* Hotel Marienbad, München, die Tollers Tätigkeit zum Schutze der von den Rotgardisten Verfolgten aus
eigener Wissenschaft kennt, als Zeugen zu vernehmen.

Für den Richter wird vielleicht nicht ohne Interesse sein, wenn ich als mildernden Umstand, abgesehen von Tollers Jugend und Weltfremdheit, dies anführe:

Die ganze Politik, die die bayer. Regierung seit dem November 1918 geführt hat, war geeignet, die Grenzen zu verwischen, die zwischen einer neuen legalen Staatsordnung und einem Zustande gewaltsamer Untergrabung und Zerstörung gezogen werden müssen. Diese Politik zeigte keinen Willen zu einer neuen Ordnung, sondern war ein Umsturz in Permanenz, ein fortwährendes Herabgleiten von einer Stufe zur anderen, bis zur Räterepublik, der Tyrannei der Roten Garde. Eine derartige politische Entwickelung muß in einem jungen, politisch unreifen Kopfe, einer Dichterseele, Verwirrung anrichten und das Gefühl für die Pflicht, Ordnung und Arbeit herzustellen, vernichten. Toller ist kaum persönlich verantwortlich zu machen, wenn auch er in seinem überstiegenen Idealismus sich berechtigt hielt, die Verfassung, die niemals recht Leben gewonnen hatte, weiter revolutionär umzugestalten.

Die Schuld, daß es soweit gekommen ist, liegt bei ganz anderen Stellen. Eine Hinrichtung Tollers könnte bei den vielen Freunden, die er sich erworben hat, nur die ungünstigsten Wirkungen haben.

Ich erlaube mir Ew. Excellenz meine ergebensten Empfehlungen zu sagen

gez. *Heine*
Minister des Inneren.

⟨*Das Plädoyer des Staatsanwalts.*
›*Vorwärts*‹. *Morgen-Ausgabe. 16. Juli 1919*⟩
Staatsanwalt Hahn: Der Spruch könne nicht anders lauten, als daß Ernst Toller schuldig sei des Hochverrats. Es ist richtig, daß der Angeklagte sich bemüht hat, einige Mißstände abzumildern. Strafrechtlich ist er auch für den Geiselmord *mit*verantwortlich, aber *alle,* welche die Massen verführt haben, haben eine moralische Verantwortung für deren Handlungen. Woher soll ein Student, der mit sich selbst nicht fertig

ist, die Fähigkeit hernehmen, die Massen zu beherrschen und Probleme zu lösen, an deren Lösung seit Jahrtausenden gearbeitet wird? Das Bild hat sich in der Beweisaufnahme entschieden zu seinen Gunsten geändert. Der Angeklagte gehört zu der Gruppe jener Leute, die sich als Landfremde in bayerische Verhältnisse eingedrängt haben zum Unheil unseres Volkes. Eine ehrlose Gesinnung ist dem Angeklagten nicht nachzuweisen. Er ist ein Phantast; ohne Welterfahrenheit steht er weit hinter jedem einfachen Arbeiter zurück. Ich bin überzeugt, wenn die Masse endlich erkennen würde, wer sich als Führer für sie aufgeschwungen hat, dann wird mit der Erkenntnis auch die Versöhnung kommen, die wir alle, die wir unser Volk lieben, von Herzen ersehnen. Ich billige dem Angeklagten Toller mildernde Umstände zu und beantrage, ihn zu einer

Festungsstrafe von sieben Jahren

zu verurteilen.

Tollers Verteidiger plädierten sämtlich für Freispruch. Die Verteidigungsrede Hugo Haases druckte Stefan Großmann im Anhang seiner Broschüre ›Der Hochverräter Ernst Toller‹ (1919). Haase, 1918 als Führer der USPD Mitglied im Rat der Volksbeauftragten und dann der Weimarer Nationalversammlung, starb am 7. November 1919 in Berlin an den Folgen eines politisch motivierten Mordanschlages.
Die eigenen Schlußworte vor dem Standgericht (vgl. Bd. I, S. 49 ff.) entnahm Toller bei späteren Abdrucken dem Bericht der sozialdemokratischen ›Münchener Post‹ vom 17. Juli 1919.

⟨Aus der⟩
Rede vor dem Münchener Standgericht
von Hugo Haase
gehalten am 15. Juli 1919

⟨...⟩ Es ist ⟨...⟩ meine innerste Überzeugung, daß *Toller freigesprochen werden muß,* selbst wenn das Gericht an seiner früheren Rechtsauffassung festhält. Auch während des Krieges hat das Reichsgericht, obwohl es die Strafrechtsbestimmungen über den Landesverrat weit auslegte, doch in einer Reihe von Fällen auf Freisprechung erkannt, weil es zwar den äußeren Tatbestand als gegeben erachtete, aber annahm, daß die Angeklagten nicht das zur Verurteilung erforderliche Bewußtsein der Strafbarkeit gehabt hätten. Da Sie nicht feststellen können, daß Toller ein *subjektives* Verschulden trifft, ist seine Freisprechung geboten.

Für die *Beurteilung der Persönlichkeit* und ihres Bewußtseinsinhalts sind in der Verhandlung vollgewichtige Zeugnisse abgegeben worden. Ich verweise auf die Erklärungen Martersteigs, Halbes, Björnsons, Thomas Manns, Carl Hauptmanns, Dr. Marcuses über die sittliche Idee, die sich in Tollers Werken verkörpert. Einer der edelsten Menschen, der sich während der ganzen Kriegszeit als groß bewährt hat, Romain Rolland ist warm für Toller eingetreten. Am 7. Juli haben die französischen sozialistischen Studenten ihn zu ihrem Ehrenpräsidenten gemacht. Aus Spanien und aus Italien haben sich Stimmen für ihn erhoben. So kann er in Zukunft ein wichtiges Bindeglied zwischen den Völkern bilden.

Der Staatsanwalt hat ihn dadurch herabsetzen zu können geglaubt, daß er ihn einen »*Landfremden*« nannte. Die Engherzigkeit dieser Auffassung erscheint besonders kraß in diesem Augenblicke, wo die neue Reichsverfassung noch schärfer als bisher den Grundsatz vertritt, daß jeder Deutsche überall in Deutschland vollberechtigt zu Hause ist. Die Äußerung des Staatsanwalts mutet um so merkwürdiger an, als er gewiß Toller nicht für einen Landfremden angesehen hat, als er sich nach Kriegsausbruch in seinem jugendlichen Enthusiasmus bei einer bayrischen Truppe stellte. Die bayrischen Kameraden, die bayrischen Offiziere, die als Zeugen für ihn aufgetreten sind und ihm Kameradschaftlichkeit, Mut, Unerschrockenheit und Pflichttreue nachgerühmt haben, sind weit entfernt von dem engen Standpunkt des Staatsanwalts.

Die Anklagebehörde macht Toller zum Vorwurf, daß er sein *Studium nicht beendet,* und daß er sich zum politischen Führeramt gedrängt habe. Richtig ist, daß der Krieg Toller an der Beendigung seines Studiums gehindert hat. Aber wer hat eifriger und gewissenhafter gearbeitet als er, und glaubt der Staatsanwalt wirklich, daß ein Mensch nur nach abgelegtem Examen im Leben fertig wird? Tollers inneres Wesen macht es gerade aus, daß er nicht zu denen gehört, die rasch mit sich fertig werden; er ringt mit sich und wird weiter ringen.

Die Beweisaufnahme hat ergeben, daß er sich in seine politischen Stellungen nicht gedrängt hat, aber wenn er von den Massen gerufen wurde, hat er sich ihnen nicht entzogen, sondern hat seine Pflicht erfüllt. Das Zeugnis des Professors Max Weber, das sich auf Beobachtungen aus dem Jahre 1917 stützt, kann nicht maßgebend sein für die Beurteilung Tollers als Politiker, da dieser inzwischen gerade umfangreiche volkswirtschaftliche und soziologische Studien getrieben hat. Völlig abwegig ist es, ihn strafrechtlich deswegen verantwortlich machen zu wollen, weil er angeblich nicht den Anforderungen gewachsen gewesen sei, die an einen politischen Führer gestellt werden müssen. Will der Staatsanwalt behaupten, daß die Männer, die an der Spitze des Reichs während des Krieges standen, die Bethmann Hollweg, Michaelis und Hertling, das Format zu Reichsleitern hatten? Wird er gar den Vorwurf gegen sie erheben wollen, daß sie wider besseres Wissen handelten, als sie trotz ihrer politischen Unzulänglichkeit in ihren Ämtern verblieben?

Der Staatsanwalt hat es sogar gewagt, Toller für den Geiselmord verantwortlich zu machen, obwohl er selbst zugeben muß, daß Toller alles getan hat, um die *Geiseln zu retten,* und daß es ihm auch bei einer Anzahl gelungen sei. Eine *Verwilderung der Sitten* zeigt sich allerdings in Deutschland; *sie entspringt aber nicht der Revolution, sondern dem Kriege,* der das Gefühl für den Wert des Menschenlebens ertötet hat. Toller ist wahrlich von jeder Verrohung frei geblieben. Das rechtssozialistische Organ Münchens, die »Münchener Post«, hat geschrieben, daß Toller *vom Vertrauen der Arbeitermassen getragen* war. Das ist richtig. Er hat sich den Arbeitern nicht aufgedrängt. Neunundneunzig Prozent hängen an ihm, und wenn er sich später, seinen dichterischen Neigungen folgend, mehr von der Politik zurückziehen sollte, so werden die Arbeiter nicht vergessen, was er in schwierigster Zeit an ihrer Seite geleistet hat. Wenn die *Namen mancher Personen,* die heute nicht ohne Einfluß sind, *längst verklungen* sein werden, wird – das ist das Ergebnis der heutigen Verhandlung – *Tollers Name* in dem noch *fortleben,* was er auf Grund seiner dichterischen Begabung dem deutschen Volke geschenkt hat.

⟨*Das Urteil*⟩

Anz.Verz.Nr. S XVIII. 159/1919.	Standrechtliches Gericht
Proz.Reg.Nr. 524/1919.	München.
	Sitzung vom
	14.-16. Juli 1919.

Urteil:

Toller Ernst, geb. am 1. Dezember 1893 in Samotschin, ledig, konfessionslos, Schriftsteller, z. Zt. in Untersuchungshaft wird wegen eines Verbrechens des Hochverrats zu fünf Jahren Festungshaft und zu den Kosten verurteilt.

gez.

Stadelmayer, Horwitz, Dietz, v. Heilingbrunner, Frommel.
LGDir. LGRat. Amtsr. Hauptmann. Hauptmann.

Der Kriegszustand wurde in Bayern rechtsförmlich auf grund eigenen Hoheitsrechtes im Jahre 1914 verhängt und besteht noch zu Recht, da eine Aufhebung seitens der allein dazu berufenen bayerischen Regierung nicht erfolgte. Der Aufruf des Rates der Volksbeauftragten an das Deutsche Volk vom 12. XI. 18 (R.G.Bl. 1918 S. 1303) über Aufhebung des Belagerungszustandes hatte sohin auf bayerische Verhältnisse keinen Einfluß.

Am 17. März 1919 wurde mit Wirksamkeit vom 2. April 19 durch vorläufiges Staatsgrundgesetz für Bayern eine Verfassung geschaffen. Darnach hat der Landtag die gesetzgebende, das Gesamtstaatsministerium die oberste vollziehende Gewalt. Als Vorsitzender des Gesamtministeriums wurde der Minister Hoffmann vom Landtag gewählt; er berief die übrigen Minister. Die auf diesem Staatsgrundgesetz beruhende Verfassung ist heute noch nicht aufgehoben.

Mit Verordnung vom 25. 4. 19 ordnete das Gesamtministerium des Freistaates Bayern für das rechtsrheinische Bayern das Standrecht an. Nach Art. 6 Ziff. 1 des Kriegszustandsgesetzes ist deshalb das standrechtliche Gericht zur Aburteilung für das Verbrechen des Hochverrats zuständig.

Nach § 81 Ziff. 2 StGB. ist Hochverrat das Unternehmen, die Verfassung eines Bundesstaates gewaltsam zu ändern. Der Schutz erstreckt sich auf die *jeweils geltende* Verfassung eines deutschen Bundesstaates (Gliedstaates), sohin auch auf die erwähnte bayerische Verfassung vom 17. III. 19.

Bald nach deren Erlassung setzten Umtriebe ein zu dem Zweck, sie gewaltsam zu beseitigen und an ihre Stelle die Räteherrschaft in Bayern zu errichten.

In der Nacht vom 6./7. IV. 19 wurde in München die Einführung der Räterepublik beschlossen. Es bildete sich ein revolutionärer Zentralrat, der sich am 7. April mit der bekannten Proklamation an das bayerische Volk wendete. Darin war der revolutionäre Umsturz der bisher bestehenden Ordnung (Landtag, Verfassung) angekündigt. Nach einigen Tagen trat der Angeschuldigte Toller als Vorsitzender an die Spitze des Zentralrates und erließ in dessen Namen und Auftrag eine Reihe von Regierungsverfügungen. Darunter befanden sich die Einrichtung eines Revolutionstribunals und die Bildung einer roten Armee. Gerade diese Maßnahmen lassen deutlich erkennen, daß von vorneherein die Absicht bestand, einem etwaigen Widerstand gegen die Einführung der Räteherrschaft mit Gewalt entgegenzutreten.

In der Nacht vom 13./14. April kam es zu einem weiteren Umsturz. Es trat die kommunistische Räteregierung auf den Plan unter Führung des Leviné. Auch unter dieser Räteherrschaft wirkte Toller in maßgebender Weise mit. Er übernahm insbesondere den Oberbefehl über die Truppenabteilung der roten Armee an der Dachauer Front und leitete die Kampfhandlungen gegen die Regierungstruppen. Er gab am 26. IV.

als erster unter den Truppenführern der roten Armee die Erklärung ab, daß sie entschlossen seien, unter allen Umständen bis zum letzten Blutstropfen für die Räterepublik gegen die weißen Horden zu kämpfen.

Die Regierung Hoffmann und der Landtag hatten zwar anfangs April ihren Sitz von München nach Bamberg verlegt, aber niemals zu bestehen aufgehört; sie hatten zwar vorübergehend die tatsächliche Herrschaft über München und dessen nächste Umgebung, nicht aber über das *Land Bayern* verloren. Die Regierung Hoffmann trat dem Bestreben, die Räterepublik für Bayern zu begründen, sofort entgegen, unter dem ausdrücklichen Hinweis auf ihre alleinige verfassungsmäßige Berechtigung. Über all' diese Verhältnisse war sich der Angeschuldigte im Klaren. Es steht zwar nicht fest, daß er bei der Ausrufung der Räterepublik und der Proklamation mitwirkte. Er war aber ein überzeugter Anhänger der Räterepublik und suchte sowohl als Vorsitzender des Zentralrates wie auch als Truppenführer bei der roten Armee die Ziele der Räteherrschaft mit Gewalt zu verwirklichen, welche Ziele seinen eigenen politischen Interessen und Ideen entsprachen. Er ist nach Anschauung des Gerichts für seine Handlungen strafrechtlich voll verantwortlich. Er hat sich dadurch eines Verbrechens des Hochverrats gem. § 81 Ziff. 2 StGB. schuldig gemacht.

Es kann nicht festgestellt werden, daß seine für strafbar befundene Handlung aus einer ehrlosen Gesinnung entsprungen ist.

Der Angeschuldigte war bestrebt, Blutvergießen tunlichst zu vermeiden und einen Ausgleich mit der verfassungsmäßigen Regierung herbeizuführen. Er hatte sich ernstlich bemüht, den Geiselmord vom 30. IV. zu verhindern und sorgte für die Befreiung der übrigen Geiseln. Aus diesen Gründen wurden ihm mildernde Umstände zugebilligt.

Die gleichen Tatsachen gelten als strafmindernd.

Straferschwerend sind die unheilvollen Folgen der Räteherrschaft für das ganze Land und die Leichtfertigkeit, mit welcher sich der Angeschuldigte trotz mangelnder Lebenserfahrung mit an die Spitze der Bewegung stellte.

Kostenpunkt: §§ 496, 497 StPO. und § 61 der Vollz. Vorschr. z. K. Z. G.

Vollstreckbare Ausfertigung dieses rechtskräftigen Urteils erteilt am 16. 7. 1919.

> Der Gerichtsschreiber:
> gez. Dr. Sagmeister.

⟨*Aus dem Bericht des Agenten 47*
der Nachrichten-Abteilung des Bayerischen Gruppenkommandos Nr. 4⟩

⟨...⟩ Der Angeklagte nahm das Urteil ruhig und gelassen und ohne sich den geringsten Anschein von Nervosität etc. zu geben auf. Von einer weiteren Stellungnahme hierzu machte er keinen Gebrauch.

Das Publikum verhielt sich bei Verkündigung des Urteils ruhig und verließ debattelos den Zuhörerraum.

Die mit dem Urteil Zufriedensten waren jedoch sichtlich die Verteidiger.

Festungshaft
1919-1924

Toller unterzog sich, im Anschluß an seinen Prozeß, zunächst einer lange aufgeschobenen Operation, wurde dann am 24. September 1919 aus dem Münchener Gefängnis Stadelheim in die provisorische Festungshaftanstalt Eichstätt und von dort, am 3. Februar 1920, in die Festungshaftanstalt Niederschönenfeld bei Rain am Lech gebracht.

Sein Name ging durch sämtliche deutschen Zeitungen, als das Drama *Die Wandlung* am 30. September 1919 in der Tribüne (Berlin), unter der Regie von Karlheinz Martin, uraufgeführt wurde (vgl. Bd. I, S. 14f.; Bd. II, S. 7ff., 351f., 360f.). Dem Drama war die allgemeine Aufmerksamkeit auch dadurch gewiß, daß einzelne Szenen schon als Flugblätter beim Januarstreik in München verteilt worden waren, daß weiterhin anhand dieses Textes, im Standgerichtsprozeß, Tollers ehrenhafte Gesinnung nachgewiesen worden war. Die Elite der Berliner Kritiker, u. a. Siegfried Jacobsohn (Die Weltbühne 15,2; 9. Oktober 1919), Herbert Ihering, Alfred Kerr (Hering, S. 155ff.), Ludwig Marcuse, Kurt Tucholsky (Werke Bd. I, S. 522-524) berichteten über das Stück, die revolutionierende Inszenierung und die Leistung des Hauptdarstellers Fritz Kortner.

⟨*Herbert Ihering über Tollers* Die Wandlung.
›*Der Tag*‹ *(Berlin). 2. Oktober 1919*⟩
Für den reinsten Abend, den das Berliner Theater seit langem verschenken konnte, dankt man erschüttert einem Menschen. Die Dichtung, und besonders die Revolutionsdichtung, war so lange Literatur und Deklamation gewesen, daß die Begriffe sich zu verwirren begannen. Der Schriftsteller sagte: Umwälzung des Geistes und meinte: Umwälzung des Stils. Er sagte: Revolutionierung des Herzens und meinte: Revolutionierung der Form. Er sagte: Erhebung der Seele und meinte: Erhebung der Metapher. Hier ist zum ersten Male wieder ein Dichter, der nichts anderes als ein Mensch ist. Dessen Künstlertum nichts anderes als Intensität des Persönlichen bedeutet.

Ernst Toller konnte es wagen, unter sein Werk zu setzen: Das Ringen eines Menschen. Denn er stellte damit nicht die Person vor das Werk, sondern das Werk selbst stellte die Person heraus. »Die Wandlung« ist die Wandlung Ernst Tollers vom Kriegsfreiwilligen zum Revolutionär. Aber sie ist kein Rechtfertigungsdrama, das Handlungen vorbereiten oder erklären soll. Sie ist keine Verteidigung und kein Angriff, kein Vorher und kein Nachher. Sie ist die Revolution des Menschlichen selbst, ohne Absicht und Tendenz. Sie ist innere Kraft, Gesetz und Notwendigkeit.

Dieses Drama bleibt Wirklichkeit, die in einen Menschen eingetreten ist. Sie ging durch Auge und Ohr und wurde Gefühl. Toller haßt nicht Menschen und Systeme. Nicht die zufälligen Äußerungen einer entarteten Welt. Ihn rütteln die Dämonen auf, die hinter den Erscheinungen stehen. Er ist nicht aktuell im Sinne der Stunde. Er ist aktuell im Sinne des Weltgeistes. Für das Grauen, das ihn umgibt, wird nicht nach Menschen gesucht, die es veranlaßt haben. Der Zeitwille selbst wird vor Gericht gezogen. Er wird verurteilt, indem die Ereignisse als seine Manifestationen erkannt werden. Er vernichtet sich selbst durch die Kraft, mit der er auf die Wandlung des Helden wirkt. Toller tötet den Krieg nicht dadurch, daß er ihn angreift, sondern dadurch, daß er ihn selbst zum Angreifer und damit zum Umstürzer, zum Umwandler macht. Sein Drama ist nicht das philiströse, kleinbürgerliche Spiel von Schuld und Sühne. Es ist das Schauspiel tragischer Notwendigkeiten: der Totentanz der Zeit. Und die Musik, die zu dem Gespensterreigen aufspielt, ist der Glaube an die Auferstehung.

Toller kann Gerippe tanzen, Verstümmelte rasen, Irre taumeln lassen, ohne verkrampft und gewalttätig zu werden. Er hält den Blick des Entsetzens aus, ohne sich von ihm durch Schnörkel und Bilder befreien zu müssen. Das Gewagteste ist einfach, das Grauenhafteste schlicht. Toller verschmäht die Originalität. Seine Sprache hat keine Gebärde, seine Gedanken sind kein Funkenregen. Die Suggestionskraft der abgerissenen, zerfetzten Bilder, die vom Zimmer durch Transportzüge, Schlachtwüsten, Lazarette, Gefängnisse zu Volksversammlung und Erhebung jagen, ist anonym. Wenn die Groteske die Feierlichkeit ablöst, und Pathetisches gegen Skurriles gestellt ist, so bedeutet das nicht Wechsel des Stils, nur Lichtbrechung der Intensität. Hier wurde ein Dichter nicht zum Dichter, weil der Künstler in ihm hochstieg, sondern weil das Menschliche von der Wirklichkeit so beschwert wurde, daß es tiefer und tiefer in sich selbst sank, bis es auf den eigenen Grund kam, wo es schaffend und gestaltend wurde.

Das Werk Ernst Tollers ist rein und wahr, nicht weil es selbst Melodie wurde, sondern weil die Melodie sich von der Persönlichkeit noch nicht abgelöst hat und hinter ihr geblieben ist. »Die Wandlung« verpflichtet den Dichter nicht für die Literatur, aber für die eigene Menschlichkeit. Sie bekennt sich nicht zu Ideen, sondern zum Gefühl. Sie singt die Geburt der Menschheit aus der Empfindung des Herzens, aus der Naivität des Glaubens, aus der Lauterkeit des Kindlichen. »Die Wandlung« ist ein Volksstück, primitiv und karg auch da, wo es sich scheinbar verirrt. Der Held ist der jüdische Jüngling, der um Deutschland ringt. Es war billig, von Ahasver und Kreuzigung zu sprechen. Aber diese Banalität wird nicht verschmockt. Sie wird nicht wichtig und eitel. Sie wird – in einem guten Sinne – jünglings- und jungenshaft. Und da, wo das Drama politisch sein will, bricht die Menschlichkeit am freiesten durch. Den Phrasenhelden und Revolutionskommis wirft Friedrich (das ist Toller) entgegen: »Ich aber will, daß ihr den Glauben an den Menschen habt, ehe ihr marschiert.« Gewiß, Kleist und Büchner schleuderten das Zeiterlebnis in chaotischen Visionen heraus, die menschlich und künstlerisch motiviert waren. Aber auf dem Wege zur Kunst hält Toller da, wo die Literatur schon überwunden (allerdings die Dichtung noch nicht erreicht) ist. ⟨...⟩

⟨Aus Ludwig Marcuses Kritik der Wandlung. ›Kothurn. Halbmonatsschrift für Literatur, Theater und Kunst‹. Heft 5, Oktober 1919⟩

Dichter der Tribüne
I.
Ernst Toller

Tribüne! Revolutionierung des Theaters! Bisher: eine in sich geschlossene, ganz in sich lebende Welt auf den Brettern der Bühne; der Zuschauer: zufälliger Belauscher. Bisher: ein in Farben, Tönen und Stofflichkeiten überladener Aufbau. Jetzt: nackte Bretter: Vorhang dahinter. Keine Maske. Kein Drumrum. Höchstens: ein wirklichkeitswahres Kleid. Im besten Falle: Andeutungen. Jetzt: Der Zuschauer sitzt mit auf der Bühne, alle Worte pfeilen auf ihn. Daß die Bühne noch gesondert vom Zuschauerraum: jetzt ist's nur noch eine technisch-optische, früher war's eine ästhetische Notwendigkeit. Ist das alles Zufälligkeit? Spielerei? Experimentiererei? Theoretische Spintisiererei? Oder ist es die endgültige Theaterform? Die längst ersehnte, jetzt gefundene Reform? Eins nicht, das andere nicht! Es ist der einzig angepaßte Ausdruck einer modernen Literaturströmung. Es ist die einzig angemessene Darstellungsart bestimmter Werke aktivistisch-expressionistischer Dichtung. Wie dies Theater aus der Literatur geboren ist, so bleibt es auch eng verkettet mit einer bestimmten Kunstauffassung und Kunstpraxis und wird mit ihr leben oder sterben. Und wird mit ihr leben, wenn immer feierliche Prozessionen wie Tollers »Wandlung« über diese Tribüne schreiten werden. Da verstummte Kritik: da ist's Sünde, mit Maßstäben zu messen. Da, wo letzte festliche Heiligkeit eintritt, da, wo plötzlicher Zwang ist, in Andacht zu knien: da ist es verrucht, aus der Seligkeit des Überwältigtwerdens sich herauszureißen in die Unseligkeit ästhetischer Kritik. Und es ist tiefste Pflicht, auch vor der kritischen Nüchternheit des kommenden Tages das Bekenntnis abzulegen: daß vor diesem einzigen Abend lange Theaterwinter verblassen. ⟨...⟩

Als die Verwaltung der Tribüne sich weigerte, eine Sondervorstellung für streikende Arbeiter zu geben und darauf hinwies, daß eine solche Sondervorstellung Parteipropaganda wäre, telegrafierte Toller aus Eichstätt (das Telegramm wurde im ›Vorwärts‹, Morgen-Ausgabe am 18. Oktober 1919 abgedruckt):

Toller gegen den Kurfürstendamm
Erhebe schärfsten Protest gegen das Verhalten der Geldmänner der ›Tribüne‹ gegenüber den Streikenden. Mein Stück gehört nicht dem Kurfürstendamm, sondern den Arbeitern. Weitere Schritte unternommen.

⟨*Walter von Molo (1957) über eine Episode aus dem 5. Bild der* Wandlung *(Bd. I, S. 29)*⟩
⟨Toller⟩ hat mir erzählt, was ihn, den Kriegsfreiwilligen, so maßlos radikalisierte: Er lag im Lazarett, als sein Eisernes Kreuz eintraf. Der Regimentsarzt oder sonst irgend jemand, der etwas zu sagen hatte, überreichte ihm die Auszeichnung mit den Worten: »Sehen Sie, nun ist der Makel Ihrer Herkunft wettgemacht.« Daraufhin hätte er getobt, und seit der Zeit sei er gegen dieses Deutschland gewesen. Wie gut ich ihn verstand. (S. 217)

⟨*Fritz Kortner (1959) über die Premiere*⟩
Was ich damals spielte, war ich selber: ein junger deutscher Jude und Rebell, im Konflikt mit der Welt um sich herum. Ernst Toller, wie aufgescheuchtes Jung-Juden-Wild, hatte schon damals die Witterung für noch ferne Jäger. ⟨...⟩
Der Premierenabend wurde als ein Ereignis betrachtet: ein neues, im Gefängnis geschriebenes Stück kam zur Uraufführung, ein neuer Regisseur, ein neuer Hauptdarsteller wurde dem Berliner Publikum offeriert. Und im Parkett saß der neue Kritiker des ›Berliner Tageblattes‹, der bisher nur im ›Tag‹ geschrieben hatte und der mit der Kritik über diese Uraufführung sein Amt antrat: Alfred Kerr. Im Parkett saß auch Herbert Ihering, ehemaliger Regisseur der Wiener Volksbühne

und nun, neben Emil Faktor, der junge, extrem moderne Kritiker des ›Berliner Börsen-Couriers‹.
Die Presse – vor allem Kerr – war außerordentlich. Nach dem Erfolg dieses Abends hörte ich mit einem Schlag auf, ein um sein Fortkommen Bemühter zu sein. Ich war ein von Theatern Umworbener geworden. (S. 218 f.)

Karlheinz Martin schon, der die Szenenfolge des Dramas bei der Uraufführung bekanntlich umgestellt hatte (vgl. Bd. I, S. 14), bemerkte, wie Tucholsky u. a., daß das von Toller geschriebene Finale keinen konkreten Aufruf zur Revolution enthält. Es ist »Franz Werfels in jener Zeit sehr bekanntem und beliebtem Gedicht ›Lächeln Atmen Schreiten‹ nachgebildet« (ter Haar S. 94; vgl. Bd. II, S. 60 f.). –
Die innersozialistische Auseinandersetzung um Tollers Rolle in der Räterepublik, die bis heute andauert, wurde durch seinen Prozeß nicht beendet, sondern nochmals intensiviert. Toller wurde nicht nur von Sozialdemokraten und Kommunisten angegriffen, sondern schon im Juli 1919 auch von der eigenen Partei. Es wurde ihm u. a. vorgeworfen, er habe den Kampf gegen die Konterrevolution vor Gericht nicht aufgenommen; seine angebliche Feigheit wurde »psychologisch« begründet. Zum Rätegedanken und zur Weltrevolution, so behauptete die von dem Arbeitersekretär Otto Thomas herausgegebene ›Neue Zeitung‹, habe er eine »vorsichtige Stellung« eingenommen. Solche Vorwürfe, die einen fatalen Gleichklang mit den Angriffen der bürgerlichen und der nationalistischen Presse aufwiesen, wurden wiederholt in den Büchern von Paul Werner (Die Bayrische Räte-Republik. Tatsachen und Kritik. 2. Aufl. Leipzig 1920), Rosa Leviné (Aus der Münchener Rätezeit. Berlin 1925; Leviné. Leben und Tod eines Revolutionärs. Erinnerungen. München 1972) und Erich Wollenberg (Als Rotarmist vor München. Reportage aus der Münchener Räterepublik. Berlin 1929); sie belasteten auch – durch einen Angriff Paul Werners in der ›Prawda‹ – Tollers ersten Aufenthalt in der Sowjet-Union 1926.
Die bürgerlichen Angriffe gegen Toller lassen sich auf jene Formel bringen, die der zeitweilige bayerische Justizminister Ernst Müller-Meiningen in seinen Erinnerungen (Aus Bayerns schwersten Tagen. Erinnerungen und Betrachtungen aus der Revolutionszeit. Berlin und Leipzig 1923, S. 190) prägte: »Toller hat in prahlerischer Weise damals erklärt, daß er willens sei, an der Spitze der Roten Armee zu

sterben; einige Tage darauf, als die ›Luft dick wurde‹, war er spurlos verschwunden, um zuletzt im Hemd mit rotgefärbten Haaren hinter Tapeten in Schwabing entdeckt zu werden.« Die nationalistische Presse hat diese Darstellung nochmals zynisch verkürzt; so etwa 1920 Dietrich Eckarts Zeitschrift ›Auf gut deutsch‹:

> »Wer nie sein Brot in Tränen aß
> Und hinter der Tapete saß,
> Der kennt sie nicht, die arge Qual,
> Die *Toller* litt, der General.«

Im Prozeß gegen den Eisner-Mörder, Anton Graf von Arco-Valley, im Januar 1920, bezichtigte auch der Zeuge Ferdinand Sauerbruch Toller der Feigheit.

In zahlreichen offenen und privaten Briefen, in Aufsätzen, Erwiderungen, Gedichten etc. nahm Toller zu solchen Vorwürfen Stellung. Den kommunistischen Angriffen suchte er erstmals 1925 zusammenfassend zu begegnen (vgl. Bd. I, S. 51 ff.), doch entstand aus dieser Auseinandersetzung schon im Herbst des Jahres 1919 die erste Fassung seines Dramas *Masse Mensch* (vgl. Bd. II, S. 63 ff., 352 ff.).

⟨*Aus der von Carlo Mierendorff herausgegebenen Zeitschrift ›Das Tribunal. Hessische radikale Blätter‹. Jahrgang I. Oktober/November 1919*⟩

ERNST TOLLER / Anklag ich Euch

Aus dem Strafvollstreckungsgefängnis Stadelheim schreibt uns Ernst Toller. *In unbedingter und treuer Kameradschaft stehen wir zu ihm als einem, der es bei der Manifestierung der Revolution in bedrucktem Papier nicht bewenden ließ. Die Verse, die er uns sendet und die wir hier bringen, um ihm in der Rechtfertigung beizustehn, entstanden schon 1918 im Militärgefängnis. Sie haben aber – so schreibt er –* »heute dieselbe Bedeutung. Heute, da einige Literaten blutige Revolutionsromantiker wurden und über den herfallen, der früher mit ihnen gegen die Vergewaltigung der Menschlichkeit im Krieg kämpfte und dem die Idee der Menschlichkeit mehr als ein oppositionelles Schlagwort bedeutet.«

Anklag ich Euch, Ihr Blutschuldträger,
Ihr Dichter, spielend hinter gleißnerischen Versen,
Verbuhlt in Worte, klang- und melodiengedrechselt –

Anklag ich härter Euch, Ihr Blutschuldträger,
Ihr Dichter, klugbeflissen Schwelende.
Berechnet Wirbelwirkung, Aufruhr, Kampfgetümmel,
Berechnet sorgsam, lächelnd und erhaben
Oder wissend nickt mit Greisenköpfen
Und steht daneben.
Schreibt. .... und steht daneben.
Das Volk ist Material,
Gefügig Material für Euch –
Wie für den Herrn, den Ihr bekämpft.
Ihr ruft: ... »Auch Menschen«
Nein. ..... *ist Material für Euch.*
Nur wißt Ihr um die feurig quirlenden Kräfte,
Die Ihr entfesselt, Euch zum eitlen Spiel.

Anklag ich Euch, Ihr Blutschuldträger,
Ihr Dichter, im Papierkorb feig versteckt,
Auf die Tribüne, Dichter, Angeklagte!
Entsühnt Euch!
Sprecht Euch Urteil!
Menschkünder Ihr!
Und seid .....?
So sprecht doch! Sprecht Euch Urteil!

⟨*Ernst Toller:*
Offener Brief an Ferdinand Sauerbruch⟩

Herr Geheimrat!
Sie haben als Zeuge in der Verhandlung gegen den Grafen
Arco trotz besseren Wissens gegen mich den verleumderi-
schen Vorwurf jämmerlicher Furcht erhoben. Sie haben ge-
genüber den öffentlichen Presseberichten keine Richtigstel-
lung in dieser Richtung gebracht. Ich erhebe gegen Sie den
Vorwurf der bewußten Verleumdung und Ehrabschneidung.
Herr Geheimrat, wenn jemand kein Recht hat, die Tat des
Grafen Arco durch die Beschmutzung von politischen Geg-
nern in ein besseres Licht zu rücken, dann haben Sie kein

Recht dazu. Ich muß Sie daran erinnern, daß Sie nach der deutschen Katastrophe Ihre Verantwortung als von der Studentenschaft verehrter Lehrer nicht zur Beruhigung der erschütterten studentischen Kriegsteilnehmer benützt haben, sondern daß gerade Sie es waren, der die Studentenschaft durch seine Reden gegen die Revolution und die revolutionäre Regierung aufpeitschte und gemeinsam mit der Hetzpresse jene Atmosphäre gegen Eisner schaffen half, aus welcher der Mord geboren wurde.

Herr Geheimrat, Sie sprechen von jämmerlicher Furcht. Sie hätten als Professor der medizinischen Wissenschaft den Grafen Arco besser entlastet, wenn Sie Arco aus Ihrer Selbstkritik heraus entlastet hätten.

Sie haben Kurt Eisner gehaßt, Sie verleumden Revolutionäre gegen besseres Wissen, weil Sie die proletarische Revolution hassen.

Warum haben Sie nicht mir gegenüber den Vorwurf der Furcht erhoben? Ich erinnere Sie an die Unterredung, die ich am 30. April mit Ihnen hatte. Damals sprachen Sie andere Worte; Lobreden, die mich peinlich berührten.

Warum haben Sie nicht den Vorwurf als Zeuge in meinem Prozeß erhoben? Das werktätige Volk, vor dem allein ich mich zu verantworten habe, weiß, daß ich in der Revolution in allen »entscheidenden Momenten« Verantwortungsfreudigkeit und selbstverständlichen Mut besessen habe.

Hätte das Standgericht (und niemand kann behaupten, daß die Richter des Standgerichts irgendwelches Verständnis für unsere Ideen hatten!) auch nur die leiseste Spur von Feigheit in meinem Verhalten entdeckt, würde ich *nicht* zu Festungshaft verurteilt worden sein. Aber das Gericht hat sich eben auf Grund eidlicher Zeugenaussagen überzeugen müssen, daß ich nicht (wie Sie und Ihre Freunde sagen!): in »sicheren Verstecken« arbeitete, sondern in allen »entscheidenden Momenten« der Revolution mit meinem Leben für die sozialistischen Ideen eintrat. Aber ich habe mich am 1. Mai verborgen? Fragen Sie die Münchner Betriebsräte, die Ihnen erzählen werden, wie ich mich nicht wie manche Maulhelden von heute verkroch, sondern unter Einsatz meiner ganzen Person, selbst gegen Genossen, mit denen mich die Gemeinsamkeit des Ziels fest verbindet, die Waffenentscheidung des 1. Mai bekämpft habe. Übrigens wissen das auch Sie! Ich sollte mich, nachdem alle meine Versuche, über die zu sprechen ich nicht die geringste Veranlassung habe, gescheitert waren, in die Hände der entfesselten weißen Soldateska liefern, die jeden Führer ermordeten?

Nur Pharisäer können das verlangen. − − − −

Das Vaterland Arcos freilich, das Vaterland des deutschen Feudalismus und Kapitalismus ist nicht mein Vaterland. Ich kämpfe für ein Vaterland des deutschen werktätigen Volkes, dessen Wesen Ihnen nach Ihrer politischen Grundeinstellung verschlossen ist.

Ernst Toller

Festungsgefängnis Eichstätt 24. 1. 20.

Daß das bürgerliche Standgericht trotz eidl. Zeugenaussagen dem angeklagten Proletarier auch ehrlose Gesinnung unterschreiben kann, haben wir im Fall Leviné u. v. a. gesehen.

⟨*Der Herausgeber der* ›*Neuen Zeitung*‹ *an Ernst Toller*⟩
München, den 30. Januar 1920

An
Herrn Ernst *Toller*
Festungsgefängnis *Eichstätt*
Werter Genosse!
Ihren offenen Brief an den Geheimrat Sauerbruch haben wir erhalten und auch Ihren an uns persönlich gerichteten Brief. Ich kann mich aber nicht dazu entschließen, diesen offenen Brief abzudrucken und zwar aus folgenden Gründen: Erstens müßten wir selbstverständlich die preßgesetzliche Verantwortung für den Brief auch dann übernehmen, wenn Ihr Name darunter steht. Der Brief enthält aber eine ganze Anzahl Verbalinjurien, die uns zweifellos einen Beleidigungsprozeß einbringen würden. Zweitens würde ich gezwungen sein, wenn

ich in dieser Weise für Sie Partei ergreife, auch gegen Sie zu schreiben, denn ich stehe auf dem Standpunkt, daß Sie in der ganzen Sache der Räterepublik nicht so gehandelt haben, wie es ein der Situation gewachsener Mensch tun müßte. Nun haben wir aber alle aus dem Geschehenen sehr viel gelernt und ich habe kein Interesse daran, alte Dinge irgendwie aufzurühren, insbesondere aber nicht daran, Genossen, die im Gefängnis sitzen, auch noch irgendwie anzugreifen. Das konnte man wohl in den ersten Tagen der Erregung tun, aber ich glaube, jetzt sollte man davon absehen. Drittens, ich glaube auch nicht, daß Sie den Herrn Geheimrat Dr. Sauerbruch verstehen, ebensowenig wie er Sie bzw. die Revolution versteht. Dieser Dr. Sauerbruch ist persönlich ein sehr interessanter Mensch und empfindet in jenem Sinn deutsch, in dem viele Menschen deutsch empfinden, wenn sie auch nicht Alldeutsche sind. Ich erinnere mich, daß Sauerbruch während des Krieges in der Schweiz gewesen ist, und daß er dort das Treiben der deutschfeindlichen Deutschen miterlebt hat, das ihm als absolut prodeutsch empfindenden Politiker furchtbar gewesen ist. Nun haben ja die Unabhängigen Ihres Schlages den ganzen Krieg zwischen Deutschland und dem Westen zu einer Gesinnungsfrage gemacht und daher rührt zum großen Teil der starke Gegensatz zwischen solchen Leuten wie Sauerbruch und den Unabhängigen. Hinzu kommt noch, daß S. die sozialen Probleme, die ja an und für sich unabhängig sind von der Kriegspolitik, die aber durch den Krieg selbst in Fluß geraten sind, natürlich gar nicht sieht und daher der sozialen Revolution gegenüber kein allzu großes Verständnis hat.

Übrigens ist es ganz interessant, das Wogen der Wellen zu sehen, das hin und her schwankt. Ich erinnere Sie daran, wie Eisner beerdigt wurde, welch eine ungeheure Menschenmenge strömte damals auf der Wiese zusammen. Alles schien die größten Sympathien zu haben. Heute ist diese Welle nach der andern Seite geschlagen und in München feiern heute die Leute Arco, die damals ihn gesteinigt hätten. Ich persönlich bin davon überzeugt, daß sich das wieder wandelt und daß, wenn der Strom wieder nach links fließt, dann die endgültige Umwandlung kommen wird, die zwar ebensowenig schön ist, wie der Krieg es war, und die doch einfach eine ökonomische und auch historische Notwendigkeit sein wird. Ich muß Ihnen persönlich gestehen, mir sind viele von den Leuten, die rechts stehen ⟨sympathisch⟩, und sogenannte nationalistische Ideologen sind eigentlich persönlich viel sympathischer als die ekelhaften Halbheiten, die heute unser politisches Leben beherrschen, und gar manchen Menschen mit Kraft und Energie kenne ich auf der anderen Seite, von denen ich wünschen möchte, daß sie uns verstehen und zu uns kämen, damit nicht alles in einem furchtbaren Chaos zugrunde geht.

Nun muß ich sagen, daß Ihr offener Brief sich auch deswegen nicht zum Abdruck eignet, weil Sie die Dinge viel zu sehr persönlich zuspitzen. Wir haben das bisher immer vermieden und haben uns auf den Standpunkt gestellt, daß die Menschen doch mehr oder weniger immer aus bestimmten Verhältnissen heraus handeln, und haben versucht, sie selbst über diese Verhältnisse hinaus zu stellen, damit sie die Dinge in ihrem großen historischen Zusammenhang erkennen. Und dann muß noch etwas gesagt werden, worüber wir uns doch heute auch klar sind, nämlich daß Eisner durchaus kein Politiker großen Stils war, unter gar keinen Umständen aber war er ein Revolutionär in unserem sozialen Sinne. Er war durchaus französischer Sozialist, der sehr gut in die Gruppe Renaudel-Thomas paßte. Es sagte mir einmal jemand, Kurt Eisner sei der letzte deutsche bürgerliche Demokrat gewesen alten Schlages, dem die historische Aufgabe noch übrig geblieben sei, die bürgerliche Revolution in Deutschland zu machen. Aber er hat sie aus der Idee des bürgerlichen Pazifismus heraus gemacht und dachte zu wenig daran, daß jede Gesinnung irgendwie historisch verwachsen ist, und daß es keinen Geßlerhut geben darf, sondern nur eine soziale Neugestaltung, auf der eine neue Geschichte beginnen kann. Also lassen wir den offenen Brief bei Seite. – Ich hoffe, daß es Ihnen so gut geht wie möglich und wünsche Ihnen jedenfalls das Allerbeste. Grüßen Sie die dortigen Genossen. Wenn ich jetzt an Ihrer Stelle wäre, so würde ich mich hinsetzen und die guten alten Klassiker lesen, vor allen Dingen Lessing und Herder und würde überhaupt all das nachholen, was mir meine Arbeiterjugend versagt hat. Überhaupt bin ich manchmal nahe daran, Euch zu beneiden.

Herzlichen Gruß! Ihr
Otto Thomas

Anlage: 1 Brief.

Seit Ende 1919 wurde die Zahl der ursprünglich über 400 inhaftierten Räterepublikaner durch die Gewährung von Bewährungsfrist so vermindert, daß sie in der Festungshaftanstalt Niederschönenfeld zusammengelegt werden konnten. In ihr galt die verschärfte Hausordnung vom 16. August 1919, welche die Festungsstrafe, nach dem Gesetz eine Ehrenhaft, zuchthausartig abwandelte. Gustav Radbruch bezeichnete Niederschönenfeld später als ein Mittelding zwischen Gefängnis und Zuchthaus, Maximilian Harden sprach von einem Massenkäfig. Um die verschärfte Hausordnung und ihre Anwendung in Niederschönenfeld (sie galt nicht für die Festungshaftanstalt Landsberg, in der Arco und später die nationalsozialistischen Hochverräter des November 1923 inhaftiert waren) kam es im Laufe der Zeit zu mehreren Auseinandersetzungen zwischen Bayern und dem Reich, in denen die Behandlung Tollers eine zunehmend größere Rolle spielte.

⟨*Aus dem Gefangenenbuch der Festungshaftanstalt Niederschönenfeld*⟩

Gef.-Buch-Nr. 44 *Toller* Ernst, led. Schriftsteller von Samotschin Prov. Posen, geb. am 1. Dezember 1893, wurde mit Urteil des Standgerichts München vom 16. Juli 1919 wegen Hochverrats zur Festungshaft von 5 Jahren verurteilt.

Eintritt in die Strafanstalt: 3. Februar 1920.

Beginn der Strafzeit:

16. Juli 1919 nachm. 1 Uhr 12 Min.

Ende der Strafzeit:

16. Juli 1924 nachm. 1 Uhr 12 Min.

Austritt aus der Strafanstalt:

15. Juli 1924 nachm. 3 Uhr 30 Min.

In Niederschönenfeld bildete sich – unter der Führung von Toller und Erich Mühsam – eine Gruppe von Schriftstellern und Literaten. Zu ihr gehörten u. a. Valentin Hartig (geb. 4. 9. 1889; wegen Hochverrats zu 7 Jahren Festungshaft verurteilt; am 17. Dezember 1922 mit Bewährungsfrist entlassen), der Augsburger Volksschullehrer Ernst Niekisch (geb. 23. 5. 1889; wegen Beihilfe zum Hochverrat zu 2 Jahren Festungshaft verurteilt; nach Strafverbüßung am 29. August 1921 entlassen), der aus Frankfurt stammende Matrose Albert Daudistel (geb. 2. 12. 1890; wegen Beihilfe zum Hochverrat zu 6 Jahren Festungshaft verurteilt; mit Bewährungsfrist entlassen am 18. März 1924). Daudistel begann in der Haft selbst zu schreiben. Seinen ersten (autobiographischen) Roman ›Das Opfer‹ (Berlin 1925) empfahl Toller der ›Leipziger Volkszeitung‹ zum Vorabdruck.

⟨*Albert Daudistel und Ernst Toller*
an die ›*Leipziger Volkszeitung*‹⟩
Festung Niederschönenfeld, den 15. Sept. 20

Werter Genosse!
In meiner derzeitigen sechsjährigen Festungshaft habe ich den Roman »Das Opfer« geschrieben. Ich sende Euch anbei einen kleinen Auszug aus demselben mit der Bitte um Veröffentlichung in der »Leipziger Volkszeitung«. Hoffentlich gefällt Euch die Arbeit. Und hoffentlich helft Ihr, ein sozialistisches Werk, das ein simpler Matrose in einsamen Stunden geschrieben, bekannt zu machen. Stoff: Grubenunglück, bei dem der Vater umkommt, zerbricht die Jugend von drei Bergmannskindern. Hervorgehoben ist der Sohn Heinrich. Erst Seemann, dann Globetrotter, später Agent eines internationalen Reise- und Verkehrsbüro in Mittelmeerstaaten. Tritt verbittert in den Krieg. Wird als Meuterer in der Kriegsmarine zu 15 Jahren Gefängnis verurteilt. Militärgefangenenzeit reift den Gedanken der Rache. Organisiert Umsturz. Doch während der Revolution sieht er ein, daß Rache nicht Revolution ist. Er fällt als Opfer.

Wenn Ihr Gefallen, besser Interesse an meinem Werk findet, –
verlangt. Ich habe viele kleine und verschiedene Scenen.
Anbei 40 Pf. Rückporto.

> Mit sozialistischem Gruß
> Albert Daudistel
> Festungsgefangener
> Niederschönenfeld/Rain Bayern.

Werter Genosse,
Genosse Daudistel, der an einem *beachtenswerten* Roman arbeitet, ersucht mich, ein paar empfehlende Zeilen hinzuzufü-
gen. Ich bitte Sie sehr, die beigefügte Skizze auf ihre Eignung
für die L. V. zu prüfen.
Die Lebendigkeit der Schilderung, die künstlerische Gestal-
tungskraft ist auch in diesem kleinen Ausschnitt unverkenn-
bar. Daudistel hat außer der Volksschule keinerlei »höhere
Bildungsanstalten absolviert«. Kein Berufsliterat, ein Arbeiter.

> Mit sozialistischem Gruß
> Ernst Toller

Im Zusammenhang mit dem Kapp-Putsch (13. März 1920), der in
Bayern den Rücktritt des Kabinetts des Sozialdemokraten Hoffmann
und die Bildung des ersten Kabinetts Kahr (Bayerische Volkspartei)
zur Folge hatte, kam es zu Gerüchten über Anschläge gegen die Niederschönenfelder Häftlinge. Ernst Müller-Meiningen, bayerischer Justizminister, ordnete verschärfte Sicherung des Gefängnisses an, die
Häftlinge selbst aber schmiedeten Ausbruchspläne. Als auch diese
gerüchtweise bekannt wurden, untersuchte man am 17. April 1920
sämtliche Zellen und beschlagnahmte die gefundenen Papiere; die
Zeitungen waren angefüllt mit Nachrichten über die »Niederschönenfelder Verschwörung«. Am 1. Mai 1920 wurde eine Reihe von
Festungsgefangenen in Untersuchungshaft genommen, Toller und
Mühsam befanden sich nicht darunter (vgl. Bd. V, S. 117ff.). Unter
Müller-Meiningens Nachfolger im zweiten Kabinett Kahr (seit
16. 7. 1920) wurde die Affäre stillschweigend beigelegt. –
Bei den am 6. Juni 1920 stattfindenden Landtagswahlen und den
gleichzeitigen Reichstagswahlen kandidierte Toller für die USPD.
Nach dem Wahlausgang ist er jeweils erster Ersatzmann.

S. D. S. München, den 16. 7. 20
Schutzverband Deutscher Schriftsteller Königinstr. 19 II.
Landesgruppe Bayern
An
die Polizei-Direktion
München.
Ettstr. 4.
Betreff: Irrtümliche Beschlagnahme eines Manuskripts.

Unser Gewerkschaftsmitglied *Ernst Toller,* z. Zt. Niederschönenfeld, telegraphiert uns, daß sein Dramenmanuskript
»Masse Mensch« bei der Tochter Dr. Schollenbruchs, die davon Schreibmaschinenabschriften anfertigen wollte, beschlagnahmt worden sei. Da dieses Drama die Festungszensur pas-
siert hat, beruht diese Beschlagnahme wohl auf einem Irrtum
und wir unterstützen daher nachdrücklich die Forderung des
Verfassers, es ihm umgehend wieder freizugeben.

> Schutzverband Deutscher Schriftsteller
> (Gewerkschaft Deutscher Schriftsteller).
> Gau Bayern.
> Der Gausekretär:
> Dr. Hans Friedrich

⟨ *Aus einem Bericht der Polizeistelle für Nordbayern vom
27. November 1920* ⟩

Am 15. des Monats fand im Nürnberger Stadttheater die Uraufführung von Ernst Tollers Drama »Masse Mensch« als
geschlossene von den Gewerkschaften veranstaltete Aufführung statt. Das Proletariat Nürnbergs hatte hierbei Gelegenheit, sich von der psychopathischen Veranlagung Toller's an
seiner Dichtung zu überzeugen. Trotz einiger Stellen, deren
Inhalt an sich aufreizend wirken könnte, blieb das Werk bei
der Uraufführung wegen seiner phantastischen Aufmachung
ohne jede Wirkung auf das Publikum. Erst am Schluß setzte

110

Beifall ein, der offenbar nicht dem Dichter, sondern dem »Revolutionshelden« galt. Die behördliche Maßnahme, das Stück nicht zu verbieten, hatte sich somit bewährt, und es wäre zu erwarten gewesen, daß es bald vergessen worden wäre und nur die Wirkung gehabt hätte, den Nimbus des Dichters herabzudrücken, hätten nicht gestern Abend bei einer Wiederholung der Aufführung antisemitische Kreise durch Radauszenen ausgiebig Reklame für die literarisch wertlose Dichtung gemacht. Die gestrige Vorstellung war im Wesentlichen ebenfalls eine geschlossene, einzelne Karten waren aber dem öffentlichen Verkauf unterstellt worden. Vor Beginn der Aufführung erklärte der stellvertretende Theaterintendant *Urban,* es sei bekannt geworden, daß die Vorstellung gestört werden solle, er bitte um Ruhe. Bald erhoben sich dann lärmende Zwischenrufe, die, insbesondere in den Pausen, zu Schlägereien führten. Im letzten Bild mußte die Aufführung auf 10 Minuten unterbrochen werden. 43 Personen wurden durch das Theaterpersonal und das Publikum gewaltsam ins Freie befördert. Zu weiteren Störungen der öffentlichen Ruhe und Ordnung, insbesondere auf der Straße, kam es nicht. Es besteht die Vermutung, daß die Störungen vom Deutschvölkischen Schutz- und Trutzbund inszeniert waren, der damit der Sache, der er dienen wollte, nur geschadet hat.

Der erwähnte stellvertretende Intendant bekannte sich in seiner Ansprache als Kommunist. Seine Personalien sind: Fritz *Urban,* geb. 29. 9. 81 zu Magdeburg, Eltern: Wilhelm und Friederike Urban, geb. Heilmann, preußischer Staatsangehöriger, verh. mit Betty Hermann, stellv. Theaterintendant in Nürnberg, Heynestraße 34/4. Bekanntlich gehört auch der Intendant selbst, *Stuhlfeld,* der linksradikalen Richtung an.

⟨*Aus dem Sitzungsbericht des Bayerischen Landtags vom 17. Dezember 1920*⟩

Regierungsvertreter, Ministerialrat Zetlmeier: Der Staatsregierung ist bekannt, daß das Toller'sche Stück »Masse Mensch« im Nürnberger Stadttheater viermal und im Fürther

Stadttheater zweimal aufgeführt wurde. Auf Einflußnahme der zuständigen Behörden, die Bedenken gegen eine öffentliche Aufführung äußerten, hatten sich die Theaterleitungen bereit erklärt, das Stück nur vor einem geschlossenen Kreise, nämlich den Nürnberger und Fürther Gewerkschaftsmitgliedern, zur Vorführung zu bringen. Diese Zusicherung wurde nach amtlicher Mitteilung lediglich gelegentlich einer Aufführung in Nürnberg nicht eingehalten, insofern die Theaterintendanz etwa 100 Eintrittskarten, die nicht an Gewerkschaftsmitglieder abgesetzt werden konnten, an beliebige Dritte an der Kasse zum Erwerb überließ, wenn sie sich nur in eine Liste eintrugen. Es war dieses die Vorführung, in der es, wie aus den Zeitungen bekannt ist, zu Ausschreitungen kam. Ob im übrigen tatsächlich nur Gewerkschaftsmitglieder die Vorstellungen besuchten, steht nicht fest. Auf die erwähnte Ausschreitung hin wurde der Nürnberger Intendanz behördlich mitgeteilt, daß angesichts der Vorkommnisse auch geschlossene Aufführungen nicht mehr geduldet werden könnten, worauf das Stück abgesetzt wurde.

Das Stück ist im Druck noch nicht erschienen, auch sonst ist es bisher nicht zugänglich gewesen, sein näherer Inhalt ist daher nicht bekannt. Nur soviel ist bekannt, daß die Theaterintendanz in Nürnberg erhebliche Streichungen und Umstellungen vorgenommen hat, so daß es möglich sein kann, daß Schriftwerk und Aufführung nicht übereinstimmen. Daß der Inhalt des Stückes geeignet ist, Erregung hervorzurufen, beweist nicht nur die Tatsache, daß es zu Ausschreitungen kam, als die Aufführung in einem öffentlichen Zuschauerkreis erfolgte, sondern auch der Umstand, daß der Verband der Staatsbürger jüdischen Glaubens gegen die Vorführung einer Szene – eine Börsenszene – bei der Theaterdirektion Einspruch eingelegt hat.

Nach Art. 118 der Verfassung des Deutschen Reiches vom 11. August 1919 ist bekanntlich eine Theaterzensur nicht mehr statthaft, dagegen ist selbstverständlich die auf allgemeinen Bestimmungen beruhende Berechtigung und Verpflichtung der Polizeibehörden, den Übertretungen der Strafgesetze möglichst zuvorzukommen und sie in ihrem Laufe zu unterdrücken, sowie in allen Fällen, die gesetzlich mit Strafe bedroht sind, vorbehaltlich der späteren Strafverfolgung soweit als nötig vorläufig einzuschreiten, unberührt geblieben. Wenn sohin durch die Vorführung eines Theaterstücks ein Strafgesetz verletzt wird, wenn also z. B. auf diese Weise Aufreizung zum Klassenkampf oder ein Vergehen wider die Sittlichkeit oder wider die Religion oder sonst eine strafbare Handlung begangen wird, sind die Polizeibehörden nicht nur zur Strafanzeige, sondern auch zur möglichsten Verhinderung der strafbaren Handlung berechtigt und verpflichtet. Die gleiche Verpflichtung zum Einschreiten haben sie auch dann, wenn, wie es z. B. in Nürnberg geschehen ist, aus Anlaß einer Theatervorstellung Ausschreitungen entstehen. In diesem Falle handelt es sich nicht um eine Theaterzensur, sondern um die allgemeine Verpflichtung der Polizeibehörden, Ordnung und Ruhe aufrechtzuhalten.

Die Staatsregierung wird den Behörden in diesem Sinn Anweisung zugehen lassen.

Im Winter 1920/21 entstand in Niederschönenfeld die erste Fassung des Dramas *Die Maschinenstürmer,* aus der Alfred Beierle im Mai schon in Berlin las. Auch begann Toller seine Gefängnissonette zu sammeln und zu komplettieren. Mit dem wachsenden literarischen Ruhm, wuchs auch die Sehnsucht nach der Freiheit, zumal sämtliche Urlaubsgesuche mit der stereotypen Formel »eignet sich nicht zur Berücksichtigung« abgelehnt wurden. Ein Reichstagsmandat könnte zur Freiheit verhelfen.

Mit der Fortdauer der Haft aber wuchsen auch die Spannungen unter den Häftlingen. Bayern nämlich lehnte das im ganzen Reich übliche System der Amnestierung politischer Gefangener ab und hielt am System der Einzelbegnadigung fest.

In der Zelle von Erich Wollenberg wurde ein Brief gefunden, den der Vorstand der Festungshaftanstalt im August 1921 der Münchener Polizeidirektion vorlegte, die eine Abschrift für Tollers Polizeiakt fertigte.

⟨*Erich Wollenberg am 12./13. April 1921 über Ernst Toller*⟩
⟨...⟩ Die Weißen kommen! Proletarier werfen sie über Dachau zurück. Toller begibt sich zu den Rotsoldaten, hält ihren Vormarsch auf, läßt sich aber noch als Sieger feiern, obwohl sein Verdienst dabei war, daß er erst nach dem Sieg zu den Rotsoldaten kam. Gegen den Befehl der kommunistischen Regierung führt Toller endlose Verhandlungen, hält noch endlosere Reden vor den Rotsoldaten, erweist sich als genialer militärischer Desorganisator. Ich bin sein Unterführer, kämpfe verzweifelt Tag und Nacht gegen sein theatralisches Tun, das aus der Front eine Operette, aus den Soldaten Statisten ohne Regisseur macht. »Der Feind des Proletariats ist erst in zweiter Linie der Weiße, in erster ist es die kommunistische Räteregierung, vor allem der Russe Leviné.« Das ist der Extrakt seiner täglichen Reden. Am 27. 4. eilt Toller nach München, um »Leviné zu stürzen«, was ihm nach der vorausgegangenen Wühlarbeit gelingt. Am 30. 4. der Erfolg der Tätigkeit Tollers: der klägliche Zusammenbruch der roten Front. In Dachau leisten wir energischen Widerstand, ein Befehl ruft uns nach München. Am 1. und 2. Mai kämpft das Proletariat in den Straßen Münchens – ohne Toller.

⟨...⟩ Nach den kurzen Andeutungen über Tollers politische Tätigkeit wirst Du verstehen, weswegen wir Kommunisten gegen T. eine so scharfe Stellung einnehmen. Ihr kennt ihn nur als den Ritter, und seht in ihm den Märtyrer als Gefangener der Bourgeoisie. Wenn er wenigstens heute seine Finger ließe von Politik, wenn sein Ehrgeiz ihn ganz auf Literatur werfen würde! Aber er ist derselbe »Toller«, derselbe theatralische Sieger von Dachau und ethische Bekämpfer »bolschewistischer Methoden« wie im April 1919. Bei uns in Bayern bedeutet Toller ein politisches Bekenntnis, »Tolleranten« sind Mischungen Ledebourscher Theatralik und Kautskyscher weinerlicher Ethik. Doch ihr werdet ihn schon selber kennen lernen, wenn die Entwicklung der deutschen Revolution ihn aus dem Dornröschen-Schloß in die nackte Tatsächlichkeit stellt. ⟨...⟩

⟨...⟩ Bezeichnend war das Gespräch zwischen Toller und Rechtsanwalt Beradt in Bezug auf Politik. Aus den Äußerungen des Toller vernahm ich, daß Toller 1. Ersatzmann für Landtag und Reichstag der U. S. P. sei. Toller sagte Folgendes: »In diesem Jahr kommt ein Freund von mir zur Entlassung und dieser Freund wird dafür sorgen, daß Abgeordneter *Unterleitner* seinen Abgeordneten-Posten aufgibt und ich dafür an seine Stelle komme. In Bayern habe ich aber als Abgeordneter keine Aussicht auf Entlassung, dagegen besteht Aussicht, wenn ich Reichstagsabgeordneter bin.« Toller drückte auch sein Mißfallen darüber aus, daß die Genossen, wie Unterleitner, nur für ihre Person sorgen, um ihren Posten zu erhalten.

Am 10. Juni 1921 wurde Karl Gareis, seit 1920 Fraktionsvorsitzender der USPD im Bayerischen Landtag, der nicht müde geworden war, die paramilitärischen Kampfverbände der bayerischen Einwohnerwehr anzuprangern, von einem Offizier dieser Einwohnerwehr in München ermordet. Am 21. Juni 1921 verlas der Präsident des Bayerischen Landtags vor dem Plenum folgende Erklärung:

Der Präsident des Verwaltungsgerichtshofes richtete als Landeswahlleiter an den Bayerischen Landtag folgendes Schreiben: »An Stelle des durch Tod ausgeschiedenen Abgeordneten Karl Gareis, Studienassessors in München, tritt gemäß Art. 61 Abs. 2 des Landeswahlgesetzes Ernst *Toller,* Schriftsteller in München, zurzeit in der Festungshaftanstalt Niederschönenfeld. Unter Bezugnahme auf meine Bekanntmachung vom Heutigen im Bayerischen Staatsanzeiger beehre ich mich, die Erklärung des Ernst Toller über Annahme seiner Wahl zum Abgeordneten zu übersenden.«

Sämtliche Anträge auf Haftentlassung der Niederschönenfelder Landtagsabgeordneten (von USPD und KPD) wurden in der Folgezeit abgelehnt; Toller hat in keiner Sitzung des Bayerischen Landtags sein Mandat wahrnehmen können. Aber auch die Hoffnungen auf das Reichstagsmandat zerschlugen sich, und Ende des Jahres wurde Toller selbst unsicher, ob er diesen Weg, der den Rücktritt des Abgeordneten Unterleitner erfordert hätte, weitergehen sollte.

⟨*Aus einem Brief von Ernst Niekisch an Valentin Hartig in Niederschönenfeld (Augsburg, 21. November 1921)*⟩
⟨...⟩ Toller deutete schon mehrmals mir gegenüber auf U. hin. Ich begreife selbstverständlich diese Hinweise, sprach auch schon mehrmals mit U. selbst. Aber die Sache ist doch nicht ganz ohne Schwierigkeiten. U. ist verheiratet, ein Kind unterwegs. Er hat außer seinen Aufwandsentschädigungen nur ein ganz unsicheres Einkommen, monatlich 1000 Mark. Ein Rücktritt U's würde ihn der wirtschaftlichen Existenzgrundlagen berauben. Mithin liegt nicht alles bei seinem guten oder schlechten Willen, es fehlt hier nicht an einem Müssen. Sage das unserm Freund Toller.

⟨*Toller an Niekisch am 27. November 1921*⟩
Auszug aus einem Brief des Festungsgefangenen Toller an Ernst Niekisch, Augsburg, Stettenstraße 34.
Bei Einvernahmen nicht zu verwerten!

27. 11. 1921.

Mein lieber Niekisch!
Valtin zeigte mir die Stelle Deines Briefes, die für mich bestimmt war. Die materiellen Dinge würden keine Schwierigkeiten bereiten, ich würde mich verpflichten, regelmäßig $^2/_3$ abzuführen. Glaubst Du, daß damit eine Basis geschaffen sei? Jedenfalls möchte ich, bevor Endgiltiges geschehen sollte, benachrichtigt werden.
Eine Frage solle ich Dir noch beantworten: Ob ich als Reichstagsabgeordneter politisch sofort tätig sein würde? In den ersten Monaten sicherlich nicht. Das könnte ich schon wegen meines gesundheitlichen Zustandes nicht. Ich bitte mich nicht mißzuverstehen. Ich bitte, was ich jetzt sage, nicht als »Beeinflussung« als »Lockmittel« oder irgendwie zweideutig aufzu-

116

fassen. Würdest Du Wert auf das Reichstagsabgeordneten-Mandat legen? Warum ich das ausspreche? Den Weg, der mir innerlich gemäß ist, sehe ich immer deutlicher, und er wird für etliche Zeit jenseits des Parteipfades führen. Mein letztes Drama, Pläne, die sich verdichten, Formkräfte, die ich in mir erwachsen sehe, lassen mich eine Art Berufung fühlen: ich glaube, jenen Acker mitpflügen zu können, aus dem einmal proletarische Kunst wachsen soll. (Was »proletarische Kunst?« fragst Du). Meine Hinkemanns tragen diese Anmerkung: »Auch proletarische Kunst mündet im Menschlichen, ist all-umfassend – wie das Leben, wie der Tod. Es gibt nur inso-ferne eine proletarische Kunst, als die Mannigfaltigkeiten pro-letarischen Seelenlebens für den Gestaltenden Wege zur For-mung des Ewig-Menschlichen sind.« Du verstehst mich. Ich hätte die Frage auch nicht an Dich gerichtet, müßte ich nicht annehmen, daß sie gerade gegenwärtig für Dich nicht belang-los ist. Gib Antwort!

Im Kurt-Wolff-Verlag veröffentlichte Toller, die Nr. 44 der Nieder-schönenfelder Gefangenen, 1921 *Gedichte der Gefangenen* (vgl. Bd. II, S. 303 ff., 355 ff.; Zeller/Otten S. 326 ff.). Mit Annemarie von Puttkammer, der Mitarbeiterin Kurt Wolffs, stand er dadurch in re-gem Briefwechsel.

⟨*Toller am 25. Juni 1921 an Annemarie von Puttkammer*⟩
Liebe Annemarie Puttkammer,
ich sende Ihnen noch acht Sonette der Gefangenen. (»Schlaf-lose Nacht« »Pfade zur Welt« »Wälder« »Durchsuchung und Fesselung« »Begegnung mit der Zelle« »Gefangene Frauen« »Die Erschießung« »Schwalben«.)
Einige Verse schicke ich Ihnen heute, die anderen bekommen Sie in den nächsten Wochen, da ihnen noch jene Form fehlt, die uns in den paar Sekunden des Abschickens stets »die vor-letzte«, also die erreichbare, zu sein scheint.
Ich würde dann als endgiltigen Titel vorschlagen: »Die ein-undzwanzig Sonette der Gefangenen«, das Bändchen erhält so eine gewisse Geschlossenheit.

Die Veröffentlichung erfolgt bald, nicht wahr?
Die nicht veröffentlichten Verse bitte ich Sie, vorerst für mich zu verwahren.
Ich grüße Sie und Herrn Kurt Wolff sehr herzlich. Bitte lassen Sie mich auch durch ein paar Zeilen wissen, daß Sie die Verse (»Pfade zur Welt« »Schlaflose Nacht« »Wälder«) bekommen haben.

Ernst Toller

Fest. Niederschönenfeld, 25. 6. 21.

Wenn Sie am Titel »Vormorgen der Gefangenen« festhalten möchten, bin ich auch einverstanden.

⟨Toller am 10. Juli 1921 an Annemarie von Puttkammer⟩
Liebe Annemarie Puttkammer,
ich sende die drei Sonette »Begegnung in der Zelle«, »Gefangene Mädchen«, »Ein Gefangener reicht dem Tod die Hand«.
Ich habe eine Bitte. Ende September oder Anfang Oktober führt die Berliner Volksbühne (Kaißler) mein Drama »Masse Mensch« auf.
Wäre es möglich, daß das Bändchen Verse zu gleicher Zeit erscheint? (In welcher Auflage eigentlich plant der Verlag es zu drucken?)
Mit vielen herzlichen Grüßen

Ihr
Ernst Toller.

Fest. Niederschönenfeld, 10. 7. 21.

Am 29. September 1921 führte der Regisseur Jürgen Fehling (seit 1920 von Kayßler mit Regieaufgaben betraut) an der Berliner Volksbühne Tollers Drama *Masse Mensch,* das bisher nur in Nürnberg und Köln gespielt worden war, zu einem beispiellosen Erfolg. Dieser 29. September gilt als die Geburtsstunde des Bühnenexpressionismus und der Lichtregie. Die Kritik, die dem Text meist sehr reserviert gegenübersteht, spendete der Regieleistung einhellig begeisterten Beifall. »Der Höhepunkt:«, schrieb Siegfried Jacobsohn in der ›Weltbühne‹, »wie die Masse dem Gewehrgeknatter ihr Schlachtlied entge-

gensingt – ehern, rasend, fanatisch, aufgepeitscht, über sich hinausge-
trieben, in Weißglut erhitzt. Man bebt. Der Autor fragt: Ohne mein
Verdienst? Ja – denn man versteht keine Silbe, braucht keine zu verstehen; und der alltäglichen Situation hat er nichts geraubt und erst
recht nichts hinzugefügt.« In späteren Textfassungen und im Vorwort
zur zweiten Auflage (vgl. Bd. II, S. 352 ff.) orientierte sich Toller u. a.
an Alfred Kerrs Kritik im ›Berliner Tageblatt‹ (Abend-Ausgabe.
30. September 1921).

⟨*Alfred Kerr über Tollers Drama* Masse Mensch⟩

I

Ein Märtyrerstück. Das freiwillige Todesopfer der Sonja Irene
L.: Führerin einer Aufstandsbewegung; verhaftet von den Hä-
schern des alten (pfäffisch-militaristischen) Staats – nach dem
Scheitern jenes gewaltsamen Aufruhrs.
Sonja könnte durch Tötung eines Wärters befreit werden. Sie
lehnt es ab: weil sie Gewalttat ablehnt.
Weil sie schon begangene Gewalttaten, widerstrebend mitge-
macht, jetzt bereut. Sie wird erschossen.
Der Anblick ihres Beispiels, ihres Opfers, mag die gewaltlose
Weltbesserung in Zukunft fördern.

II

Ja! Auf jeden Fall etwas langsam. Es ist ein sehr christliches
Drama ... Über seine Lehren läßt sich streiten.
Exempelshalber auf der folgenden Grundlage. Tollers Märty-
rerin setzt Befreiergewalttat praeter-propter gleich mit Unter-
drückergewalttat. Sie verwirft zwar Kriegsmörder – doch einem zur Gewalt entschlossenen Massenführer hält sie entgegen: »Sie glaubten gleich wie du an ihre Sendung.« Sonja sieht
da »keine Unterscheidung«.
Das eben ist ihr Mangel. Ich will deutlicher sagen, worin er
besteht.

III

Mir scheint, es gibt Ideen, die absolut richtiger sind als andere. Wer für Abschaffung der Folter eintritt, verficht einen
absolut richtigeren Gedanken, als wer für Ausübung der Folter eintritt. Ja oder nein?

Also: für absolut richtigere Ideen mit Gewalt zu wirken ist weniger schlimm (obgleich es schlimm ist!) als für absolut falsche Ideen mit Gewalt zu wirken. Kein Widerspruch bleibt möglich. Wünschten die alten Germanen ein Orakel, so warfen sie einen Menschen in die Luft, fingen ihn auf den Spitzen dreier Speere – und ermittelten aus der Art seiner Wunden den Spruch der Götter. Das ist ein absolut falscher Gedanke. Absolut richtiger ist Einführung von Rettungsbällen. Absolut richtiger ist Verwenden der Narkose bei Blinddarm-Entfernung.

Die Gleichstellung wird somit Unsinn. Es gibt in Wahrheit Ideen, die absolut richtiger sind als andere. Ich sehe die »Unterscheidung«. ⟨...⟩

VI

In Tollers »Wandlung« trat seine Friedsamkeit so scharf und lehrhaft nicht hervor wie jetzt in dem Traumspiel. Auch blieb der Vorgang dort mehr bildkräftig.

Bisher war Toller der einzige Dramenexpressionist, an dem sich merken ließ: er ist ein Könner. Er ist es auch jetzt. Aber das Greifbare schrumpft hier manchmal bis in die Nähe der bloßen Allegorie.

Expressionismus bietet im Grunde ja wenig anderes als ein zusammengedrängtes Symbol. (Weshalb man ihn auch Symbolismus taufen könnte. Oder Kernkunst.) Aber es gibt verschiedene Arten von Symbolen: straffe und schlaffe. Bei Toller sind sie am straffsten in dieser Zeit. Nicht am straffsten in diesem Werk. So liegt der Fall.

VII

Und wenn man dennoch tiefbewegt ist; wenn eine fast religiöse Stimmung über die Menschen kommt; wenn politisches Erörtern, Abwägen, Meinungsaustausch fast zum Oratorium wird: so läßt sich kein anderer Grund hierfür feststellen, als daß ein Mensch mit einem ... unfeststellbaren Fluidum, nämlich ein Dichter, dies schuf.

Der Hörer lächelt über die seltsame Verbindung von Jambik

mit taghellen Zeitungsausdrücken. Wenn eine Gestalt skandierend äußert:

> »Ich leistete den Staatseid ... Frau.
> Der Referent für Personalia ist unterrichtet.«

Hebbel hat über solche Verse gespaßt, die er bei einem Schauspielschreiber des verflossenen Jahrhunderts fand – und woraus er, meines Erinnerns, folgende zitiert:

> »Vor allem fehlts an einem Handelsrecht
> Und überdies an einem Seerecht auch.« Usw.

Teure Dramatiker, – Erörterungen sollen möglich sein auf der Bühne ... doch besser in schlagender Prosa, stahlgehärtet.

Jedenfalls: man vergißt Minuten im Theater nicht wie diese seltenen – wenn der Ruf nach der Erde hundertstimmig von den Ärmsten erschallt; wenn Verurteilte vom Harmonikaspiel dieser Ärmsten schemenhaft umklungen sind; wenn die Internationale, die Arbeitermarseillaise blutaufpeitschend, sehnsuchtsvoll, zukunftsträchtig aus den Kehlen vorläufig Besiegter zum Himmel, nein, zu den Menschen braust. Das ist kein Theater mehr.

Dichtung ist es. (Mag auch ein Politicus dahinter stehen, der mit vierundzwanzig Jahren schon eine Iphigenie ward.)

... Man hat ihn zur Festung verurteilt – läßt ihn aber in Wirklichkeit eine Gefängnisstrafe büßen. Er ist lungenleidend – und bekam nie Urlaub. Seine Mutter lag sterbenskrank – er bekam nie Urlaub.

Er darf nicht vier Monate 'rumreisen, denn er schoß nicht auf Erzberger. Er darf nicht auf einem Schloß hausen – denn er ist kein meineidsverdächtiger Standesherr.

Seltsames Gefühl, wenn man den Wert dieses Dichters mit dem Wert seiner Schergen vergleicht ... Und er predigt Sanftmut.

VIII

Die Volksbühne besann sich nun, wer sie ist. Jürgen Fehling half ihr, jenseits vom Stoff und seinem Volksbelang, zu starken, zu künstlerischen Werten.

Toller scheidet zwar zwischen realen Szenen und verschwimmenden Traumszenen, – und am Bülowplatz war der Traum nicht recht abheblich vom Alltag. Das Ganze trotzdem hohen Ranges.

Alles zusammengepackt, zusammengefugt. Fehling läßt Menschen mitunter nicht »hineinhuschen«, wie Toller will, sondern irgendwo auftauchen. Die Ferne bekommt gewissermaßen einen Klang bei ihm. Die Stimmen verdämmern. Oder sie wittern empor. Der Bau ist gegliedert – wie bei Toller selbst. Im einzelnen: Lichtkegel von oben. (Manchmal blicken dann die Gestalten augenlos und lemurenhaft, auch wider Willen.)

Natürlich die Treppe der Expressionisten. Symbolisch wirkt sie falsch. Die Menschen der Tiefe müßten ja rechtens aus der Tiefe steigen; während sie hier weit eher von oben nach unten gravitieren.

Gleichviel. Fehling ist als Regisseur mitschöpferisch ohne Mätzchen. Das Beste, was man von dieser Berufsklasse sagen kann. (Was hätte sein Großvater Geibel für Augen gemacht! Ihn enterbt; vielleicht bloß verflucht.)

Mary Dietrich stand ihm zur Seite mit einer gewissen schlichten Seelenkraft, – neben allen sonst, die hier ergreifend Masse Mensch wurden.

Seit Ernst Niekisch (im August 1921) aus Niederschönenfeld entlassen war und sein Landtagsmandat wahrnehmen konnte, wurde die Behandlung der Gefangenen in Niederschönenfeld, und innerhalb dieser Frage der »Fall Toller«, d. h. die systematische Behinderung von Tollers literarischer Arbeit und die konsequente Ablehnung seiner Urlaubsgesuche, zu einem Politikum ersten Ranges. Am 4. August 1920 war im Reichsgesetzblatt die sogenannte Kapp-Amnestie verkündet worden. Mit Rücksicht auf Bayern wurden die dortigen politischen Gefangenen von der Amnestie nicht erfaßt. Vor allem der SPD-Abgeordnete Gustav Radbruch hatte bei den Debatten über die Kapp-Amnestie auf das Schicksal der Niederschönenfelder Gefangenen hingewiesen.

An den Herrn
Staatskommissar in Augsburg.
Reichstagsmitglied Professor der Rechte Dr. *Radbruch* in Kiel
hat heute die Festungsgefangenen Mühsam und Toller besucht. Der Besuch wurde vom II. Staatsanwalt Hoffmann
überwacht, welcher aus Rücksicht auf die Besonderheit des
Besuches und um der interessanten Einblicke willen die Unterhaltung auch politische Dinge hat berühren lassen, so lange
sie sich in allgemeinen Bahnen bewegte.
Es war dabei Folgendes festzustellen, was bei der heutigen
Lage nicht ohne politische Bedeutung sein dürfte:

1. Radbruch kam von Augsburg. Er hat bei dem kürzlich ent-
lassenen Niekisch dort übernachtet. Im Hause Niekisch
wurde bis spät in die Nacht hinein politisch konferiert.
Niekisch ließ Toller grüßen.

2. Radbruch ist Mehrheitssozialist. Weil er ganz seiner Pro-
fessur entfremdet werde, will er künftig kein Mandat mehr
übernehmen. Innerlich »als Mensch« fühlt er sich zur
U. S. P. hingezogen, die szt. die Sezession der geistig Regsa-
meren aus der M. S. P. dargestellt habe. »Heute ist es aber
nebensächlich« – sagte er wörtlich zu Mühsam – »welcher
Fraktion man angehört angesichts der Einigung des Proletariats.«

3. Radbruch und Mühsam sind Lübecker Schulkameraden.
Der jetzige Chef der Reichskanzlei und »Adjutant« des
Kanzlers ist auch ein Schulfreund. Kanzler Müller hat diesen hochgeholt.
Mühsam und Radbruch hätten eher erwartet, daß er einmal Eisenbahnminister würde. Darauf habe er von Anfang
an sich vorbereitet und er sei ein tüchtiger Kopf.

4. Radbruch und Mühsam kannten Leviné und kennen dessen
Frau. Radbruch, der 1916 zum Militär kam, war im selben

Glied bei derselben Kompagnie mit Leviné; er kannte ihn aber schon früher.

5. Radbruch hat an Sonntagsnachmittagszirkeln bei Prof. Weber in Heidelberg teilgenommen als Student.

Leviné hat auch in Heidelberg studiert. Toller war zeitlich später auch in jenem Zirkel bei Weber. Radbruch und Toller schwärmen von Weber als dem Brennpunkt der Heidelberger Universität.

6. Mühsam sagt, daß Lenin sich für ihn interessiere. Radbruch setzt keine Hoffnung auf Erfolg einer russischen Regierungsaktion für Freilassung Mühsams.

Mühsam will nach seiner Freilassung zu seinem Freund Andersen Nexö nach Dänemark zur Erholung. Von dort hofft er, Stellung beim proletarischen Theater in Moskau zu finden. In Deutschland will er nicht bleiben.

Seine Frau ist ein Bauernmädchen aus Niederbayern. Deren Familie schüttelte sie ab. Nur ein Vetter habe eine Verwandte von Gandorfer geheiratet. Diese beiden halten Mühsam die Treue.

7. Radbruch und Mühsam kennen eine abenteuerliche Dame von Reventlow. Mühsam will ihre »Scheinehe« s. Zt. vermittelt haben. Deren Sohn sei in München. Er sei zum zweitenmal verheiratet, sei Filmkurbler gewesen und sei jetzt bei einer Gewerkschaftsgeschichte untergeschlüpft. Die Reventlow habe auch Besuchsbeziehung zum Münchner Professor der Rechte Dr. Kitzinger von der Universität.

Meist auf der Grundlage von Berichten, wie dem nachfolgend abgedruckten, konnte die regierende Bayerische Volkspartei, im Landtag durch ihren Berichterstatter Fritz Schäffer, die bis zum Beginn des Jahres 1923 an Heftigkeit stets zunehmende öffentliche und parlamentarische Kampagne zum »Fall Niederschönenfeld« und zum »Fall Toller« parieren. Die in diesem Bericht genannte Nettie Katzenstein ist die »Tessa« in Tollers *Briefen aus dem Gefängnis*. Nanette Katzenstein (geb. 1. 11. 1889 in München) ist verheiratet mit Dr. Erich Katzenstein (Arzt, geb. 25. 4. 1893 in Hannover). Nach Aussagen von Albert Daudistel vor der Münchener Polizei war die Wohnung Katzenstein (München, Herzog Heinrich-Straße 11/III) während der Revolutionszeit vor allem Treffpunkt der »Partei« Toller. Toller ist mit den Katzensteins seit 1917 befreundet; Erich Katzenstein konnte 1919 in die Schweiz entkommen.

⟨Auszug aus dem Bericht
des nach Niederschönenfeld kommandierten
Kriminalbeamten vom 17. Oktober 1921.⟩

⟨...⟩ Am meisten beschäftigt sich der Festungsgefangene *Toller* mit seiner Freilassung bzw. Beurlaubung. Der ehem. Festungsgefangene *Niekisch* war ein guter Freund des Toller. Der Besuch des Abgeordneten *Radbruch* in hiesiger Festungshaftanstalt bei Toller und Mühsam hängt sehr wahrscheinlich mit Vorbereitungen des Abgeordneten Niekisch zusammen.
Die in letzter Zeit häufig erschienenen Zeitungsartikel gegen die Verwaltung der Festung Niederschönenfeld dürften Niekisch als Urheber haben. Wenn man den Briefwechsel genau ansieht, dürfte Niekisch gegenüber Toller nicht nur aus Parteigründen, sondern aus anderen Gründen Verpflichtungen haben, sich für die Person Tollers besonders einzusetzen.
Der Festungsgefangene Toller hat auch den meisten Stoff für Hetzartikel geliefert.
In meinen früheren Berichten habe ich auf die von Toller selbst geäußerten Verwandtschaftsverhältnisse mit Dr. Weißmann, Staatskommissär in Berlin, hingewiesen.
Herr Staatskommissär Weißmann hat bekanntlich diese Verwandtschaft in öffentlichen Erklärungen als unrichtig bezeichnet.
Zu gleicher Zeit erschienen Zeitungsartikel, daß dem berühmten Dichter Toller Schreibverbot auferlegt sei und seine schriftstellerische Tätigkeit unterbunden wäre.
Obwohl Toller wußte, daß Staatskommissär Weißmann diese Verwandtschaft abgelehnt hat, wollte er eine Berichtigung an die Redaktion »Vorwärts« in Berlin absenden mit dem Inhalt, daß er mit Weißmann in keinem verwandtschaftlichen Ver-

hältnis stehe, sondern diesen Beamten nur ersuchte, um Unterstützung eines Besuches bei seiner *lebensgefährlich* erkrankten Mutter zu ermöglichen.

Daß die radikalen Tageszeitungen und andere Lügenberichte über den Strafvollzug des Festungsgefangenen Toller brachten, insbesonders, daß ihm seine schriftstellerische Tätigkeit unterbunden sei, obwohl er nur Schreibverbot im Briefschreiben hatte, davon hat der Festungsgefangene Toller keine Notiz genommen.

Aus dem Briefverkehr war zu entnehmen, daß diese Lügenberichte in Zeitungen inbezug auf Unterbindung der schriftstellerischen Arbeit in weiten Kreisen Entrüstung hervorgerufen haben.

Trotz dieser in den an Toller gerichteten Briefen zum Ausdruck gebrachten Entrüstungen über Einstellung seiner Schriftstellerarbeit, fand Toller nicht den Mut, eine Gegenerklärung, wie er es im Falle Weißmann tun wollte, abzugeben.

Der Festungsgefangene Toller hat aber noch *andere Verwandte,* welche unter dem Schutze des Verwandtschaftsverhältnisses bei Besuchen das Vorzugsrecht genießen, in Wirklichkeit aber nur zur Täuschung der Verwaltung als Verwandte vorgeschützt werden.

Vor mehreren Wochen wurde Festungsgefangener Toller von seiner »Cousine« der Frau Nettie *Katzenstein* in München besucht.

Die Art und Weise der Zusammenkunft der Frau Katzenstein und Toller gab Veranlassung, Erhebungen bei der Polizeidirektion München einleiten zu lassen.

Es wurde festgestellt, daß Toller während der Rätezeit bei der Katzenstein heimlich beherbergt wurde, daß ihr Ehemann noch wegen Hochverrats zur Verhaftung ausgeschrieben ist.

Am 10. 10. 21 besuchte die angebliche Cousine Katzenstein den Festungsgefangenen Toller wieder.

Von Herrn Festungsvorstand auf das Verwandtschaftsverhältnis aufmerksam gemacht, gab Frau Katzenstein zu, daß sie mit Toller in keinem Verwandtschaftsverhältnis stehe und entschuldigte sich, daß sie diese Notlüge gebraucht habe.

Frau Katzenstein fand *tatsächlich viel Mut,* ihre bisher vorgeschützte Unwahrheit einzugestehen.

Der Festungsgefangene Toller dagegen, welcher dem Proletariat immer Kampfesmut predigt, bleibt darauf bestehen, daß Frau Katzenstein seine Cousine sei. Nur die Verwandtschaft mit dem Staatskommissär Dr. Weißmann stellt er in Abrede, obwohl er selbst über dieses Verwandtschaftsverhältnis gesprochen hat.

Der Abgeordnete Toller findet nur Mut, Zeitungsberichte zu widerrufen, welche für seinen Nachteil sein könnten.

Nach einer wochenlangen Debatte in der Öffentlichkeit beschloß der Deutsche Reichstag am 19. November, – Reichsjustizminister war nunmehr Gustav Radbruch – zur Prüfung der Zustände in den Strafanstalten, einen Untersuchungsausschuß einzusetzen. Während die preußische Strafanstalt Lichtenburg dem Ausschuß bereitwillig Zutritt gewährte, weigerte sich Bayern wiederum mit Erfolg. Als Ersatz für die Untersuchung der Niederschönenfelder Zustände stellte die bayerische Staatsregierung eine Denkschrift in Aussicht, die am 23. Dezember 1921 dem Landtag vom Justizministerium übermittelt wurde. In dieser ›Denkschrift über die Erfahrungen beim Vollzuge der Festungshaft‹ (vgl. Verhandlungen des Bayerischen Landtags 1921/ 22. Beilagen Bd. VI, S. 413–428. Beilage 2155) wurde Mühsams literarische und politische Aktivität herausgestellt, der »Fall Toller« aber verschwiegen. Er spielte deshalb in der Auseinandersetzung um die Denkschrift eine bevorzugte Rolle.

⟨*Aus den Verhandlungen des Deutschen Reichstages.
1. Wahlperiode 1920. Bd. 352.
Sonnabend, den 17. Dezember 1921*⟩

Dr. Rosenfeld ⟨USPD⟩: Die Denkschrift des Abgeordneten Niekisch müßte in der Tat jedes Mitglied dieses Hauses, das sich seiner Verantwortung bewußt ist, lesen. Ich glaube, daß bis in die Kreise der Rechtsparteien hinein Entrüstung entstände, wenn man erfahren würde, wie in Niederschönenfeld vorgegangen wird. ⟨...⟩ Als ich meinem Freunde Toller einmal die stenographischen Berichte einer Reichstagsverhandlung schickte, wurde dieses Stenogramm konfisziert.

(Hört! Hört!)

Nicht einmal unsere Verhandlungen durfte Herr Toller lesen. Ich bekam dann vor einigen Wochen einen Brief von Herrn Toller, in dem er mir mitteilte, daß sein Urlaubsgesuch abgelehnt sei, mit der Begründung: »eignet sich nicht zur Berücksichtigung«. Ich habe darauf Herrn Toller näheres über den Verlauf des Untersuchungsausschusses mitgeteilt und hinzugefügt, ich hätte diesen Bescheid der Festungsanstalt Niederschönenfeld »mit dem gebührenden Respekt zur Kenntnis genommen«. Darauf teilte mir Herr Toller jetzt mit, daß mein Schreiben wegen seines beleidigenden Inhalts beschlagnahmt worden ist.

(Hört! Hört! – Zuruf rechts.)

– Ich sehe, selbst die Herren der Rechten scheinen dafür kein Verständnis zu haben! –

⟨*Aus den Verhandlungen des Bayerischen Landtags 1921/22. Sitzung vom 21. Dezember 1921*⟩

(Unabh. Soz.-Dem.): *Niekisch* ⟨...⟩ In der Regierungsdenkschrift wird kaum auch der *Fall* »*Toller*« behandelt werden. Als der Staatskommissar Weißmann in Berlin die Veröffentlichungen über die bayerischen Geheimorganisationen gebracht hat, die man in Bayern sehr unliebsam empfunden hat – ich begreife das, denn die Geheimorganisationen sind doch dazu da, um geheimgehalten zu werden –, als der Staatskommissar Weißmann diese Dinge an das Tageslicht gebracht hat, hat der »Bayerische Kurier« geschrieben: »Weißmann ist ein ganz besonderer Mann. Er steht im Verkehr mit Toller.« Toller kennt nun in Wirklichkeit Weißmann gar nicht. Daraufhin hat Toller einen Brief an »Die Freiheit« geschrieben, in dem er darauf hinwies, daß er Weißmann gar nicht kenne. Es wurde ihm eröffnet, daß der Brief nicht befördert werde. Daraufhin schrieb Toller eine ganz kurze Karte an »Die Freiheit«: »Ich

kenne Weißmann nicht.« Wiederum wird ihm eröffnet:
»Auch diese Karte wird nicht befördert.« Toller wendet sich
telegraphisch an den Ministerpräsidenten Grafen von Lerchenfeld und beschwert sich bei ihm über diese Zurückhaltung. Er wird hinuntergerufen zu dem Oberwerkführer. Der
Oberwerkführer erklärt: »Ja, wir haben kein Personal zur
Zensur.« Das ist eine ganz offenkundige Schikane. Toller regt
sich darüber auf. Er sagt, er bestehe auf seinem Beschwerde-
recht. Daraufhin packt der Oberwerkführer Toller und wirft
ihn zum Zimmer hinaus. Toller erklärt darauf: »Ich wurde
hier tätlich angegriffen.« Der Werkführer, der jetzt plötzlich
anscheinend ein böses Gewissen bekam, behauptete: »Das ist
nicht wahr; Sie lügen!« Toller, der sehr wahrheitsliebend ist,
sagt: »Ich lüge nicht, sondern Sie lügen.« Daraufhin läßt der
Oberwerkführer Toller sofort in Einzelhaft abführen. Dieses
Vorgehen war doch dazu angetan, Toller in die größte Erregung zu versetzen. Er bekam einen schweren Neuralgieanfall
und hatte heftige Schmerzen. Darauf erhielt Toller vom An-
staltsvorstand einen Bescheid, der folgendermaßen lautete:
»Toller wird noch mit Bettentzug bestraft, weil er sich auf-
führte wie ein wildes Tier und weil er außerdem einen deutschen Mann beleidigt hat.«
                    (Hört, hört! links.)
Also Antisemitismus von Amts wegen.
Ich glaube auch, daß der Fall »*Daudistel*« nicht in der bekannten Denkschrift der Regierung stehen wird. Da ist der
Matrose Daudistel, der in der Festung unerwartete literarische und künstlerische Fähigkeiten bewiesen hat. Er hat einen
prächtigen Roman »Das Opfer« geschrieben, von dem viele
Teile in der »Vossischen Zeitung« gestanden sind, in einer
Zeitung, die doch wahrlich unverdächtig ist. Der Ullsteinver-
lag verlangte, daß Daudistel das ganze Manuskript über-
sende, weil er sich lebhaft dafür interessiere. Das hat man
aber verhindert und den Roman zurückgehalten, weil sie die
Taten eines Deserteurs im Jahre 1917 verherrlichte und Daudistel sich mit diesem Stoffe befaßt habe. ⟨...⟩

Während Toller mit einer im August 1921 gegen Nikolaus Eck, den verantwortlichen Redakteur des ›Miesbacher Anzeigers‹, angestrengten Privatklage Erfolg hatte, blieben die Beleidigungen, die gegen ihn um die gleiche Zeit im Landtag ausgesprochen wurden, ungesühnt. In Ecks Blatt war in einem Artikel, ›Spartakus in Banden‹, am 14. Juli 1921 u. a. zu lesen: »Auch Ernst Toller, der rotgefärbte Samotschiner Judenbube mit seinem ewigen Zahnweh, der demnächst zur Verschönerung der U. S. P. Fraktion in den Landtag einziehen soll, gehört zu den venerisch Erkrankten der Münchener Räterepublik, deren Polizeipräsident Köberl selbstverständlich auch Gehirnsyphilitiker sein mußte.« Eck wurde am 1. Februar 1922 zu einer Geldstrafe von 300 Mark, Tragung der Gerichtskosten und zur Veröffentlichung des Urteils im ›Miesbacher Anzeiger‹ verurteilt.

Am 17. und 18. Januar 1922 schilderte der Vertreter des bayerischen Justizministeriums Toller im Verfassungsausschuß des Bayerischen Landtags »als prahlerischen, durch die internationale aufdringliche Propaganda aller pazifistischen Kreise zum Größenwahn verleiteten, eitlen Menschen«. Tollers Beschwerde beim bayerischen Ministerpräsidenten wurde abgewiesen; die Beleidigungen wurden vor aller Öffentlichkeit im Landtag wiederholt.

⟨*Aus den Verhandlungen des Bayerischen Landtags 1921/22. Sitzung vom 9. März 1922*⟩

(Bayer. Vp.): *Schäffer* ⟨...⟩Schließlich greife ich noch den Fall Daudistel heraus. Man regt sich darüber auf, daß dessen künstlerischen Fähigkeiten ein Riegel vorgeschoben wurde, indem sein trefflicher Roman, von dessen künstlerischen Fähigkeiten man sich in der Anstalt bisher nicht überzeugen konnte, zurückgehalten worden sei. Dieses Schriftstück enthielt ausschließlich die Taten eines Deserteurs und Meuterers. Die Zurückhaltung erfolgte, weil ein solches Buch großen Schaden an der Jugend anrichten kann. Der Festungsgefangene gibt in einem Brief seine Ansichten über seine schriftstellerische Tätigkeit bekannt und schreibt:

»Was ich der Öffentlichkeit übergebe, soll der Zukunft vorarbeiten und entsprechenden Reklamezwecken für später dienen.«

Dieser sogenannte Roman ist ausschließlich geschrieben, um die Jugend zu verderben, und ich glaube, daß der Vorstand seiner Pflicht im vollsten Maße genügt hat, wenn er dieses Machwerk nicht hinausgab. ⟨...⟩

Der Hauptpunkt aber, auf den Herr Niekisch großes Gewicht gelegt hat, ist der Herr *Toller*. Ich sehe mich veranlaßt, auf diese Sache wegen ihrer größeren Bedeutung etwas genauer einzugehen. Der Festungsgefangene Toller ist zurzeit Gegenstand einer großen Aktion, die schon vor einer Reihe von Monaten hauptsächlich in Berlin eingesetzt hat. Schon im Juni wurde zu seinen Gunsten ein Ritt im Reichstage geritten und erklärt: es läge eine Reihe von Attesten erster Autoritäten vor, aus denen sich ergebe, daß der Festungsgefangene Toller schwer tuberkulös sei, aber das mache auf die bayerische Staatsregierung keinen Eindruck. Toller hat sich selbst mit Entschiedenheit dagegen gewehrt und die ärztliche Untersuchung, die wir sofort vornehmen ließen, hat ergeben, daß Herz und Lunge vollkommen gesund sind. In letzter Zeit ist wieder im Reichstag über die Behandlung Tollers gesprochen worden und nun hat Abgeordneter Niekisch die Sache auch hier aufgegriffen und eine ganze Reihe von Behauptungen aufgestellt, die den Tatsachen nicht entsprechen. Die Aktion zugunsten Tollers wird weiterhin auch von einer großen Menge Menschen mit der größten Intensität betrieben und findet in den Parlamenten die entsprechende Unterstützung. In welcher Weise diese Aktion betrieben wird, mögen Sie aus folgenden wenigen Beispielen ersehen, die ich vorführen werde. Hier ein Telegramm aus letzter Zeit:

»Seit mehr als zwei Jahren verbüßt der Dichter Ernst Toller, dem Millionen Deutscher ohne Parteiunterschied Liebe und Verehrung entgegenbringen, wegen eines aus idealen Beweggründen begangenen Vergehens eine Freiheitsstrafe, die seine Schöpferkraft bedroht. Dauert die Strafe an, so werden nicht wieder gut zu machende körperliche und seelische Schädigungen zugefügt. Die unterzeichneten Organisationen bitten deshalb aus Gründen der Menschlichkeit, ohne zu zögern Toller der Freiheit wiederzugeben und gleichzeitig für die Freilassung aller übrigen Mitgefangenen Tollers sich einzusetzen.«

Es sind eine Menge von Gruppen unterschrieben: Deutsche Friedensgesellschaft, Verband der Internationalen Verständigung, Neues Vaterland, Internationale Frauenliga für Frieden und Freiheit (Deutscher Zweig), Bund für radikale Ethik, Deutsche Liga für Völkerbund, Bund der Kriegsdienstgegner, Weltjugendliga, Friedensbund der Kriegsteilnehmer, Friedensbund der deutschen Katholiken, Bund religiöser Sozialisten, Deutscher pazifistischer Studentenbund, Deutscher Monistenbund.

Eine Eingabe vom Reichsausschuß der Jungsozialisten der S. P. D. vom 21. Dezember 1921, zeigt deutlich, wie die Aktion zugunsten Tollers bereits Wurzeln geschlagen und zu irrigen Auffassungen weiter Kreise Anlaß gegeben hat. Der Regierungsvertreter gab die Eingabe bekannt und fuhr dann fort: Derartige Schreiben sind symptomatisch für die verheerende Wirkung, die diese Aktion, diese ewige Hetze gegen den Strafvollzug in Niederschönenfeld, besonders auf junge, ideal veranlagte Menschen ausübt. ⟨...⟩

Zunächst möchte ich nur ein Bild geben – das ist nötig –, wie die Persönlichkeit des Herrn Toller sich im Strafvollzug überhaupt darstellt, und hier bedaure ich, sagen zu müssen, daß das Urteil der Vorstände, die mit ihm zu tun hatten, für ihn kein günstiges ist. Dieses Urteil deckt sich vollständig mit den Urteilen, die schon lange vorher bestanden, als man noch keine Ahnung hatte, welche Rolle er als Dichter und Politiker spielen würde. Dieses Urteil ging dahin, daß man es bei Toller mit einem unreifen, verworrenen, eitlen, unwahrhaftigen und anmaßenden Menschen zu tun habe. ⟨...⟩

(Unabh. Soz.-Dem.) *Niekisch*: ⟨...⟩ Diese Art und Weise, wie hier gekämpft worden ist, kennzeichnet mehr die Regierung als den von der Regierung hier eineinhalb Stunden lang herabgesetzten und angegriffenen Toller.

Ich glaube, wer irgendwie ein Verhältnis zu geistigen und kulturellen Dingen hat – ich weiß nicht, ob ein bayerischer

Regierungsvertreter ein solches Verhältnis zu haben braucht; ein bayerischer Regierungsvertreter braucht z. B. auch nicht zu wissen, daß Kayßler einer der bedeutendsten Schauspieler Deutschlands ist und nicht Kreißler oder »so ähnlich« heißt –, ich sage, wer ein solches Verhältnis hat, nimmt in die eine Hand die Dramen Tollers und die wunderbaren »Sonette eines Gefangenen«, die kürzlich herausgekommen sind, und in die andere Hand nimmt er die Regierungsdenkschrift und den Bericht über die Ausführungen des Regierungsvertreters und ich glaube, wenn er das tut, *wird er nicht zweifelhaft darüber sein, auf welcher Seite das wertvollere Menschentum liegt.*

In diesem Zusammenhange möchte ich noch folgendes anführen: Der französische Dichter Romain Rolland hat einen Brief nach Niederschönenfeld an Toller geschrieben. Für den Herrn Regierungsvertreter möchte ich bemerken, daß Romain Rolland tatsächlich ein sehr bedeutender Dichter ist, der den Johann Christof geschrieben hat und den wundervollen Meister Breugnon. Dieser Brief ist Toller nicht ausgehändigt worden, weil er in französischer Sprache geschrieben ist. Ich glaube, daß Romain Rolland niemals bayerisch gelernt hat und ob er danach Verlangen trägt, jemals bayerisch zu lernen, halte ich für sehr fraglich, und so wird, wenn er weiterhin mit Toller in Korrespondenz bleibt, er stets das Schicksal erleiden, daß seine Briefe nicht ausgehändigt werden. Ich glaube, gerade diese Tatsache wirft ein bezeichnendes Licht auf die Verhältnisse, wie sie in Niederschönenfeld liegen. ⟨...⟩

Im Anschluß an diese lange Debatte wurde der Antrag Niekisch: »Es wird ein Ausschuß zur Untersuchung des Strafvollzugs an den politischen Gefangenen eingesetzt«, abgelehnt. –

Am 24. Juni 1922 fiel Reichsaußenminister Walther Rathenau in Berlin rechtsstehenden politischen Attentätern zum Opfer, am 30. Juni 1924 wurde Tollers neues Drama *Die Maschinenstürmer* (vgl. Bd. II, S. 113 ff., 354, 361), unter der Regie von Karlheinz Martin, im Berliner Großen Schauspielhaus uraufgeführt.

Mehr als ein Jahr also lag zwischen Entstehung und Aufführung. Diese Differenz äußert sich in der Kluft zwischen Intention und Wirkung des Textes, in der Verständnislosigkeit der Kritiker gegenüber Tollers Absichten.

Erstmals hatte der Autor für ein Drama intensive Quellenstudien betrieben und sich von Gustav Mayer, dem Historiker der Arbeiterbewegung, Material zur Bewegung der Ludditen besorgen lassen. Er studierte intensiv ›Das Kapital‹ von Karl Marx und Friedrich Engels' Buch ›Die Lage der arbeitenden Klasse in England‹. Eine weitere wichtige Quelle war Max Beers ›Geschichte des Sozialismus in England‹ (Stuttgart 1913), der vermutlich der Titel des Dramas entstammt (vgl. Klein S. 76). Daß im Hintergrund des Textes die Erinnerung an Gerhart Hauptmanns ›Die Weber‹ steht, wurde von der Kritik sogleich bemerkt, ein Vergleich damit aber abgelehnt. Toller jedenfalls hat Hauptmanns Text anders interpretiert als dieser selbst.

⟨*Aus einem Brief Tollers an Gustav Mayer*
vom 2. Januar 1921⟩

⟨...⟩ Ihre Auskünfte über die Persönlichkeit Ned Luds haben mich sehr befriedigt. Ned Lud ist auch in meinem Drama nicht »Führer«. Er trägt das Antlitz eines geraden, mutigen Arbeiters, der keinerlei »Führerqualitäten« besitzt, keine eigenen politischen und wirtschaftlichen Erkenntnisse erringt, sich treiben läßt, aber da, wo er glaubt richtig zu handeln, immer als erster handelt. (Als erster auch auf die Maschinen einschlägt.)

Führertypen sind zwei andere Gestalten: ein Chartist, der unverstanden von den Arbeitern erschlagen wird; ein anderer, Demagoge, Phraseur, Handelnder aus Ressentiment, subalterner Rebell um der Rebellion willen.

Hauptakteure aber: *die* Weber.

Und das tragische Centrum, um das alle Lebensäußerungen erscheinen: die Not und die Maschine. ⟨...⟩ (ter Haar S. 216)

⟨*Aus Rudolf Kaysers Erinnerungen an Gerhart Hauptmann*⟩

Eines Abends waren Ernst Toller und ich im Hauptmannschen Hause eingeladen. Recht plötzlich ging das Gespräch auf politische Fragen über. Tollers Gesichtsausdruck zeigte Befremden. Hauptmann bemerkte es und wandte sich an ihn:

»*Ich sehe, Herr Toller, daß Sie mit mir nicht einverstanden sind. Sagen Sie, bitte, offen Ihre Bedenken.*« Toller zögerte und sagte schließlich: »*Ich dachte nur: Ich bin beim Dichter der ›Weber‹.*«

Das war für Hauptmann das Stichwort, um leidenschaftlich sein eigenes Werk zu interpretieren. »*Die Weber*«, sagte er, »*sind ein Drama ohne Tendenz.*« Nur Mitleid mit den Leidenden und Hungernden hätte ihn geleitet, als er dieses Drama schrieb. Er wollte sein Gefühl für menschliches Unglück und Unrecht ausdrücken, keineswegs aber den Glauben an eine revolutionäre Ideologie und an den gewaltsamen Umsturz der Gesellschaftsordnung. 〈...〉

Die Aufführung der *Maschinenstürmer* 1922 lenkte von allen historischen und literarischen Quellenfragen völlig ab; das Schicksal des in Niederschönenfeld inhaftierten Autors, das Schicksal des ermordeten Walther Rathenau, als Gleichnis für das Schicksal der von rechts bedrohten Republik, stand im Vordergrund.

〈*Aus Stefan Großmanns Kritik über* Die Maschinenstürmer
in ›Das Tagebuch‹ III.
Berlin 15. Juli 1922〉
Toll, Toller, am Tollsten

〈...〉

II.

Im Grunde ist die Haft des Ernst Toller eine Erfolg-Versicherung für ihn. Der gefangene Dichter muß in die Höhe gehoben werden. Er wurde auch im Großen Schauspielhaus bejubelt. Aber die Hitze wäre noch begeisterter gewesen, wenn das Werk Tollers mitgeholfen hätte. Man ist auch einem gefangenen Dichter Wahrheit schuldig. Nun also, nicht verhehlt: Die »Maschinenstürmer« sind eine Enttäuschung. 〈...〉 Toller sollte sich einmal drei Monate den Gebrauch bestimmter Vokabeln untersagen: Menschheit, Weltgemeinschaft, Kameraden, Knechte usw. usw. Aufrichtig: Dieses Schauspiel bleibt ganz und gar im Rhetorischen stecken. In diesem Drama gibt

es keine Figur. Überall nur Redner. Der Fabrikant – General-
redner der manchester-liberalen Partei, Jimmy – Referent der
U. S. P. von Nottingham, Jimmys Bruder – Wortführer der
kaufmännischen Angestellten freisinniger Richtung, Marga-
reth – Wortführerin der radikalen Arbeiterinnenvereine. Offenbar leidet Toller in Niederschönenfeld an politischen Ver-
stopfungen, hervorgerufen durch die Zurückhaltung von vielen politischen Reden. Das Drama ist ihm ein Umweg, diese
Reden nun doch loszuwerden. Man gönnt ihm die Erleichte-
rung von Herzen, aber ... so entstand kein Drama, sondern:
Gesammelte Reden von Ernst Toller.

Das Stück spielt 1815. Dann und wann erinnert sich Toller
daran. Plötzlich aber packt ihn der Rednerehrgeiz und auf
einmal sind wir wieder im Jahre 1922, die Szene wird zum
Kongreß für die Einigung aller sozialistischen Parteien. Keine
Figur geformt. Überall nur agitatorische Schemen. Beispiel:
der Fabrikant, der die erste Maschine einführt. Bei Toller ist's
eine Karikatur. Aber aus so schlechtem Holz sind technische
Neuerer nicht geschnitzt. Sicher ist der erste Maschinengläu-
bige von dem Durchschnitt der technisch rückständigen Kollegen verhöhnt, bewitzelt, bekämpft worden. Es hat Mut dazu
gehört, der Maschine den Weg zu bahnen. Bei Toller ist dieser
liberale Revolutionär nur ein von Profitsucht besessener Dick-
wanst. Und keine Frau, nur Schatten von ungeschlechtlichen
Weibern. Kein menschliches Gesicht fünf Akte lang, bloß Par-
teimasken. Kein menschlich, herzlich ergreifendes Wort. Kein
dichterisches Wortbild. Schlimmstes, abgetragenes triviales
Zeitungsdeutsch. Wäre Toller in Freiheit, man müßte sagen:
Dieses Werk ist ... Aber Lerchenfeld steht schützend vor
Toller.

III.

Vielleicht hat Karlheinz Martin dem Drama den Todesstoß
gegeben. Er hat das Redespiel in eine Oper verwandelt. Martin hat eine gefährliche Neigung, der Castan des deutschen
Theaters zu werden. Alles wird ihm zur Wachsfigurengruppe.
Er stellt Bilder und läßt die Figuren bewegungslos verharren.

Dann, auf militärisches Kommando, möglichst ruckweise, darf die Gruppe sich bewegen. Für ein Stück, das arm an seelischem Leben, mußte diese Entseelungsmethode Martins tödlich sein. Der Regisseur hat auch das Rhetorische übertrieben, statt abzuschwächen. Schon in der ersten Szene ließ er das erste Redner-Feuerwerk abbrennen. Kaum saß der Zuschauer auf seinem Platz, sollte er schon brennen. Das widerspricht allen theaterpsychologischen Gesetzen. Diese erste Rede – vollkommen sinnwidrig hat Martin den Lord Byron von dem Schauspieler sprechen lassen, der den Wanderarbeiter Jimmy gibt – auf nüchternen Magen mußte mit der Gelassenheit und Hoheit des Lords vorgetragen werden. Das englische Oberhaus ist keine Volksversammlung. Dies Seelenlos-Agitatorische hat Martin in allen Szenen betont. Aber man verträgt drei Stunden Dittmann im Theater nicht.

Das revolutionäre Schauspiel schließt sehr sittlich: »Man muß einander helfen und gut sein.« Das ist, nach drei Stunden revolutionärer Diskussion, ein flaues, fades Ende. Dies letzte Wort spricht ein etwas allegorischer Greis, der aus Literaturen zusammengezeugt scheint. Nun wohl, soll man gegeneinander gut sein, so muß man sich vor allem gegenseitig sehen. In diesem Drama aber ist nichts Geschautes. Man muß einander helfen? Ja, aber durch Gestalten, nicht durch Reden, Reden, Reden!

⟨*Aus Alfred Döblins Kritik zur Uraufführung der* Maschinenstürmer *im ›Prager Tageblatt‹*⟩
Tollers neues Stück wurde am Freitag im Großen Schauspielhaus aufgeführt. Die Regie führte Karl Heinz Martin, der Regisseur des wirksamsten Stückes Tollers »Die Wandlung« in der Tribüne. Dieterle und Granach hatten die Hauptrollen. Außerordentlicher Beifall. Stürmisches Rufen nach Toller zum Schluß. Ansprache von Martin: er danke im Namen des Dichters, der hinter Zuchthausmauern jetzt seine Gedanken hierher richte; werde Grüße des Publikums bestellen; spreche den Wunsch aus, daß der neue in Deutschland wehende Wind

auch bald die Tore für Toller öffnen werde. (»Neuer Wind«, sagte er. »Frühlingslüftchen, Sommerlüftchen«. Warte nur, balde ruhst auch du.) Unaufhörliches Rufen nach Dieterle. Der erhob sich nicht. Er war am Schluß erschlagen, massakriert worden, lag in der Arena auf dem Boden. Als das Rufen, Klatschen anfing, stand er nicht auf. Man glaubte an Festhalten der Rolle. Dann spricht Granach auf ihn ein; er steht nicht auf. Granach läuft zeichengebend zurück, andere laufen hinzu. Heben den langen Menschen auf. Der geht mühsam. Augenblickliches Schweigen im Haus. Alles steht; die Bühne, die Arena ist leer. Nach einer gespannten Minute erscheinen am Vorhang der und jener. Dann geht der Vorhang auseinander; Dieterle schwankt zwischen zwei, dreien; scheint benommen, halb ohnmächtig; kann sich verbeugen. Beifallstosen, minutenlanges Klatschen und Rufen.

Die Atmosphäre während der Aufführung politisch geladen. Beim sinnlosen Niederschlagen des Helden, Dieterles, des Agitators, während der Klage um ihn, ruft man »Rathenau«. Reden Lord Byrons (im Vorspiel), des Agitators Cobbett, Anklagereden gegen die Ausbeuter und Bourgeois werden durch ostentativen anhaltenden Beifall unterbrochen. Der Fabrikant Ure empfängt – wie im naiven Kindertheater – Hohnreden aus dem Publikum (man wird ihn bei späteren Aufführungen bewerfen, nicht ausreden lassen, auf ihn losgehen). Am Schluß des fünften Bildes, dem Beginn der Pause, Hochrufe auf Toller, »Nieder die bayrische Regierung« (stürmische Zustimmung), Stellungnahme für und gegen die Arbeiter, laute Rede und Gegenrede aus der Menge. ⟨...⟩

Als am 21. Juli 1922 im Reichsgesetzblatt die Rathenau-Amnestie verkündet wurde, waren die Niederschönenfelder Häftlinge wieder davon ausgenommen; nicht aus rechtlichen Gründen, wie Reichsjustizminister Gustav Radbruch im Reichstag betonte, sondern aus »naheliegenden politischen Gründen«. In den Reichstagsdebatten am 5. Juni und am 13. Juli hatte der Fall Niederschönenfeld und der »Fall Toller« erneut eine Rolle gespielt. Im August 1922 versagte Toller einer öffentlichen Aufrufkampagne zu seiner Freilassung die Unterstützung.

⟨*Kurt Tucholsky an Ernst Toller am 25. August 1922*⟩
⟨...⟩ Lange hat mich nichts so gefreut, wie Ihre Ablehnung
dieses Aufrufrummels für Sie. Dafür drücke ich Ihnen sehr die
Hand. Ich muß sagen: als ich las, daß der wackre Ludwig
Fulda, sechzigjährig und überhaupt, den Aufruf mitunter-
zeichnet hatte, da mußte ich doch lachen. Ich kann mir or-
dentlich denken, was er dabei gesagt hat: »Über alle politischen Gegensätze hinweg – die Kunst, die hehre Kunst –!«
Zum Kognaktrinken! Gerade das wollen wir doch *nicht*: daß
diese Braven, au fond irgendeiner überlebten Überschätzung
des Formalen, einen unterstützen, den sie verneinen müssen.
Denn wenn Sie zufällig – es ist ja auch ein bißchen zufällig –
anders wirkten und nicht rhythmisch, sondern produktiv ar-
beitend oder kämpfend oder sonstwie für die Sache arbeiteten
– dann schriebe er schlechte Spottverse auf Sie. Oder er igno-
rierte Sie. ⟨...⟩ (Tucholsky, Briefe S. 127)

Tollers Name wurde in diesem Jahr nochmals öffentlich gerühmt, als
am 6. August, anläßlich des 25. Gewerkschaftsfestes der USPD in
Leipzig, das Massenspiel *Bilder aus der großen französischen Revolution. Historische Folge in fünfzehn Bildern entworfen von Ernst Toller* aufgeführt wurde. Veranstalter des Festes (das auf eine nur durch
den Krieg unterbrochene Reihe bis 1894 zurückblicken konnte) waren das Gewerkschaftskartell und das Arbeiter-Bildungs-Institut,
Leipzig. In einer ›Festschrift zum 25. Gewerkschaftsfest Leipzig am
6. August 1922‹ wurde der Inhalt der fünfzehn Bilder den Zuschauern
verdeutlicht. Wie bei den vorausgehenden Massenspielen 1920 und
1921, wurde auch Tollers erstes Szenarium von mehreren hundert
Arbeitern gestaltet. Spielort war diesmal das Leipziger Messege-
lände.
In den Jahren 1923 und 1924 schrieb Toller zwei weitere Szenarien
für die Leipziger Gewerkschaftsfeste (*Krieg und Frieden,* 1923 und
Erwachen, 1924; vgl. Ludwig Hoffmann und Daniel Hoffmann-Ostwald, Deutsches Arbeitertheater 1918-1933. Eine Dokumentation.
Berlin 1961; Klaus Pfützner, Die Massenfestspiele der Arbeiter in
Leipzig (1920-1924). Leipzig 1960; Michael Bauer, Ernst Toller und
die Massenfestspiele der Leipziger Arbeiterschaft 1920-1924; [masch.
Mskpt.] München 1978). Texte der ›Festschrift‹ (1922) und der Text

FESTSCHRIFT
ZUM 25. GEWERKSCHAFTSFEST LEIPZIG am 6. AUGUST 1922

15 BILDER AUS DER GROSSEN FRANZÖSISCHEN REVOLUTION ★
ENTWORFEN VON ERNST TOLLER ★ EINSTUDIERT V. DEN HERREN
Dr. KRONACHER UND Dr. WINDS ★ ORCHESTER GUST. SCHÜTZE
DIE KOSTÜME UND REQUISITEN SIND VOM SCHAUSPIELHAUS
LEIPZIG UND VON DEM STAEDTISCHEN THEATER FREUNDLICHST
ZUR VERFÜGUNG GESTELLT.

des Massenspieles *Erwachen,* von Dr. A. Winds, nach Motiven von
Ernst Toller, sind erhalten; (Kopien im Archiv Spalek).

⟨*Aus der ›Leipziger Volkszeitung‹ 8. August 1922. Beilage*⟩

Das Festspiel auf dem Gewerkschaftsfest.

⟨...⟩ Tollers Bilder sind voll Wucht und Leben. Naturgemäß
müssen sie, eben weil sie Bilder sind, mehr bei den glanzvollen
Äußerlichkeiten der Revolution verweilen, sie können nicht in

die Zusammenhänge eindringen, nicht die tieferen Ursachen und Kräfte aufzeigen. Wir sehen im Bilde die Nacht des 4. August, jene von der historischen Legende verklärte Sitzung der Nationalversammlung, in der die Bevorrechteten in einer angeblichen Aufwallung von Großmut und Selbstverleugnung die Aufhebung aller Privilegien, aller Feudalrechte beschließen. Daß dieser angebliche Akt der Selbstverleugnung nur die Anerkennung dessen war, was der Aufstand der Bauern mit Sense und Feuerbrand bereits zum tatsächlichen Zustand gemacht hatte, und daß erst eine spätere Epoche der Revolution dieser schönen Geste des 4. August den realen Inhalt geben mußte, ansonst noch Raum für allerlei drückende Ablösungen und Entschädigungen der Befreiten an die ehemaligen Herren übrig geblieben wären, das läßt sich in der lapidaren Kürze des Bildes nicht zeigen. Und das ist auch nicht seine Aufgabe. Das historische Schauspiel ist kein Kursus der Geschichte und das Massenschauspiel noch viel weniger. Es kann nur in großen Umrissen das Augenfällige des Geschehens zeigen. Und Tollers Bilderreihe zeigt uns eines der wesentlichen Momente der Revolution: den stürmischen Elan der Masse, die Rolle, die das Volk in dieser großen Bewegung gespielt hat. So erzielt der Dichter, daß uns der revolutionäre Gluthauch jener weltgeschichtlichen Zeitenwende packt und erschüttert, daß wir bei allem, was im Schatten bleiben muß, dem Verständnis jener Umwälzung schauend näherrücken.

Kronachers und Dr. Winds Regiearbeit und die freudige Hingabe der Tausende an ihre Aufgabe haben die knappen Entwürfe Tollers zu kraftvollem, prallem Leben gestaltet. In den Massen ist Formung und natürliche Bewegung: und auf der Bühne entfaltet sich manches feindurchdachte, farbenprächtige Bild, dessen Einzelheiten man gern etwas nähergerückt gesehen hätte. Die Darsteller sind mit Leib und Seele in ihren Rollen, sie sind mit dem Herzen bei ihrem Spiel, das ihnen mehr als ein buntes Spiel, mehr als ein bloßer Schemen der Vergangenheit, das ihnen ein Sinnbild der Kämpfe ihrer Klasse ist, darin sie selber stehen. Das gibt ihrem Spiel eine innere Spannkraft, eine Beseelung, die sonst nicht so leicht zu erreichen ist. Besondere Anerkennung verdient die Stimmkraft und deutliche Aussprache der Solosprecher.

Es liegt nahe, Vergleiche anzustellen mit den Eindrücken der Spiele der beiden Vorjahre. Aber ich fühle mich dazu nicht berechtigt. Eben weil der Rahmen jener früheren Aufführungen ein engerer war und der Standpunkt des Rezensenten ein günstigerer. So kam damals manche Einzelheit mehr zur Geltung als diesmal, erschien das Bild gegliederter, gefeilter; aber es fehlt, wie gesagt, die Gleichheit der Bedingungen.

Alles in allem ist ein großes Werk gelungen, ein großer, erhebender Eindruck vermittelt worden. Allen, die daran mitgearbeitet haben, gebührt unser warmer Dank. H. B.

Da sich der »Fall Toller« seit 1919 parallel zu den steigenden politischen und ökonomischen Spannungen der Weimarer Republik entwickelte, ist die Krisenphase der Republik (1923/24) auch der Höhepunkt der Toller-Skandale. Im Mittelpunkt der Auseinandersetzungen stand dabei Tollers Drama *Hinkemann* (vgl. Bd. II, S. 191 ff., 355, 362), während die Debatte um *Das Schwalbenbuch* mehr eine innerbayerische Variante und ein Nachtrag zum »Fall Niederschönenfeld« war.

Die ersten Szenen des *Hinkemann* entstanden vermutlich im Oktober/November 1921. Im Oktober 1921 nämlich wurde Toller von Stefan Großmann im ›Tagebuch‹ (II, 1921) »angesprochen«. Innerhalb der Marginalien, in denen dies geschah, schrieb Großmann über den Schauspieler Josef Kainz: »Wissen wurde ihm zu Willen.« Diese Formel scheint ein auslösendes Moment des Dramas gewesen zu sein; sie kehrt wieder in einer Kernstelle, der auch das Motto entnommen ist (vgl. Bd. II, S. 194, 244 f.). Die verschiedenen Fassungen des *Hinkemann* konstituieren sich zum Teil ausschließlich durch eine Änderung dieser Textstelle. Schon im November 1921 zitierte Toller dann im Brief an Niekisch eine Anmerkung zu seinem Drama (vgl. oben S. 117), die er auch in das Vorwort zur zweiten Auflage von *Masse Mensch* übernahm (Bd. II, S. 354, 362). Ein erster Szenenvorabdruck erschien im Februar 1922 in der ›Volksbühne‹ (II, 3), weitere Vorabdrucke im Laufe des Jahres 1922 und 1923. Die Titelgebung variierte: das Drama wurde zunächst als »eine proletarische Tragödie«, in der Tradition des sozialen Dramas, mit *Die Hinkemanns* überschrieben, schon im zweiten Szenenvorabdruck (Blätter des Deutschen Theaters VIII, 17. Berlin 1922) wurde im Titel *Eugen Hinkemann* das große Stilvorbild, Georg Büchners ›Woyzeck‹, deutlich, im Titel *Der deutsche Hinkemann* schließlich die Tradition des allegorischen Dramas erkennbar (vgl. Frühwald S. 78 ff.); Toller hat aber noch 1923 auf die Überbetonung der allegorischen Stilzüge (vor allem in der Kritik Alfred Kerrs) mit dem endgültigen Titel *Hinkemann* geantwortet.

Das Stück war vom Deutschen Theater, Berlin zur Aufführung angenommen, doch ließ man dort mehrere Aufführungstermine verstreichen und gab nach dem Dresdener Skandal (1924) den Plan völlig auf. Die Uraufführung fand am 19. September 1923 in Leipzig statt; die Kritik sprach einhellig von einem Theaterereignis (vgl. Alfred Kerrs Kritik im ›Berliner Tageblatt‹ 11. Dezember 1923; Neudruck bei: Bert Brecht, Baal. Der böse Baal der asoziale. Texte, Varianten und Materialen. Hrsg. von Dieter Schmidt. Frankfurt a. M. 1968. S. 176 ff.). Erst bei der Dresdener Aufführung am 17. Januar 1924, am Vorabend des den deutschen Nationalisten heiligen Reichsgründungstages, kam es zu einem Skandal, der lange widerhallte und zahlreiche weitere Skandale in Deutschland und Österreich nach sich zog. Toller war durch die Zeitdifferenz zwischen Entstehung und Aufführung seines Dramas in den Schnittkegel der deutschen Bürgerkriegsparteien geraten; sein Name, nicht der Text seines Werkes, war zum Symbol und zum Antisymbol der einander bekämpfenden Weltanschauungsparteien geworden. Die Nationalisten – und mit ihnen verbündet: die Nationalsozialisten – nahmen im Dresdener Theaterskandal Rache für die in Bayern (im November 1923) soeben gescheiterte National-Revolution; andererseits bedeutete die nachträgliche Aufnahme des Stückes in den Spielplan des Dresdener Staatstheaters auch Protest gegen die am 29. Oktober 1923 vollzogene Reichsexekution gegen die in Sachsen regierende Volksfront. Das Dresdener Theater verstand sich mit Toller, dem »Dichter des Proletariats«, als Widerstandslinie der Revolution. Tollers pessimistische Deutschlandschelte im *Hinkemann* aber wurde durch die Skandale in Realität übersetzt, die auf den Bühnen abgebrochenen Vorstellungen setzten sich fort in den Schlägereien im Zuschauerraum und auf den Straßen, in den Auseinandersetzungen der Parlamente, der Presse und der Gerichte (vgl. Frühwald S. 89 ff.; ter Haar S. 39 f.).

⟨Aus den Verhandlungen des Sächsischen Landtags 1924.
Sitzung vom 24. Januar 1924⟩

Abgeordneter Dr. Kastner ⟨Dem.⟩: Meine sehr geehrten Damen und Herren! Dem Wunsche des Herrn Vizepräsidenten, einmal für etwas frische Luft zu sorgen, wird, glaube ich, die Debatte entsprechen, die wir jetzt eröffnen, denn mir scheint, es handelt sich hier um Dinge, bei denen für frische Luft gesorgt werden muß.

Die Anfrage, die ich zu begründen habe, hat folgenden Wortlaut:

Am 17. Januar ist im staatlichen Schauspielhaus die Erstaufführung der Tragödie »Hinkemann« von Ernst Toller zum Anlaß von Lärmszenen benutzt worden, die jede Rücksicht auf den Ort, die Künstler und das anwesende ernsthafte Publikum vermissen ließen und die für die Geschichte des Dresdner Theaters beschämend und ohne Beispiel sind. Die Lärmszenen waren offensichtlich eingehend vorbereitet. Das Theater war auf den verschiedensten Plätzen reihenweise von theaterfremden, meist jugendlichen Elementen besetzt. Der Lärm setzte bereits mit Beginn des Stückes ein, so daß es sich keinesfalls um die spontane Kundgebung einer aus dem Stück selbst hervorgehenden sachlichen Ablehnung handeln konnte, sondern nur um Radaulust oder den Versuch, die Aufführung des Stückes zu hindern und sie gleichzeitig zu politisch-demagogischen Zwecken zu mißbrauchen. Ohne zur Tendenz und ohne zu dem künstlerischen Wert des Stückes hier Stellung zu nehmen, muß grundsätzlich dagegen Einspruch erhoben werden, daß das Theater durch das gewalttätige Vorgehen einer Minderheit stundenlang zum Tummelplatz unwürdiger und wüster Radauszenen gemacht wird, wie dies am 17. Januar geschehen ist.

Wir fragen die Regierung:

Was gedenkt die Regierung zu tun, um ähnlichen Vorgängen in Zukunft vorzubeugen? ⟨...⟩

Meine Damen und Herren! Die Sache war organisiert, sie war eine Kraftprobe. Sie war aber zum Teil nicht gut organisiert,

144

denn wer es mit erlebt hat, der weiß, wie dieser wüste Lärm oft an der falschen Stelle losgegangen ist. Ich will weiter sagen: Es war ein Versuch, dem verhaßten Kultusminister der großen Koalition und damit der großen Koalition selbst einen Knüppel zwischen die Beine zu werfen. Haben Sie nicht gehört, wie man den Kultusminister zu provozieren versucht hat? Und wenn dort diese Menschen in den Lärm hinein noch das Deutschlandlied singen, da halte ich aufrecht und wiederhole, was ich ihnen dort zugerufen habe: Sie schänden dieses Lied! ⟨...⟩

Ich sehe hier einen Aufruf, der tapfer wie immer anonym und nur unterschrieben ist »Nationalgesinnte Kreise«, der eine Reihe von Szenen bringt, die fast alle bei der Aufführung gestrichen waren, und in dem es heißt:

»Die schmutzige Tragödie von dem Kommunisten Ernst Toller: ›Der deutsche Hinkemann‹, soll Donnerstag nochmals zur Aufführung gelangen. –

Direktor Paul Wiecke wagt nach der ersten starken Ablehnung, unter starker polizeilicher Bedeckung eine Wiederholung.

Es ist also in einem Kulturstaat möglich, daß in einem Staatstheater ein Stück aufgeführt wird, das das Christentum und das Deutschtum verhöhnt, unsere verletzten Kriegshelden lächerlich macht und in Bild und Wort eine Schweinerei sondergleichen bedeutet.

Das ist Kunst, die das Staatstheater dem deutschen Volke zu bieten wagt. Daß Herr Wiecke es wagen konnte, die Aufführung durchzusetzen, trotzdem sich verschiedene bekannte Spielleiter unseres Theaters dagegen erklärt haben wollen, beweist zur Genüge, daß er für den Posten eines leitenden Direktors des Schauspielhauses nicht mehr in Frage kommt.«

Das schreiben die Leute, die nicht den Mut haben, ihren Namen darunter zu setzen, und berufen sich, wie gesagt, auf Szenen, die Wiecke von sich aus gestrichen hat (Hört, hört!), die übrigens in Leipzig aufgeführt worden sind, ohne daß es dort zu Störungen gekommen ist.

145

Diese ganze Art erscheint mir wie das Treiben kleiner Jungen, die aus der Bibel oder aus Goethe oder aus Shakespeare sich gewisse Stellen zusammengestellt, an denen sie besonderen Spaß haben. – So kommt mir der Zettel vor, der auf den Straßen anonym verteilt wurde. ⟨...⟩

Ich habe weiter einen Brief, der auch anonym dem Theater zugegangen ist:

»Warnung!

Ist Euch der gestrige Theaterskandal noch nicht Warnung genug, daß Ihr Lümmels Euch erfrecht, das von einem hergelaufenen bolschewistischen Verbrecher, der an den Galgen gehörte, anstatt ins Schauspielhaus, verfaßte jüdische Machwerk dem anständigen deutschen Publikum nochmals aufzudrängen?!

Wenn Euch Eure Kunst nichts anderes ist als der Abort Eures perversen seelischen Empfindens, als dessen Prostituierte Ihr Euch zu betrachten scheint –, so ist derartiges geschmackloses Gebaren schließlich Eure Sache, soweit es auf Eure kranken Gehirne beschränkt bleibt.

Diese perverse Schamlosigkeit findet aber eine Grenze in dem Momente, wo sie sich öffentlich als feile Dirne zur Schau stellt – frech und zynisch just in den Tagen der Reichsgründung. Wollt Ihr Euch damit zugleich bei der Republik ansch ... – oder sie überall im Volke kompromittieren??

Das Theater ist ein öffentliches Institut und gehört dem Volke! Es ist kein Hurenhaus, wo körperlich oder geistig Entmannte, Klosettkünstler oder Verbrecher ihre Orgien feiern dürfen – ungestraft.

Kurz gesagt:

Sollte morgen oder später das Miststück wieder im Repertoire erscheinen, wird einer oder mehrere von Euch durch ein paar wohlgezielte Browningschüsse aus dem Zuschauerraum – ›gehinkelmannt‹!!

Diese Warnung geht abschriftlich dem Polizeipräsidium und Wehrkreiskommando zu, um es der Behörde zu überlassen, ob sie *vorher* die Schweinerei zu verbieten gedenkt.«

(Zurufe: Pfui! – Abg. Menke: Das ist deutschnationale Jugend! – Zuruf des Abg. Ziller.) ⟨...⟩

Abgeordneter Dr. Kretschmar ⟨Deutsch-Nat.-Volksp.⟩: Meine sehr geehrten Frauen und Herren! (Zuruf links: Der Philanthrop!) Nachdem der Herr Abgeordnete Ziller eine Kurze Anfrage – für die gibt es ja hier *keine* Aussprache – eingebracht hatte, und nachdem neue Ereignisse es nötig gemacht hatten, eine weitere Anfrage zu stellen, ist sie von meinen Parteifreunden Hofmann, Frau Bültmann und mir in folgender Weise eingebracht worden. Unsere Anfrage ist Ihnen wohl bekannt; wenn nicht, dann werde ich sie Ihnen nochmals verlesen. ⟨...⟩

Trotz der sich täglich steigernden Empörung, die die Aufführung des Tollerschen Stückes »Hinkemann« im Schauspielhaus ausgelöst hat, wurde nach vorläufiger Absetzung des Stückes vom Spielplan für Donnerstag, den 24. Januar, in Übereinstimmung mit dem Ministerium für Volksbildung eine zweite Aufführung mit besonderen Bedingungen für die Kartenentnahme eingesetzt.

Ob das Tollersche Stück künstlerischen Wert hat, kann hier zunächst unerörtert bleiben; auch nach dem Urteil solcher Kritiker, die dem Verfasser weitgehendes Verständnis entgegenbringen, ist dieser Wert jedenfalls nicht derart, daß er eine Aufführung des Stückes forderte. Außer Frage aber steht, daß das Stück an vielen Stellen jedem sittlichen und jedem vaterländischen Empfinden ins Gesicht schlägt.

(Abg. Menke: Sie müssen ein gediegenes sittliches Empfinden haben!) Ich habe es bei *Ihnen* noch nicht gesucht.

Szenen, wie z. B. die dritte im zweiten Akt, sind für alle, die solchen Empfindens noch fähig sind, schlechthin unerträglich. Die Ansetzung der Erstaufführung auf den 18. Januar, den Gedenktag der Reichsgründung, bedeutete entweder bewußte und gewollte Verhöhnung oder einen vollkommenen Mangel an Verständnis für das, was deutsche Ehre gerade heute fordert oder verbietet.

⟨...⟩

Abgeordneter Böttcher ⟨Kommun.⟩: ⟨...⟩ Nun zu unserer Stellung als Kommunisten zu Toller und zu Hinkemann. Wir sehen in Hinkemann und in der Entwicklung, die Toller durchgemacht hat, einen Zug zum tiefsten Pessimismus, einen Zug zur Verzweiflung darüber, ob es der Arbeiterklasse jemals gelingen wird, die bürgerliche Gesellschaft zu überwinden und die politische Macht an sich zu reißen und zu behaupten. Toller ist am Klassenkampfe verzweifelt. Das zeigt sich am besten im Hinkemann. Toller ist dem Leben der Arbeiterklasse entrückt. ⟨...⟩

Abgeordneter Arzt ⟨Sozialdemokraten⟩: ⟨...⟩ Meine Damen und Herren! Ich hatte nach dem ersten großen Ansturm eine Unterredung mit einem Mann, der da sagte: Ich verstehe gar nicht, wenn ich beispielsweise Kommunist wäre, warum soll ich mir nicht den Prinzen von Homburg ansehen können oder irgendein anderes Stück, wenn ich nur den Willen habe, zunächst einmal einzudringen in die Gedankenwelt der anderen. Und als zum zweiten Male der große Radau einsetzte, als der Ruf erschallte: Juden raus! wurde derselbe Mann hinter mir, mit dem ich erst gesprochen habe, plötzlich vom Schlaganfall getroffen. Ich habe den Mann mit hinausgetragen, und er ist an der furchtbaren Aufregung gestorben. Aber, meine Damen und Herren, da hat man dort gerufen: Das ist doch bloß ein Jude; wieder ein Jud weniger! (Lebhafte Pfui-Rufe.) Dort sieht man den ganzen fanatisierten Pöbel und diese Pöbelhaftigkeit der Leute, die angeben, deutsche Kulturträger zu sein. ⟨...⟩

Und deshalb sage ich: das Große an dem Stück und dasjenige, was auch dieser rechtsseitig eingestellten Jugend hätte nützen können, ist, daß einem die Augen für die furchtbare Zeitlage, in der wir uns befinden, sehend gemacht werden. Und deshalb glaube ich, daß es richtig ist, was die Grete Hinkemann in ihrer Anklagerede sagt: »Wen klage ich an? Die Schuld hat eine Zeit, in der es so was gibt.« (Sehr gut! bei den Kommunisten.) Wenn es noch so etwas gibt wie Ihre Agitation, meine Herren von der rechten Seite, dann können wir uns auf noch manche Überraschung in Deutschland gefaßt machen, die aber nicht etwa der deutschen Kultur Ehre macht. Das ist das Deutschtum, das gar kein Deutschtum ist, etwas, was tief in der Gosse bei Mordgesindel usw. existiert. Wenn Sie diesen Geist ausrotten, dann hat auch die Hinkemann-Interpellation einen Erfolg. (Bravo! bei den Sozialdemokraten.)

Von sieben namentlich festgestellten Radaubrüdern des Dresdener Skandals wurden sechs wegen Notwehr freigesprochen, einer, der zugegeben hatte, auf einem Schlüssel gepfiffen zu haben, wurde zu 10 Mark Strafe verurteilt, in der Berufungsverhandlung dann aber ebenfalls freigesprochen. Das Notwehrrecht, so lautete die Begründung, bestehe auch gegenüber Angriffen auf das »edle und jedes Schutzes würdige Gefühl der Vaterlandsliebe« (vgl. Heinrich Hannover/Elisabeth Hannover-Drück, Politische Justiz 1918-1933. Mit einer Einleitung von Karl Dietrich Bracher. Frankfurt a. M. 1966, S. 255 ff.).
Die Wiener Aufführung des *Hinkemann* am 10. Februar 1924 fand unter Polizeischutz statt, ein Sturm der deutsch-völkischen Studenten und Turner, »die das Hakenkreuz trugen«, auf das Theater wurde abgeschlagen. Im Skandal ging eine Aufführung in Delitzsch am 9. April 1924 unter, wobei die Mitglieder des Bundes der Frontsoldaten, des Wehrwolfs und des Stahlhelm, die den Skandal inszeniert hatten, einem Schauspieler drohten, ihn »auf *ihre* Wache« mitzunehmen; die Berliner Erstaufführung am 11. April 1924 im Residenz-Theater erklärte das preußische Innenministerium zu einer Sache der Republik; sie konnte deshalb – unter Polizeischutz – stattfinden.

⟨*Aus der Kritik Joseph Roths
über die Berliner Aufführung des* Hinkemann.
›Vorwärts‹. 15. April 1924⟩
Hinkemann

> Motto: »Dem Gesuche, dem Schriftsteller Ernst Toller – – – Strafunterbrechung zu bewilligen, kann keine Folge gegeben werden, weil die Bewilligung einer Strafunterbrechung zu diesem Zwecke mit dem Ernste des Strafvollzugs nicht vereinbar ist.
> gez. *Gürtner,* Justizminister.«

S. 150-152. *George Grosz: Illustrationen zu Tollers ›Hinkemann‹.*
(Aus: Brokenbrow. A Tragedy by Ernst Toller. Translated by Vera
Mendel. With drawings by George Grosz. London 1926)

Unter Menschen, die diese bajuwarische Abart der deutschen Sprache – in ihrer Form gleich schauderhaft, wie in ihrem Inhalt – reden, sitzt Ernst Toller gefangen. Daß es ihm möglich ist, »mit dem Ernste« eines solchen »Strafvollzugs« die Tätigkeit des Dichtens überhaupt »vereinbar sein« zu lassen, ist allein schon ein technisches Verdienst und ein Beweis für moralische Ausdauer. Einem Schriftsteller, der sie nicht besäße, müßte die Hand verdorren, ehe sie nach der Feder greift – in dieser Umgebung, deren Befehlen und Vorschriften »seitens der Opfer« leider »Folge gegeben werden« muß. Unter solchen Umständen ringen nur eine reine Glut und ein heiliger Wille mit der Gestaltung eines Stoffes. Den reinen Willen besitzt Ernst Toller. Aber er ist nicht stark genug, den dichterisch konzipierten, dramatisch bewegten und stellenweise sogar visionär bearbeiteten Stoff zu »bewältigen«; das heißt: bis zur einzigen Gültigkeit durchzuformen. Das dramatische Gerüst ist schief. Die Rollen schlottern um die Personen. Der treulich erlauschte Klang, die richtig beobachtete Erscheinung sind nicht in die Region des Überwirklich-Dichterischen gehoben. Die »starke« Wirkung ist oft eine gewaltsame. Die tragische Ironie hat eine begrenzte, nicht überdimensionale Grausamkeit. Die Symbolik ist naiv, nicht metaphysisch. Das Schicksal des »Helden« (Hinkemann) – und mag er auch kein Individuum, sondern ein Collectivum sein – blüht nicht vorbedingt und unabänderlich aus seinem Wesen. Denn er wuchs nicht in der Phantasie und im Herzen seines Autors, sondern er wurde nachträglich, um einen »Einfall« lebendig werden zu lassen, um die Idee gebaut, wie eine Glocke um die bereits vorhandene Form. Sein Schicksal – und somit die ganze Handlung – ist möglich, aber nicht unbedingt, nicht naturnotwendig. ⟨...⟩

Und dennoch beginnt dieses Drama (neben anderen) einen historischen Abschnitt in der dramatischen Literatur. Denn es führt, wie einmal das »bürgerliche Trauerspiel« den Bürger statt der Könige, den Proletarier statt des Bürgers auf der Bühne ein. Es bricht Bahn für die dramatische Behandlung der neuen Klasse, des kommenden Menschen. Das ist der Anfang einer neuen Literatur. Er muß mehr literarhistorisch als kritisch gewertet werden. Noch sind die meisten Schicksale, die wir auf unseren Bühnen sich erfüllen sehen, Schicksale bürgerlicher Menschen. Der Bürger mag den »Hinkemann« nur kritisch werten. Ihm ist er eine literarische Erscheinung. Uns aber ist jedes Drama, dessen Gestalten Blut von unserem Blut sind, dessen Handlung proletarisches Erlebnis umschließt, eine historische *und* eine persönliche Angelegenheit. Auch der künstlerisch unvollkommene Hinkemann berührt uns tief, weil er ein Proletarier ist, ein Opfer der herrschenden Klasse und jenes Krieges, den sie auf ihrem mangelhaften Gewissen hat. Im Weltkrieg hat Hinkemann durch einen Schuß sein Geschlecht verloren. Er wurde auf dem Feld dieser zweifelhaften Ehre, der »männlichen« Ehre – entmannt. Und diese Ironie ist es eigentlich, die den nationalistischen Sturm entfacht. Weil sie allein das »Heldentum«, von dem jene Barbaren leben, endgültig desavouiert. Kann man ein »Held« sein, wenn man ein Eunuch ist? Schicksal des Proleten! Unter dem Vorwand, ihn zum Helden machen zu wollen, macht man ihn zum Eunuchen. Indem man seinen männlichen Ehrgeiz weckt, nimmt man ihm die Männlichkeit. Die Ironie dieses Gedankens ist groß. Die Ironie steigert sich: der entmannte Hinkemann wird von einem Schaubudenbesitzer als Rattenfresser ausgestellt und als der Repräsentant »deutscher Männlichkeit« gepriesen.

Außer diesem Proletenschicksal noch Ausschnitte aus der Denkart des Proletariers; des bornierten Nur-Partei-Menschen; des rohen egoistischen Proletariers; der proletarischen Frau. Toller vermochte allerdings mehr »Milieu«, als dessen dichterische Gestaltung zu geben. Aber, daß er proletarisches Milieu gab und des Arbeiters Leid und Leben zu erfassen versucht hat, ist, von unsern Augen gesehen, ein Verdienst.

Also ist auch die Aufführung ein doppeltes Verdienst: ein positives, weil sie ein Arbeiterschicksal vermitteln will und ein negatives, weil sie eine tapfere Entgegnung auf die Provoka-

154

tion des nationalen Bestiariums bedeutet. Darüber hinaus kann die Aufführung im *Residenztheater* als gelungen bezeichnet werden. In der Regie vereinigten sich der diplomatisch-kluge Emil *Lind* und der initiativ-schöpferische Erwin *Berger*. Professor Cesar *Klein* lieferte die sehr stillen und in ihrer tragischen Sanftheit sehr wirksamen Dekorationen. Den Hinkemann gab Heinrich *George*. Er verlebendigte selbst jene Stellen, die an oratorischer Monotonie leiden. Er durchpulste die Rhetorik, füllte gleichsam mit Blut leere Redegefäße. Neben ihm gestaltete Renée *Stobrawa* die Frau Hinkemann mit kargen komprimierenden Gesten und sparsamer Stimmkraft zu einer erschütternden Proletariergestalt. Außer diesen beiden sind nur noch Hugo *Döblin* als Budenbesitzer zu erwähnen und Claire *Selo* und Frigge *Braut* in eindrucksvollen Episodenrollen. Der starke Beifall galt der Regie und dem Hauptdarsteller. Er wird durch die Festungsmauern zu Ernst Toller dringen; der Beifall und der Dank der arbeitenden Menschen.

Am 16. Januar 1923 starb in der Festungshaftanstalt Niederschönenfeld August Hagemeister (Steindrucker, geb. 1879 in Detmold), der am 10. Juni 1919 wegen Hochverrats zu 10 Jahren Festungshaft verurteilt worden war. Er war während der Rätezeit noch Mitglied der USPD und Volkbeauftragter für Volkswohlfahrt, später Landtagsabgeordneter der KP; wiederholte Anträge auf Freilassung von Hagemeister waren abgelehnt worden. Das Erlebnis dieses Todes ist eine der Quellen für die Entstehung von Tollers *Schwalbenbuch* (Bd. II, S. 323 ff., 357 ff.), wie sie der Autor in *Eine Jugend in Deutschland* (Bd. IV, S. 228 ff.) und in den *Briefen aus dem Gefängnis* (Bd. V, S. 138 ff., 162 ff.) schildert. Tollers Anzeige gegen den Festungsarzt wurde von der Staatsanwaltschaft am 24. Januar 1923 zurückgewiesen.

Die Hagemeister-Debatte im Bayerischen Landtag (am 13. Februar 1923) war die letzte größere Debatte über Niederschönenfeld. An ihr beteiligten sich die bürgerlichen Parteien nicht mehr. Wegen der Apostrophierung des Falles Hagemeister aber verfielen einige Stellen des *Schwalbenbuches* der Festungszensur; Toller mußte es als Kassiber aus dem Gefängnis zum Verleger befördern lassen (vgl. Bd. IV, S. 231). –

Da Toller im Gefängnis zu einem der bekanntesten deutschen Dramatiker geworden war, wurde der Tag seiner Entlassung von zahlreichen sozialistischen Organisationen als ein Demonstrationstag geplant. Die bayerische Regierung, die Toller aus Bayern auswies (vgl. Bd. I, S. 106 f.), kam diesen Demonstrationen zuvor und ließ ihn einen Tag vor Ablauf seiner Haftzeit von zwei Kriminalbeamten an die sächsische Grenze eskortieren.

⟨Aus den Polizeiakten Ernst Tollers⟩

Polizeidirektion.   München, den 18. Juli 1924
Abteilung VI a F. 124 1/24
Betreff:
Toller Ernst, led. Schriftsteller, geboren
1. 12. 1893 zu Samotschin in Preußen,
dessen Begleitung von Niederschönenfeld nach Hof a. d. Saale.

Am 15. Juli 1924 hatten ich und Krim. Ass. Dill im Auftrage der Abteilung VIa der Polizeidirektion den bisherigen Festungsgefangenen Ernst Toller, dessen Strafzeit zu Ende war, und der aus Bayern ausgewiesen wurde, von Niederschönenfeld aus an die Landesgrenze zu begleiten.
Nachdem ich und Dill um 11 Uhr vormittags in Niederschönenfeld eingetroffen waren und uns dort mit dem Vorstand der Anstalt, Herrn Oberregierungsrat Hoffmann, über die Angelegenheit genügend ausgesprochen hatten, eröffnete vielleicht um 1 Uhr mittags Herr Oberregierungsrat Hoffmann dem Toller in unserer Gegenwart seine Ausweisung aus Bayern, die Toller widerspruchslos annahm. Zugleich machte Herr Oberregierungsrat Hoffmann den Toller darauf aufmerksam, daß er von mir und Dill bis zur Landesgrenze begleitet werde und daß er bestimmen könne, wo er hinreisen und an welcher Stelle er die Landesgrenze überschreiten wolle. Toller erklärte, daß er nach Sachsen und zwar nach Plauen und Leipzig auf dem kürzesten Wege wolle. Wir ver-

18

(Bildlegenden und Nachweise s. S. 298)

19

20

21

22

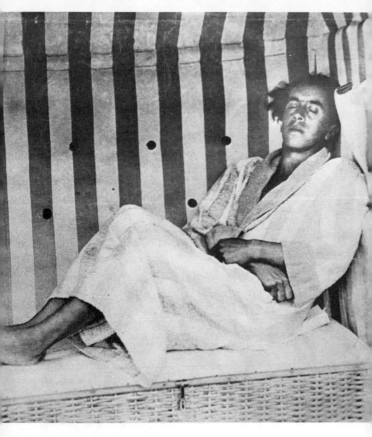

23

24

Amtliches.

Deutsches Reich.

Bekanntmachung.

Auf Grund des § 2 des Gesetzes über den Widerruf von Einbürgerungen und die Aberkennung der deutschen Staatsangehörigkeit vom 14. Juli 1933 (RGBl. I S. 480) erkläre ich im Einvernehmen mit dem Reichsminister des Auswärtigen folgende Reichsangehörige der deutschen Staatsangehörigkeit für verlustig, weil sie durch ein Verhalten, das gegen die Pflicht zur Treue gegen Reich und Volk verstößt, die deutschen Belange geschädigt haben:

Dr. Apfel, Alfred, geb. am 12. März 1882;

Bernhard, Georg, geb. am 20. Oktober 1875;

Dr. Breitscheid, Rudolf, geb. am 2. November 1874;

Eppstein, Eugen, geb. am 25. Juni 1878;

Falk, Alfred, geb. am 4. Februar 1896;

Feuchtwanger, Lion, geb. am 7. Juli 1884;

Dr. Foerster, Friedrich-Wilhelm, geb. am 2. Juni 1869;

v. Gerlach, Helmuth, geb. am 2. Februar 1866;

Gohlke, Elfriede, gen. Ruth Fischer, geb. am 11. Dezember 1895;

Großmann, Kurt, geb. am 21. Mai 1897;

Grzesinski, Albert, geb. am 28. Juli 1879;

Gumbel, Emil, geb. am 18. Juli 1891;

Hansmann, Wilhelm, geb. am 29. Oktober 1886;

Heckert, Friedrich, geb. am 28. März 1884;

Hölz, Max, geb. am 14. Oktober 1889;

Dr. Kerr, Alfred, geb. am 25. Dezember 1867;

Lehmann-Rußbüldt, Otto, geb. am 1. Januar 1873;

Mann, Heinrich, geb. am 27. März 1871;

Maslowski, Peter, geb. am 25. April 1893;

Münzenberg, Wilhelm, geb. am 14. August 1889;

Neumann, Heinz-Werner, geb. am 6. Juli 1902;

Pieck, Wilhelm, geb. am 3. Januar 1876;

Salomon, Berthold, gen. Jacob, geb. am 12. Dezember 1898;

Scheidemann, Philipp, geb. am 26. Juli 1865;

Schwarzschild, Leopold, geb. am 8. Dezember 1891;

Sievers, Max, geb. am 11. Juli 1887;

Stampfer, Friedrich, geb. am 8. September 1874;

Toller, Ernst, geb. am 1. Dezember 1893;

Dr. Tucholski, Kurt, geb. am 9. Januar 1890;

Weiß, Bernhard, geb. am 30. Juli 1880;

Weißmann, Robert, geb. am 3. Juni 1869;

Wels, Otto, geb. am 19. September 1873;

Dr. Werthauer, Johann, geb. am 20. Januar 1866.

Das Vermögen dieser Personen wird hiermit beschlagnahmt.

Die Entscheidung darüber, inwieweit der Verlust der deutschen Staatsangehörigkeit auf Familienangehörige ausgedehnt wird, bleibt vorbehalten.

Berlin, den 23. August 1933.

Der Reichsminister des Innern.

J. V.: Pfundtner.

26

27

einbarten dann mit Toller, daß wir um 4 Uhr 46 nachmittags von Rain über Ingolstadt nach Regensburg und von dort mit dem Schnellzug über Weiden, Hof, Leipzig fahren werden. Über Nürnberg fuhren wir deshalb nicht, weil nach einem in Niederschönenfeld eingetroffenen Telegramm, Toller in Nürnberg von politischen Freunden erwartet wurde.

Um 4 Uhr nachmittags verließen wir mit Toller die Strafanstalt. Während des Weges von Niederschönenfeld zum Bahnhof Rain kam uns Rechtsanwalt Kaufmann von München und noch ein junger Mann im Auto nachgefahren. Mit diesem Auto (Zweisitzer) fuhren wir auf dem Trittbrett stehend, zum Bahnhof Rain. Nachdem sich Kaufmann mit Toller in Rain längere Zeit besprochen hatte, teilte mir Kaufmann mit, daß sie mit dem Auto über Aschaffenburg nach Frankfurt fahren wollen. Diesen Vorschlag lehnte ich bestimmt ab, denn ganz abgesehen davon, daß wir für eine längere Autoreise nicht entsprechend gekleidet waren, konnte ich ja auch gar nicht wissen, wo uns Kaufmann hinfahren wird und was er mit uns vor hat, denn während einer Fahrt in einem Auto, dessen Lenker nicht zu mir gehört, wäre mir die Führung vollständig aus der Hand genommen worden. ⟨...⟩

Auf meine Einwendung, daß Toller bereits den Weg seiner Abreise bestimmt habe und daß daran nichts mehr geändert werde, zeigte mir Kaufmann immer wieder eine schriftliche Bestätigung der Polizeidirektion vor, nach der er (Kaufmann) den Weg zur Abreise bestimmen dürfte. Erst als ich dem Kaufmann klipp und klar erklärte, daß diese Bescheinigung für mich nicht bindend sei und zwar deshalb nicht, weil bei Ausstellung dieser Bescheinigung bei der Polizeidirektion in München noch nicht bekannt war, was mir jetzt bekannt ist, ließ Kaufmann endlich mit weiteren Anträgen mich vorerst in Ruhe, zumal ich ihm auch bedeutet hatte, daß mein Entschluß unabänderlich sei, denn ich allein sei für die Sicherheit des Toller meiner Behörde gegenüber verantwortlich. Toller sagte zu dem allem nichts. Wir fuhren dann nach Ingolstadt. Dort etwa um 6 Uhr nachmittags angekommen, schlug Kaufmann vor, jetzt in einem Hotel ein Zimmer zu mieten und dann um 12 Uhr nachts mit dem Schnellzug über Treuchtlingen-Ansbach-Würzburg nach Frankfurt zu fahren. Auch diesen Vorschlag lehnte ich ab mit der Begründung, daß die Abreise des Toller ohne jede Unterbrechung vor sich zu gehen habe. Hierauf fuhren wir nach Regensburg und nachdem dortselbst im Wartesaal II. Klasse Toller zu Abend gegessen hatte, bestiegen wir den Schnellzug und fuhren in Richtung Hof ab. Zwischen Schwandorf und Weiden begaben sich Toller und Kaufmann in den Schlafwagen, was ich gestattete. Nachdem wir uns durch Befragung des Schlafwagenkondukteurs überzeugt hatten, daß sich Toller und Kaufmann zu Bette begeben hatten und daß sie vor Leipzig geweckt werden wollen, überwachten wir an den Haltestellen Weiden, Markt-Redwitz und Hof jedesmal den Schlafwagen und stellten somit fest, daß Toller über Hof hinausfuhr und demzufolge am 16. Juli früh gegen 2 Uhr Bayern verlassen hat.

Wäre Toller allein gewesen, so hätte sich die ganze Angelegenheit bestimmt reibungslos vollzogen. Nur deshalb, weil Rechtsanwalt Kaufmann glaubte, den Weg der Reise nach seinem Gutdünken bestimmen und über mich verfügen zu können, kam es zu den angeführten Vorkommnissen. Ich bekam aus den allerdings sehr vorsichtig gehaltenen Andeutungen des Kaufmann immer mehr die Überzeugung, daß Kaufmann der Ansicht war, daß ich den Toller seinen politischen Gegnern in die Hände spielen wolle, weshalb ich auch den Kaufmann wiederholt ersuchte, doch zu mir das nötige Vertrauen zu haben.

Während der Fahrt unterhielten sich Toller und Kaufmann über die Ausweisung, gegen die Kaufmann Beschwerde einlegen will und über die Verurteilung des Toller, wobei Toller behauptete, daß Wutzlhofer und Gandorfer als seinerzeitige Mitglieder des Vollzugsrates, alles, was geschehen sei, mit vereinbarten und gut hießen, ohne dafür bestraft zu werden. Ähnliches behauptete Toller auch von Schneppenhorst.

Bemerken möchte ich noch, daß Toller, der ein ganz verbissener Mensch zu sein scheint, kurz vor seiner Abreise in Niederschönenfeld, von dem früheren komm. Abgeordneten *Graf* besucht wurde.

Christian Becher,
Kriminalsekretär.

Kampf für die Weimarer Republik
1924-1933

⟨*Aus der ›Neuen Freien Presse‹ (Wien).*
19. Juli 1924⟩

Begegnung mit Ernst Toller.
Das erste Gespräch nach der Freilassung.
Von Manfred Georg
Auf einem mitteldeutschen Bahnhof, 16. Juli
Um 5 Uhr morgens klimmt der Münchner Zug am Horizont
empor. In wenigen Sekunden ist er da. Steht zitternd. Ein paar
Passagiere steigen aus. Meist armes Volk, das frühzeitig in die
Stadt muß und von nicht weit her kommt. Dann unter den
Reisenden zwei Männer, der eine mit Rucksack und Sport-
mütze, der Münchner Anwalt Dr. *Kaufmann,* und neben ihm
sein wohl bekanntester Klient, der Dichter der »Wandlung«,
»Masse Mensch« und des »Hinkemann«, Ernst *Toller,* der
gestern die Festung Niederschönenfeld verließ, auf der er fünf
Jahre einer »Haft« abgesessen hat, weil er, wie bekannt, als
einer der hervorragendsten Führer in der Münchner Rätezeit
und als Kommandant der bayerischen Rotgardisten eine er-
folglose Revolutionierung des so unrevolutionären Bayern-
landes versucht hat. Die Jahre der Haft haben ihre Spuren
hinterlassen. Der jugendliche, stets suggestiv wirkende, feu-
rige Kopf trägt heute die Züge einer harten Reise. Toller ist
halb ergraut, und die an die Weite und Freiheit des Lichts
noch nicht gewohnten Augen bergen sich hinter großen Bril-
lengläsern.
Die bayerische Regierung hat ihn sicher bis zur Grenze gelei-
ten lassen. Durch *zwei Kriminalbeamte,* die ihm seine Reise-
route vorschrieben, ihm aus Angst vor Demonstrationen jede
Berührung von Industrieorten verboten und nicht von seiner
Seite wichen. *Denn Toller ist des Landes verwiesen, denn*

»Toller hat seine Gesinnung nicht geändert«. Schlagend ist Tollers Hinweis auf die *Unlogik* dieser Begründung: »Gerade Mühsam und ich haben deshalb unter anderm ›Ehrenhaft‹ bekommen, weil man anerkannte, daß wir immer unsere Ideen unter allen Umständen verteidigt haben und sie während der ganzen Untersuchung und des Prozesses nie preisgaben. Jetzt ist dasselbe Verhalten der Grund für eine Strafmaßnahme.« ⟨...⟩

»Wie geht es Erich Mühsam?«

»Erich *Mühsam* hat sich in Niederschönenfeld ein schweres Ohrenleiden zugezogen. Er ist kein Simulant, sein Bruder, selbst Arzt, erklärt auch wegen eines Herzleidens eine Röntgenuntersuchung für notwendig. Sie geschieht nicht. Mühsam, der noch zehn Jahre vor sich hat, ist *völlig herunter* und hat nicht viel Hoffnung für sein Aufkommen. Der *Anstaltsarzt* wird von fast allen Gefangenen *abgelehnt*. Mühsam hat einmal *sechs Tage Bettentzug* bekommen, weil man in seinen Papieren ein Gedicht über Max Hölz fand.«

»Und wie haben Sie selbst die Haft ertragen?«

»Darüber möchte ich nicht sprechen, das ist auch ganz unwichtig. Als kleines Beispiel möchte ich nur erwähnen, daß ich vorgestern meine Kameraden – sie haben Ehrenhaft! – zu einem Abschiedsmahl einladen wollte, aber abschlägig beschieden wurde. Auch die Übersetzung meines Schwalbenbuches ins Englische bekam ich nicht wegen *Fremdsprachlichkeit*! Desgleichen nicht die Kritiken meiner Stücke im Ausland. Auch die Schwalben, an denen uns Gefangenen so viel lag, hat man verjagt, indem man ihre Nester zerstörte. Aber das sind ja jetzt für mich Lappalien. Ich habe auch *keine bestimmten literarischen Pläne oder sonst etwas im Kopf*, sondern ich denke immer an *Kahls Wort von der ›moralischen Verjährung‹*. Und mit mir denken es meine Gefangenen und warten von Tag zu Tag fieberhaft auf das, was für jeden rechtlich Denkenden in diesem Fall das Gebot der Stunde sein muß: *Die Amnestie!*«

Unterdes war der Morgen ganz angebrochen. Wir erhoben

uns von der kleinen Bahnhofsbank. Und Toller ging hinaus in die Stadt. Unbekümmert um die Warnungen vor *völkischen Attentaten,* die die Polizei seinem Anwalt Dr. *Kaufmann* hatte zukommen lassen. Das Gefühl der Freiheit und der Wille, seinen Freunden zu helfen, beschleunigten seine Schritte. Es kann kein Zweifel sein, daß der Aufruf dieses Mannes, der so viele seiner Feinde mit dem persönlichen Einsatz seines Lebens einstmals vor dem Tode bewahrt hat, nicht ungehört verhallt.

Unmittelbar nach seiner Entlassung versuchte Toller, den Rechtsausschuß des Deutschen Reichstages für die Verhältnisse in Niederschönenfeld zu interessieren. Der Ausschuß lehnte ab. So berichtete Toller am 18. Juli 1924 nur vor den sozialistischen und kommunistischen Abgeordneten des Rechtsausschusses, denen sich der Parlamentsneuling Heuß angeschlossen hatte. Dieser Bericht, der vor allem in den sozialdemokratischen Zeitungen ausführlich wiedergegeben wurde, ist der Grundriß seines 1927 erschienenen dokumentarischen Buches *Justiz. Erlebnisse.*

Am Abend des gleichen Tages sah Toller in einer *Hinkemann-*Aufführung im Berliner Residenz-Theater erstmals eines seiner Stücke auf der Bühne und wurde stürmisch gefeiert: »Photographen, Zeichner, Journalisten, Autographensammler ließen ihn nicht zur Ruhe kommen. Im Licht des Scheinwerfers wurde er, nachdem der Vorhang gefallen war, gewaltsam von den Hauptdarstellern in die Mitte genommen und gekurbelt. 〈...〉 Er mag sich durch die fanatische Begeisterung anläßlich der Hinkemann-Aufführung im Residenz-Theater nicht blenden lassen. Der Beifall galt nicht so sehr seinem Werk als seiner Person.« (Vossische Zeitung. 20. Juli 1924)

〈*Aus dem* ›*Völkischen Kurier*‹*. 21. Juli 1924*〉
Der Levi ist los!
Toller vor seinen Genossen
Berlin, 21. Juli. Der üble Rätejude Toller aus Samotschin, der an der Ermordung der Münchner Geiseln nicht ganz schuldlos ist, hatte schon zu der Zeit, als er noch hinter den Festungsmauern saß, die jüdische Frechheit, die Welt auf seine Anwesenheit aufmerksam zu machen. Jetzt aber ist der Levi

los und er mauschelt schrecklich gegen die barbarischen Zustände in Niederschönenfeld, wo nicht einmal die unschuldigsten Orgien gestattet wurden. Der Rechtsausschuß des Reichstags, vor dem der Toller seine furchtbaren Leiden deklamieren wollte, hatte diese Ehre dankend abgelehnt. Sofort waren aber nun die liebenden Genossen und ein Demokrat – sein Name ist *Heuß* – bereit, Tollers Leid zu vernehmen. Und der hohe Herr hatte die Liebenswürdigkeit – – Kurz und gut, der Jude leierte seine alten Lügen und die Welt wird heute erstaunt aufhorchen, wie scheußlich es doch bei den Hunnen zugeht. Ein braver deutscher Mann aber wenn Freunde unter den Genossen finden müßte, sie würden sein Leid still in ihrem Kämmerlein vergraben. Denn die Sozialdemokratie ist keine Judenschutztruppe ...

Erich Mühsam wurde mit Bewährungsfrist am 20. Dezember 1924 aus Niederschönenfeld entlassen; am 22. Dezember wurde der letzte Niederschönenfelder Häftling, der wegen Widerrufs der Bewährungsfrist noch einen Strafrest zu verbüßen hatte, auf die Festung Landsberg gebracht, aus der – ebenfalls am 20. Dezember – u. a. Adolf Hitler entlassen worden war. Erst das Reichsamnestiegesetz vom 14. Juli 1928 machte die Niederschönenfelder Häftlinge endgültig straffrei; Toller bekam die Originale seiner beschlagnahmten Briefe und Arbeiten zurück, die Abschriften blieben bei seinem weiter anschwellenden Polizeiakt. –
Zu einer Toller-Feier gestaltete sich die ›Erste Arbeiter-Kultur-Woche‹ in Leipzig vom 2.-6. August 1924. Seit Ende Juli schon hielt sich der Autor in Leipzig auf, nahm an den Proben seines Dramas *Die Wandlung* und seines Massenspieles *Erwachen* teil und wurde – wieder einmal – am Morgen des 31. Juli 1924, kurz vor 7 Uhr, verhaftet: »Man höre und staune, verhaftet wegen des Steckbriefes, der Fahndung, die vor 5 Jahren gegen ihn erlassen wurden, 10000 Mark waren als Prämie auf seine Ergreifung ausgesetzt, und das scheint die eifrigen Kriminalbeamten in ihrem Eifer noch bestärkt zu haben. ⟨...⟩ Der Polizeipräsident hat diesen Narrenstreich der Übereifrigen natürlich sofort rückgängig gemacht. Toller kann also heute abend zur Probe des Massenspiels im Lunapark sein.« (Leipziger Volkszeitung. 31. Juli 1924)

Am Sonntag, 3. August 1924, wurde vormittags *Die Wandlung,* mit einer vom Autor veränderten Fassung des Schlußbildes, aufgeführt; am frühen Nachmittag sprach Toller auf dem Meeting zum 10. Jahrestag des Kriegsausbruches (vgl. Bd. I, S. 157 ff.), abends wurde sein Massenspiel *Erwachen* inszeniert. Über 100000 Besucher soll diese Leipziger Kulturwoche gezählt haben. –

Nur wenige Wochen gönnte sich Toller Erholung, dann begann er eine ausgedehnte, internationale Vortrags- und Lesetätigkeit, mit zahllosen Rundfunk- und Reiseverpflichtungen, die, neben der Theaterarbeit, seine Hauptarbeit auch im Exil (nach 1933) geblieben ist. Nach dem Erfolg einer Lesung in der Berliner Philharmonie am 16. Januar 1925 – »Tausende junger Menschen ehren ihn tobend.« (vgl. Kerrs Kritik bei: Hering S. 162 f.) – versuchte eine Konzertdirektion, eine Lesereise zu organisieren.

⟨ *Aus dem ›Berliner Tageblatt‹. Morgenausgabe.*
7. Februar 1925. ⟩
Die Toller-Sperre
I.

Aus einem Brief der Konzertdirektion Wolff & Sachs:

»Nach dem großen Erfolg des Berliner Toller-Vortrages habe ich mit Toller eine Reihe von Vorträgen in Deutschland verabredet. Diese deutschen Vorträge sollten am 4. Februar mit einem Vortrag in Stettin beginnen. Für diesen Zweck habe ich das Stettiner Vereinshaus gemietet ... Sobald aber das Kuratorium durch die Zeitungsanzeigen erfuhr, daß es sich um einen Toller-Abend handelt, erklärte es kategorisch, den Saal für diesen Zweck unter keinen Umständen zur Verfügung zu stellen.«

Das Schreiben fährt fort:

»Alle Vorhaltungen, daß es eine rein künstlerische Angelegenheit sei und mit Politik oder gar mit religiösen Dingen nichts zu tun habe, blieben fruchtlos.«

II.

Der Fall ist bedauerlich. Immerhin: ein Vereinshaus. Toller muß ja nicht justament in einem religiösen Vereinshaus sprechen. Aber jetzt kommt es besser. Der Brief sagt:

»Fünf andre Stettiner Säle, die mein Vertreter anforderte, weigerten sich ebenfalls auf das bestimmteste, ihre Räume für eine Vorlesung Tollers zur Verfügung zu stellen.«

Das ist Sperre mit Richtlinien ... Und nun vollends das Wunder. Denn der Brief sagt:

»Das Tollste ist, daß sogar sämtliche Stettiner Zeitungen die *Aufnahme von bezahlten Inseraten*, die auf den Vortrag hinwiesen, *abgelehnt* haben.«

Ein Idealismus ohne Beispiel – um einem abgestraften Häftling den Vortrag seines Schwalbenbuches zu durchkreuzen.

»Es scheint sich um eine ganz systematische, von irgendeiner deutschvölkischen Seite ausgehende Hetze zu handeln – die tatsächlich die Wirkung gehabt hat, daß der Vortrag in Stettin unmöglich gemacht wurde.«

III.

So weit Stettin. Nun kommt Halle; an der Saale hellem Strande.

Geisteskräfte verwandten Werts haben Tollers Vortrag dort zu hindern gesucht, »indem«, sagt das Schreiben, – »indem sie meinen Vertreter durch teils anonyme, teils nichtanonyme Drohbriefe und persönliche Besuche von Universitätsprofessoren, Vorstandsmitgliedern der Vaterländischen Vereine usw. *unter der Drohung, ihn geschäftlich und persönlich zu boykottieren,* zwangen, die Kartenausgabe einzustellen«.

Solcher Haß ist nicht mehr politisch – sondern paläolithisch.

Eine »Volksbuchhandlung« vertrieb endlich die Karten.

IV.

Vorgänge dieser Art haben ein Gutes: wenn sie Schrittmacher sind für die gleiche Regsamkeit aller Linksgerichteten – (soweit blöder, blödester Zank sie nicht abhält).

Moralisch sind wir längst im Bürgerkrieg.

Alfred Kerr

Im Frühjahr 1923 schon hatte Toller in Niederschönenfeld seine Komödie *Der entfesselte Wotan,* eine Satire auf den sektiererischen Messianismus der zwanziger Jahre, vollendet. Die Uraufführung am Bolschoi-Theater in Moskau blieb in Deutschland ohne Resonanz. An der ersten deutschsprachigen Aufführung (am 29. Januar 1925, an der Kleinen Bühne des Deutschen Theaters in Prag) nahm der Autor selbst teil. Der u. a. von Max Brod bezeugte Erfolg dieser Aufführung veranlaßte die Aufsehen erregende Inszenierung Jürgen Fehlings am 23. Februar 1926 in der ›Tribüne‹ (Berlin), bei der erstmals dem Darsteller der Titelfigur die Züge Adolf Hitlers verliehen wurden (vgl. auch Bd. II, S. 249 ff., 355, 363 ff.).

⟨*Max Brod
über die Prager Aufführung des* Entfesselten Wotan.
›*Berliner Tageblatt*‹. *5. Februar 1925*⟩
Ernst Tollers Komödie »Der entfesselte Wotan«.
Uraufführung in Prag, Kleine Bühne.
Tendenz gegen die Schieber Nachkriegsdeutschlands, die die nationale Phrase benützen, um auf Kosten des deutschen Volkes Geschäfte zu machen. Doch sind es keine schwerindustriellen Geschäfte, vielmehr bleibt das ganze Geschäft leicht und luftig in der Phrase schweben – und findet trotzdem Gläubige. Ja, schließlich glaubt der Friseur Wilhelm Dietrich Wotan an sich selbst, obwohl seine Auswanderungsgenossenschaft auf nichts gebaut, die Einladung Brasiliens fingiert, die zugesprochene Urwaldzone ein Phantasiegebilde ist. Die Phrase überwältigt den Phraseur, dies der tragische Unterton der Satire gegen die Reaktion. Die Tendenz selbst dichterisch Gestalt geworden – durch Heiterkeit. Die Betrogenen und Betrüger, die Tollers Bühne betreten, haben nicht etwa die Schärfe Sternheimscher Groteskfiguren (an Sternheim gemahnt allerdings der ganze Bau des Stückes und die Diktion), sie sind durchweg *kindlicher* gesehen, fast märchenhaft. Die ganze Affäre wirkt durch ihre Naivität geradezu entwaffnend. Eine Genossenschaft mit mangelnder Fundierung gründen, um die Leute zu bestehlen: das könnte als aufreizendes Motiv empfunden werden. Aber das absolute Nichts, das in der Mitte dieser Komödie steht, die leere Kasse, die komplette Unterlagslosigkeit des Schwindels – konstituiert Komik. Bei-

spiel: der »Held« hört zum erstenmal, daß für die mathematischen Berechnungen, die er ausgeführt haben will, eine Zahl Pi nötig ist. »Die Zahl Pi – schätzte ich ab«, deklariert er großzügig. Dilettantismus auf der ganzen Linie, eine Nachkriegs-Wiederholung der Fehler, die die Vorkriegsära machte: für all das finden sich neben der »Abschätzung« exakter Größen noch eine ganze Menge heiterer, mit szenischer Spannkraft auseinander entwickelter Symbole. Es ist selbstverständlich, daß die Satire durch solche Scherze an Tiefe einbüßt, was sie an Leichtbeschwingtheit und Bühnenwirkung gewinnt. Wie bei Sternheim (der in der Gestaltung boshafter, nur in der Namengebung maßvoller ist, – »Maske« statt »Wotan«) ist nur die Oberfläche des deutschen Autoritätswillens in die Karikatur erfaßt. Erscheinungen wie Blüher, Spengler, die eigentlichen Geheimnisse der Zeit, gleiten durch die Maschen. Toller sieht kompliziert und nicht parteimäßig, doch für diese Zusammenhänge nicht kompliziert genug. Das ergibt als Endresultat dieser politischen Komödie, als vielleicht gar nicht ungewolltes Resultat: Erlösung von aller philosophierenden Politik – durch Lachen! »Geschrieben in der heiteren Kraft wachsenden Vorfrühlings im Jahre 1923 im Festungsgefängnis Niederschönenfeld« ist die Vorbemerkung im Buch. – Diese Heiterkeit kam bei der Prager Uraufführung trefflich heraus. Regisseur *Demetz* hatte all den tollen Figuren, die den Tanz ums goldene Nichts tanzen, blitzblanke Selbstironie mit auf den Weg gegeben. Gewissermaßen mit dem Motto: Nur keine Bitterkeit aufkommen lassen! Aus versoffenen und verkniffenen Äuglein blickte *Hörbiger* (Wotan), ein Naturbursche des Lampenfiebers gleichsam, dem man aber gleich von Anfang an anmerkt, daß er nach den ersten Erfolgen ebenso naturburschenhaft zäsarisch um sich schlagen wird. Eine ebenso lächerliche wie gefährliche Bestie! – Sehr tapfer hatte sich die Direktion des Deutschen Theaters (*Kramer*) durch angedrohte Demonstrationen der Hakenkreuzler nicht abschrecken lassen. Und dann gab es sogar Beifall auf offener Szene (für die straff modellierten Episoden eines Generals

a. D. und eines Reporters, *Rösner* und *Königsmark*), nach jedem Akt Stürme von Applaus, bis zum Schlusse mit den andern auch Toller sich zeigte.

Auch bei Auslandsreisen wurden Toller von den Behörden und von seinen Gegnern Schwierigkeiten gemacht. Beispiele dafür sind die England-Reise (auf Einladung des britischen PEN-Clubs) im Dezember 1925 und die Reise in die Sowjetunion im Frühjahr 1926 (über diese Reise berichtet Toller in den *Russischen Reisebildern;* vgl. Bd. I, S. 233 ff., 282).

⟨*Ein Brief Tollers an Marjorie Scott in London.*
27. Oktober 1925⟩

Ernst Toller   Berlin-Grunewald, Oct. 27th, 1925
                                Hagenstr. 39/42

Miss Marjorie Scott,
The P. E. N. Club,
6, Portman Mansions,
London W. 1.

Dear Miss Scott,
I am sorry to tell you that there are great difficulties with regard to my coming there. In reply to my request for a new visum the Passport Control Officer told me that he himself is not authorized to decide on that matter but only the British Home Authorities and the old one had been cancelled. That means that I am probably on the »black list«. The officer was very kind and gave me the advice that Mr. J. Galsworthy or any member of the P. E. N. Club should do something in behalf of my journey, that is to address themselves to the Home Authorities perhaps. In a letter to the British Consul General here I pointed out that the purpose of my going to London is a purely literary one. Besides I had to give the names of some prominent English personalities and I took the liberty, as the case is rather urgent, to give them the names of Mr. John Galsworthy and Mr. Bernard Shaw. I beg you to

inform Mr. J. Galsworthy and Mr. Bernard Shaw that I used
their name as a reference under the pressure of the present
difficulties.

Yours very truly

Ernst Toller

⟨*›Die Volksbühne‹ 1. Januar 1926 berichtet
über Tollers England-Reise*⟩
Ernst Toller in England

⟨...⟩ Die *englische* (wohlverstanden: nicht die deutsche!)
Goethe-Gesellschaft und das Kings-College der *Londoner
Universität* hatten Toller zu einer Feier eingeladen, bei der der
Dichter in deutscher Sprache aus dem »Schwalbenbuch« vor-
las. Die Vorlesung wurde von denjenigen Studenten, die die
deutsche Sprache nicht fließend beherrschten, im Textbuch
der englischen Übersetzung mitgelesen. Der Literaturprofes-
sor Atkins begrüßte Toller außerordentlich herzlich. Ferner
hielt Toller in der Universität *Cambridge* einen Vortrag über
die Strömungen in der deutschen Literatur. Er war auch Gast
des bekannten literarischen Klubs »1917«. Bernard *Shaw*
führte mit Toller ein längeres Gespräch, in dem der irische
Dichter sich auch u. a. über seine »Heilige Johanna« äußerte.
(Wir werden vielleicht in der Lage sein, später etwas Näheres
darüber mitzuteilen.) »Masse Mensch« wurde in Liverpool
und zahlreichen anderen Orten, »Die Maschinenstürmer«
wurden in Leeds gegeben.

Toller, der in der Sowjetunion im März 1926 mit großen Ehren empfangen worden war, traf auf unerwarteten Widerstand, als Paul Werner in der ›Prawda‹ vom 20. März 1926 einen Leserbrief veröffentlichte, der die Vorwürfe der ›Münchner Roten Fahne‹ von April 1919
wiederholte. Toller sei der Verräter der zweiten Räterepublik und
habe, gegen die direkten Befehle des Oberkommandos der Roten Armee, Verhandlungen begonnen. Er habe erklärt, daß er wohl für die
Diktatur sei, aber nicht für die der Macht, sondern für die Diktatur
der Liebe.

In seiner eigenen Darstellung in den *Russischen Reisebildern (Quer durch*, S. 96 ff.) spielte Toller den »kleinen Zwischenfall« herunter. Er antwortete auf Werners Angriff in der ›Prawda‹ am 26. März 1926, doch wurde dieser Antwort von der Redaktion ein (versöhnlicher) Brief Werners beigefügt. In *Quer durch* (S. 103) heißt es dazu:

»Später sprach ich mit Radek über die Affäre.

›Solche Dinge dürfen Sie bei uns nicht tragisch nehmen, man kann leichter zu dem Attribut Konterrevolutionär kommen, als eine Hure zum Liebhaber.‹

›Aber wie konnte der Redakteur der ›Prawda‹ diese Angriffe aufnehmen, ohne sie mir wenigstens vorzulegen und mich zu einer Erwiderung aufzufordern.‹

›Wahrscheinlich saß ein Kretin in der Nachtredaktion.‹

Wir unterhalten uns über Revolution und Revolutionäre.

Revolutionen sind größer als Revolutionäre.« –

Schlimmer als die Auswirkungen von Werners Angriff in Rußland war das hämische und gehässige Echo, das die Affäre in der deutschen Presse fand. Von den schadenfrohen Hetzartikeln in der völkischen Presse einmal abgesehen, entbrannte der Streit um Tollers Rolle in der Räterepublik auch in sozialistischen Blättern von neuem. Am objektivsten berichtete der ›Vorwärts‹.

⟨*Aus dem ›Vorwärts‹. 31. März 1926*⟩
In Ungnade.
Unter der Fuchtel der Sowjetpresse.

Der Dichter *Ernst Toller* ging vor kurzem nach Rußland, wie ein gläubiger Pilger nach Mekka geht. Er wurde dort auch mit großer Wärme empfangen und gefeiert. Es schien alles programmäßig zu verlaufen.

Bald wandelte sich aber die Szene. In der »Prawda« vom 20. März erschien ein Artikel von *Paul Werner* (d. i. Paul Frölich) » *Die Wahrheit über Ernst Toller*«, in dem Toller »als *Phantast, Demagoge* und *Verräter*« heruntergerissen wurde. Toller habe »die proletarische Verteidigung (der Münchener Räterepublik) desorganisiert«, er habe »im Bunde mit ähnlichen kleingläubigen Leuten an die niedrigsten Instinkte des Kleinbürgertums, das sich im Münchener Rate festgesetzt hatte, appelliert«, er habe »den Untergang der bayerischen Räterepublik gefördert« usw. Die Grundlage für diese Anklage besteht, wie aus dem Artikel selbst hervorgeht, einzig und allein darin, daß Toller, als der Zusammenbruch der Münchener Räterepublik unabwendbar erschien, nach Mitteln und Wegen gesucht hat, um den Rückzug unter den geringsten Opfern durchzuführen.

Man könnte nun meinen, daß dieser Vorstoß gegen Toller vielleicht nur Sache eines einzelnen sei. Das ist aber nicht der Fall. Die *Redaktion* der »Prawda« versieht den Artikel Werners mit einer *Erklärung*, in der die Leser *um Entschuldigung gebeten werden*, daß in dem Blatte einige Tage vorher *das Bild Tollers* veröffentlicht wurde! So wird in Moskau ein sozialistischer Dichter behandelt, um dessen Gunst die Kommunisten eifrig bemüht waren und dessen Moskauer Reise zur geflissentlichen Verherrlichung Sowjetrußlands ausgenutzt werden sollte. Die Hintergründe dieses infamen Streiches sind bis jetzt noch unklar. Wir wissen nicht, aus welchem Grunde Ernst Toller bei den maßgebenden Moskauer Stellen in » *Ungnade«* gefallen ist. Eins erscheint aber sicher: daß man Toller nicht die Möglichkeit geben wird, öffentlich in der Sowjetpresse auf die Anklage Werners zu antworten. Denn gegen privilegierte Verleumder ist man in Sowjetrußland völlig machtlos.

Vom 10. bis 14. Februar 1927 nahm Toller am Kongreß der ›Liga gegen die koloniale Unterdrückung‹ in Brüssel teil, auf dem sich die Stimme einer »Dritten Welt« vernehmbar zu machen begann (vgl. Bd. I, S. 63 ff.). Auf einen Angriff des ›Vorwärts‹, daß er als Sprecher deutscher Teilnehmer bei den Veranstaltungen eines »halbkommunistischen oder sowjetrussischen Gebildes« aufgetreten sei, antwortete Toller in der gleichen Zeitung (am 16. Februar 1927): »Der Faschismus ist eine solche Gefahr für die europäische Arbeiterschaft, daß ich glaube, man sollte *jede* Offensive gegen ihn begrüßen ⟨...⟩.«

Auf diese Vorgänge bezieht sich der nachfolgende Brief von Max Hölz. Für ihn, den »Schrecken des Vogtlandes«, der die Revolution wie ein Räuberhauptmann geführt hatte, setzte sich Toller seit 1926 ein (vgl. Bd. I, S. 86 ff.). Hölz war 1921 zu lebenslangem Zuchthaus verurteilt worden und wurde 1928 amnestiert. Er starb 1933 im sowjetischen Exil.

⟨*Max Hölz an Ernst Toller*⟩
Im Zuchthaus Großstrehlitz, am 8. März 1927.
Lieber Ernst Toller,
ganz besonders widrige Umstände behinderten mich in den letzten Wochen, Dir so zu schreiben, wie ich es wollte. Ich hätte auch heute noch nicht geschrieben (weil eine schwere seelische Depression mir jede Gedankenkonzentration zerreißt), aber Dein Aufsatz in No 9 der »Weltbühne« zwingt mich, Dir doch schon heute ein paar Zeilen zu senden.
Daß Du an dem Kongreß in Brüssel teilgenommen hast, das wußte ich ja aus Deinem Schreiben vom 19. II. (mit den beigefügten Kollektivgrüßen, über die ich mich riesig freute) sowie Deiner treffenden Erwiderung im Vorwärts. Doch daß Du Dich *so* ausgezeichnet *aktiv* an der Aufrüttelung der Geister und an allem polit. Geschehen beteiligst, das ersehe ich erst aus Deinem Weltbühneartikel. Du mußt mir schon zugute halten, daß ich bisher glaubte, Du hieltest Dich absichtlich außerhalb jeder politischen Objektivität. Daß ich mich darin geirrt habe, macht mich glücklich. Du kannst der Sache der Arbeitenden und aller Unterdrückten ungeheuer nützen, wenn Du Dich nicht auf Dein rein künstlerisches Schaffen beschränkst.
Deine Werke, mit denen Du mir viel gegeben hast!
Die, die am stärksten auf mich wirken, sind »Hinkemann«, »Das Schwalbenbuch«, »Vormorgen« und der Sprechchor »Tag des Proletariats«.
Von »Masse Mensch« liebe ich am meisten Dein scharfsinniges Vorwort. Wie z. B.: »Als Politiker handle ich, als ob die Menschen als einzelne, als Gruppen, als Funktionsträger, als Machtexponenten, als Wirtschaftsexponenten, als ob irgend welche Sachverhältnisse reale Gegebenheiten wären. Als Künstler schaue ich diese ›realen Gegebenheiten‹ in ihrer gro-

ßen Fragwürdigkeit. (›Es ist noch eine Frage, ob wir persönlich existieren.‹)«

Ganz besonders aber gefällt mir Dein Ausspruch: »Es gibt eine proletarische Kunst nur insofern, als für den Gestaltenden die Mannigfaltigkeiten proletarischen Seelenlebens Wege zur Formung des Ewig-Menschlichen sind.«

Den stärksten Ausdruck dieses Wollens (und wohl auch den stärksten Wirkungserfolg) hast Du erreicht in »Hinkemann«. Bühnenkunst kann sein (wie jede andere Kunst auch) Unterhaltungskunst, Bildungskunst oder scharf betonte Tendenzkunst (natürlich gibt es noch eine Anzahl anderer Varianten und Variationen), *proletarische* Bühnenkunst aber darf *nur* sein Tendenzkunst, solange noch irgend wo ein Mensch (resp. *die* Menschen) unter Gewaltherrschaft seines Menschenbruders seufzt. Es ist mir einfach unmöglich, irgend ein Kunstwerk (Dichtwerk) anders zu betrachten als von *dem* Gesichtspunkte aus, wie verhält sich Subjekt oder Objekt (oder der Sinn des ganzen) zu den sozialen Problemen, zur Menschheitsfrage überhaupt.

Auch Dein herrliches »Schwalbenbuch« wirkt nur deshalb so mächtig auf mich, weil aus ihm herausklingt Deine große innige All-Liebe zu jeder Kreatur. Ich bin einfach nicht fähig, den Künstler vom Kunstwerk zu trennen, d. h. eine Dichtung übt nur dann eine große Wirkung auf mich, wenn ich weiß, daß der Dichter ein *Mensch* ist, den ich achten und lieben kann.

Lieber Ernst Toller, vielen Dank auch für Deinen freundl. Brief aus Wien. Deinen Hölz-Artikel im Wiener Abend und in der Weltbühne habe ich gelesen, ich drücke Dir freudig bewegt die Hand für Dein mutiges Eintreten für den von *allen* Hunden Gehetzten. Deine materiellen Opfer, die Du für mich bringst, bewegen mich tief, Dein Opfersinn ist rührend, ich küsse Dich, weil Du doch ein *ganzer* prächtiger Mensch und treuer Bruder bist.

In Liebe und Treue Dein Max Hoelz

Lieber Ernst Toller, bitte werde nicht müde in Deinem Kampfe für die Gefangenen.

Im Zuchthaus Großmehlitz, am 8. März 1927.

Lieber Ernst Toller,

ganz besonders widrige Umstände behinderten mich in den letzten Wochen
Dir so zu schreiben wie ich es wollte. Ich
hätte auch heute wohl nicht geschrieben
(weil eine schwere seelische Depression mir
jede Gedankenkonzentration zerreißt),
aber Dein Aufsatz in No 9 der „Weltbühne"
zwingt mich, Dir doch schon heute ein paar
Zeilen zu senden.

Dass Du an dem Kongreß in Rüssel
teilgenommen hast, das wußte ich ja aus
Deinem Schreiben vom 19. II, (mit den beigefügten Kollektivgrüßen, über die ich mich riesig
freute) sowie Deiner treffenden Erwiderung
im Vorwärts. Oder daß Du Dich so ausgezeichnet aktiv an der Aufrüttelung der
Geister und an allem polit. Geschehen
beteiligst, das sehe ich erst aus
Deinem Weltbühnenartikel. Ja muss

mir ihnen zugute halten, dass ich bisher glaubte, Du hieltest Dich absichtlich außerhalb jeder politischen Aktivität. Daß ich mich darin geirrt habe, macht mich glücklich. Du kannst der Sache der Arbeitenden und aller Unterdrückten ungeheuer nützen, wenn Du Dich nicht auf Dein rein künstlerisches Schaffen beschränkst.

Deine Werke, mit denen Du mir viel gegeben hast!

Die, die am stärksten auf mich wirken sind "Hinkemann", das Schwalbenbuch, "Vormorgen" und der Sprechchor "Tag des Proletariats".

Von "Masse Mensch" liebe ich am meisten Dein scharfsinniges Vorwort. Wie z. B.

Als Politiker handle ich, als ob die Menschen als einzelne, als Gruppen, als Funktionsträger, als Machtexponenten, als Wirtschaftsexponenten, als ob irgendwelche Sachverhältnisse reale Gegebenheiten wären. Als Künstler schaue ich diese "realen Gegebenheiten" in ihrer großen Fragwürdigkeit. <Es ist noch eine Frage, ob wir persönlich existieren.>

Ganz besonders aber gefällt mir Dein Ausspruch: "Es gibt eine proletarische Kunst nur insofern, als für den Gestaltenden die Mannigfaltigkeiten proletarischen Seelenlebens Wege zur Formung des Innerlich-Menschlichen sind."

Den stärksten Ausdruck dieses Willens (und wohl auch den stärksten Wirkungserfolg) hast Du erreicht in Hinkemann. Bühnen- kunst kann sein (wie jede andere Kunst auch) Unterhaltungskunst, Bildungskunst oder scharf betonte Tendenzkunst (natürlich gibt es noch eine Anzahl anderer Varianten und Variationen), proletarische Bühnenkunst aber darf nur sein Tendenzkunst solange noch irgendwo ein Mensch (resp. die Menschen) unter Gewaltherrschaft seines Menschenbruders steht. Es ist mir einfach unmöglich, irgend ein Kunstwerk (Dichtwerk) anders zu betrachten als von dem Gesichtspunkte aus, wie verhält sich das Objekt (oder der Sinn des ganzen) zu den sozialen Problemen, zur

Menschheitsfrage überhaupt.

Auf Dein herrliches „Schwalbenbuch" wirkt
zur deshalb so mächtig auf mich, weil aus
ihm herausklingt Deine große innige Voll=
liebe zu jeder Kreatur. Ich bin einfach nicht
fähig, den Künstler vom Kunstwerk zu trennen,
d.h. eine Dichtung übt nur dann eine große
Wirkung auf mich, wenn ich weiß, daß der
Dichter ein <u>Mensch</u> ist, den ich achten
und lieben kann.

„Lieber Ernst Toller, vielen Dank
auch für Deinen freundl. Brief aus Wien.
Deinen Hölz-Artikel im Wiener Abend und
in der Weltbühne habe ich gelesen, ich drücke
Dir freudig bewegt die Hand für Dein inniges
Eintreten für den von <u>allen</u> Hunden gehetzten. Deine materiellen Opfer, die Du für
mich bringst, bewegen mich tief, Dein Opfersinn ist rührend, ich küsse Dich, weil Du
doch ein <u>ganzer</u> prächtiger Mensch und
treuer Bruder bist.

In Liebe und Treue Dein MaxHoelz

(linke Randnotiz:) Lieber Ernst Toller, bitte rede nicht mehr in Deinem Kampfe für die Gefangenen.

Am 8. April 1927 erschien im ›Berliner Tageblatt‹ unter dem Titel *Die Angst der Kreatur* Tollers Besprechung der Werke des Malers und Zeichners Anton Hansen, die beginnt:

»Alle Kreatur ist stark nur eingebettet in der mütterlichen Blutwärme des All. Losgelöst, nackt, im Nordlicht der Einsamkeit, friert sie und hat Furcht. Furcht vorm Tode.

Es gibt kein dümmeres Ideal als das Ideal des Helden. Je lebensnäher ein Mensch ist, um so näher ist er dem Tode, mit andern Worten, um so tiefer gefährdet. Jeder wahrhaft tapfere Mensch kennt die Stunden, da ihn Hilflosigkeit jäh überfällt, Angst vor den elementaren Gewalten, die ihn bedrängen mit unheimlicher Magie. Es blieb dem Europäer vorbehalten, aus seiner Not, seiner kosmischen Isolierung, eine Tugend zu machen.

Dies Wissen um die eingeborene Angst der Kreatur, die herausgerissen wird, war es, was mich am Anfang am stärksten im Werke Anton *Hansens* ergriff.«

Der ›Völkische Beobachter‹ schrieb dazu am 20. April 1927:

Eine Ernst Tollersche Ausschleimung

Es ist besonders ergötzlich, den Juden Ernst Toller, der so gerne als Kommunist auftritt, im Feuilleton des großkapitalistisch-demokratischen »Berliner Tageblatts« wieder zu finden. Herr Toller wird natürlich auf dem Standpunkte stehen, daß die jüdische Hochfinanz hinter dem »Berliner Tageblatt« gar kein Feind des Kommunismus sei und seine Berechtigung, sich aus dieser Geldquelle honorieren zu lassen, jederzeit darzutun verstehn. Am 8. April erschien der jüdische Bolschewist mit einem Artikel »Die Angst der Kreatur«. Dessen zweiter Absatz beginnt mit dem Satze: »Es gibt kein dümmeres Ideal als das Ideal des Helden.«

In keinem anderen Lande würde sich irgend eine Zeitung für eine derartige Ausschleimung eines jüdischen Gehirnakrobaten herzugeben wagen. In Deutschland aber ist so etwas an der Tagesordnung. Und so ein Bursche, der mit einer solchen Brutalität dem Millionenheere der deutschen Gefallenen ins Gesicht zu höhnen sich erdreistet, hat noch obendrein die Frechheit besessen, s. Z. bei der Beisetzung des jüdischen

Charlatans Georg Brandes als Vertreter der deutschen Jugend aufzutreten.
Stoff für einen wirklich deutschen Simplizissimus gäbe es in Mengen!

Dieser versteckt gedruckte Angriff fiel 1927 noch kaum auf; am 1. April 1933 aber belegte Goebbels u. a. mit diesem Zitat die Notwendigkeit einer organisierten Verfolgung des deutschen Judentums (vgl. Bd. I, S. 9). –
Schon vor der Abreise in die Sowjetunion hatte Toller das Manuskript seines Buches *Justiz. Erlebnisse* (vgl. Bd. I, S. 91 ff., 273; Neudruck des ganzen Textes: Berlin 1978) fertiggestellt. Als er es am 16. Januar 1926 an Maximilian Harden sandte, trug es noch den Titel *Zwanzigstes Jahrhundert.* Ende Mai 1927 erschien es im Druck und bereitete den Boden für die Reichsamnestie des Jahres 1928.

⟨*Thomas Mann im ›Berliner Tageblatt‹ vom 31. Juli 1927 über Tollers* Justiz. Erlebnisse⟩
Brief an Ernst Toller

Ihr *Justizbuch* ist gekommen, und ich habe es mit furchtbarem Eindruck gelesen. Sie haben erfahren, was es heißt, in die Hände der Menschen zu fallen und in die einer selbstvergessenen und politisch wuterkrankten Gerechtigkeit! Wenn die Bürgerwelt zugrunde geht, so darum, weil sie die Ideen verhöhnt und verleugnet, die sie geistig konstituiert haben. Welch ein abscheulicher Mißbrauch zu Rachezwecken ist getrieben worden mit dem Begriff des *Hochverrats*, der praktikabel sein mag in Tagen eines klaren, eindeutigen und legitimen Staatslebens, aber jeden Rechtssinn verliert in Zeiten wie 1919! Welch ein Unsinn, daß seit acht Jahren Menschen unter der Fuchtel von Zuchthauswärtern stöhnen und verkommen für politische Handlungen, die durch den Umsturz aller Dinge, die völlige Deroute und Herrenlosigkeit des Staates gezeitigt wurden und zu denen die Zeit, in die hinein diese Menschen ihre Ketten schleppen, gar keine Beziehung mehr hat! Welch widerwärtiges auf Eis Konservieren einer Rachsucht, die heute nicht einmal mehr lebendig empfunden wer-

den kann! 〈...〉 *Amnestie – es gibt nichts anderes*; und Amnestien sind ergangen – von Reiches wegen. Daß Bayern sich
ihnen nicht anschloß, sondern erklärte, auf eigene Hand am-
nestieren zu wollen, war staatliches Selbstgefühl und Wah-
rung bayerischer Belange. Für die Tatsache, daß es sein Wort
nicht gehalten hat, ist es schon schwieriger, euphemistische
Bezeichnungen zu finden. Wie, die bayerische Regierung hält
einen zeitverwirrten Kunstmenschen, wie Fuchs, trotz seiner
Verdienste um die Münchener Fremdenindustrie, fünfzehn
Jahre lang im Zuchthaus fest, weil seine Plaudereien am französischen Kamin die Einheit des Reiches gefährdeten, und sie
selber sabotiert und konterkariert den Willen des Reiches, wo
und wie sie kann? Hier ist eine Unstimmigkeit, nicht restlos
erklärbar durch den Ärger darüber, daß man gezwungen war,
Fechenbach freizugeben, und es erleben mußte, seine Verurteilung als schweren Rechtsirrtum gebrandmarkt zu sehen.
An den Unglücklichen, die seit acht Jahren die Lüfte des
Zuchthauses von Straubing atmen, ist kein so handgreiflicher
Rechtsirrtum begangen worden; sie sind »schuldig« oder waren es einmal. Die Zahl derer aber, die trotzdem der Meinung
sind, daß Vernunft und Menschlichkeit auch ihre Freilassung
gebieten, wird durch Ihr Buch, sehr verehrter Herr Toller, so
glaube ich, mächtigen Zuzug gewinnen.

Während Kurt Tucholsky in der ›Weltbühne‹ am 12. Juli 1927 in dem
Aufsatz ›Der Rechtsstaat‹ (Werke Bd. II, S. 823 ff.) betonte, daß an
den Niederschönenfelder Häftlingen offenkundig »Rache genommen« worden sei, und darauf hinwies, daß diese Justizschmach noch
immer andauere, entdeckte Ludwig Marcuse Ernst Toller auch auf
dem Weg zu einem neuen Stil.

〈*Aus Ludwig Marcuses Kritik über Tollers* Justiz. Erlebnisse.
›*Die literarische Welt*‹. *29. Juli 1927*〉
〈...〉 Toller hat dies Buch ohne Pathos geschrieben: das ist
gut, da kein Mensch so laut schreien kann wie diese Tatsachen. Toller hat dies Buch ohne Reflexionen geschrieben: das
ist auch gut, da die Tatsachen einander kommentieren. Arco

in Festungshaft und Hagemeisters Tod, der Justizmord an Leviné und die Karriere der abtrünnigen Revolutionäre ordnen sich von selbst zu einem hübschen, stattlichen Inferno. Alle Angriffe, die gegen den Politiker Toller gemacht worden sind, entkräftet dies Buch: nicht etwa, weil er sich hier besonders gut verteidigt, sondern weil er noch die persönlichsten Erlebnisse gesammelt, unhysterisch, überlegen vorträgt. Unruh leidet heute noch an Kriegspsychose. Toller hat sich freigelebt: Tollers Revolutionserlebnisse leben in ihm nur noch als Leidenschaft für ein Ziel. Er reagiert nicht mehr auf einen Druck. Er agiert: das Leiden wurde zum Impuls. Tollers Buch ist Geschichtsschreibung und Politik in eins: hassende Feststellung.

Seit Frühjahr 1927 kannte Erwin Piscator einen Dramenentwurf Tollers; dessen Grundidee war »der Zusammenprall eines Revolutionärs, der acht Jahre im Irrenhaus zugebracht hatte, mit der Welt von 1927«. Ab Juni 1927 arbeiteten der Autor und der Regisseur gemeinsam an dem später *Hoppla, wir leben!* genannten Stück, mit dem die Piscatorbühne in Berlin eröffnet werden sollte. Vor allem um die Fassung der Schlußszenen gab es heftige Kontroversen (vgl. Bd. III, S. 7 ff., 317 ff., 332 ff.), da Toller einen Schluß durchsetzen wollte, wonach Karl Thomas – nunmehr »sehend« geworden – ins Irrenhaus zurückkehrt, Piscator aber auf der bei der Berliner Aufführung am 3. September 1927 gespielten Fassung (Selbstmord des »Helden«) beharrte. In richtiger Erkenntnis der autobiographischen Grundierung des Karl Thomas meinte er: »Toller belastet eine solche Figur durch seine eigenen Gefühle, die unruhig schwanken wie bei jedem Künstler, und besonders bei einem, der so viel durchgemacht und erlitten hat wie Toller; ⟨...⟩ Eine Analyse des Tollerschen Helden mußte notwendigerweise zu dem Schluß führen, den wir gespielt haben.« (Piscator S. 146 f.)
Toller setzte erst für die Aufführung des Stückes im Alten Theater in Leipzig am 7. Oktober 1927 (Regie: Alwin Kronacher) »seine« Fassung des Schlusses durch, so daß in der Pressedebatte um das Stück, die diesmal besonders ausführlich im sozialistischen Lager geführt wurde (vgl. Spalek S. 609 ff.), noch mehr als früher die Leistung der Regie und die Leistung des Autors gegeneinander abgewogen wurden.

Datum: 10. August 1927

Herrn
Ernst *Toller*
Berlin – Grunewald
Königs Allee 45

Lieber Toller!
Nach wirklich ernsthaften Erwägungen habe ich mich gestern
abend hingesetzt und den Versuch unternommen, die Schluß-
Szenen aufzustellen, so wie wir sie Dir ein paar mal schon in
rohen Umrissen vorgetragen haben. Nachdem ich sie heute
morgen mit Gasbarra durchgegangen bin, sind wir beide
überzeugt, daß nun der Schluß von den beiden Schüssen an
bis zur großen Gefängnisszene eine durchgehende dramatische Steigerung besitzt und kein retardierendes Moment mehr
vorhanden ist. Die Triebkräfte sind trotzdem bei jeder Szene
so verschieden, daß alle Möglichkeiten gegeben sind, überall
noch einmal die Gesamttendenz in ihrer ganzen Schärfe und
Eindringlichkeit herauszuarbeiten, ohne dem Höhepunkt im
Gefängnis etwas vorwegzunehmen.
Ein Hauptmoment erscheint mir, daß Thomas durch die letzten Erlebnisse zu einer gewissen Klarheit gekommen ist, sodaß er inmitten des Wirbels um ihn herum jetzt einen Ruhe-
punkt darstellt. Es muß wie ein letztes Aufleuchten seiner
geistigen Kräfte sein, ehe der Zusammenbruch im Gefängnis
erfolgt. So muß der Monolog nach den beiden Schüssen sehr
ruhig und klar gehalten und auch ebenso gesprochen werden.
An ihn knüpft der Monolog in der Gefängnisszene an. Das
ganze Innenleben von Thomas wird noch einmal, phrasenlos,
durchsichtig. Es ist der letzte Versuch eines Menschen, die
Welt zu verstehen und mit sich ins Reine zu kommen.
Wenn Thomas verhaftet wird, kann sein besonderer Irrsinn
angedeutet werden. Man muß das Gefühl haben, daß er der

182

Situation schon etwas entrückt ist und auch seiner Verhaftung teilnahmslos gegenübersteht.

Der am meisten umstrittene Punkt in unseren Debatten ist wohl die Szene vor dem Untersuchungsrichter gewesen. Wir haben die Bedeutung und den Inhalt dieser Szene von allen Gesichtspunkten aus geprüft und sind zu dem Resultat gekommen, daß diese Szene nichts zum Weitertreiben der Handlung beiträgt. Die Personen, die in ihr auftreten, erfahren weder eine Wandlung, noch besitzt ihre Gegenüberstellung irgendwelche dramatischen Spannungen. Das Einzige, worauf es Dir ankam, war, Thomas wieder ins Irrenhaus zu bringen, um dort symbolisch normal und anormal gegenüberzustellen. Völlig verfehlt wäre, hier das Schulbeispiel eines Indizienbeweises aufzurollen. Nur um die Unhaltbarkeit eines Indizienbeweises zu zeigen. Die Szene vor dem Untersuchungsrichter wäre vielleicht besser, als die Szene im Polizeikommando, wenn der Untersuchungsrichter ein Niednertypus wäre und der Fall von vorn herein so behandelt würde, daß er dem Zuschauer gerade an dieser Stelle des Stückes besonders abnorm und interessant erschiene. D. h. also, wenn diese Szene die Umwelt als solche oder den Charakter Thomas' als solchen, in einem ganz neuen Lichte zeigte. Dann aber entfiele wiederum, daß Lüdin einem unverwandelten Thomas gegenüberstünde. Die Lüdinszene wäre also damit hinfällig. Beide sind letzten Endes aber nach der neuesten Fassung vor der Gefängnisszene nicht so wichtig. Wir müssen vor allem zu einer dramatisch wirksamen und unaufhaltsamen Fortentwicklung auf den Schluß zu kommen.

In der Polizeikommandoszene muß in dem Dialog zwischen dem Grafen Lande und dem Major der erste Attentäter möglichst eindeutig charakterisiert werden. Es genügt nicht etwa zu sagen: »Junger Mann, spricht Schriftdeutsch, schließt beim Nachdenken die Augen!« oder so ähnlich, sondern es muß irgendein Merkzeichen angegeben sein, wonach der Polizeimajor gar nicht mehr im Zweifel sein kann, den von Lande bezeichneten Attentäter vor sich zu haben. Wir sind daher der

Meinung, daß der Student sich in das Hotel als Kellner einschleicht, wozu Lande ihm in der Vorbereitungsszene die entsprechenden Anweisungen gibt. Lande kann als besonderes äußeres Merkmal des Attentäters angeben, daß er Kellnerfrack trägt, wodurch dann die Verwechselung mit Thomas, der ja auch im Frack verhaftet wird, ohne weiteres glaubhaft erscheint.

Ferner bin ich darauf gekommen, daß es besser ist, Lande persönlich auf dem Polizeikommando erscheinen zu lassen, als daß er mit dem Polizeimajor telefoniert, was in solcher Situation und bei der Wichtigkeit der Angelegenheit vielleicht unglaubwürdig erscheint. Die von mir skizzierte Unterhaltung zwischen Lande und dem Major ist absichtlich in Andeutungen und etwas unklar gehalten und braucht meines Erachtens nicht mehr in das Tollersche Schriftdeutsch übersetzt zu werden. Dagegen könnte der Schluß der Szene in formaler Hinsicht noch stärker ausgeführt sein.

Die Lüdinszene leidet von Deiner Seite aus, abgesehen von meiner Skizzierung, noch an zwei Mängeln: Bei seinem ersten Gespräch mit Thomas kann Lüdin nicht sagen, daß niemand gesund sei, wenn er nachher alle diejenigen Leute, die Thomas als irrsinnig ansieht, für normal erklärt. Das ist eine an sich geringfügige Änderung. Dagegen bedarf meines Erachtens nach der Moment des »normal – normal« noch eine eingehende Durchdenkung, damit die Hoteltypen dem Zuschauer wirklich irrsinnig erscheinen. So laufen bei verschiedenen Figuren, z. B. beim Hausknecht, noch echte und falsche Irrsinnsmomente durcheinander. Irrsinnig, wenn man so will, ist beim Hausknecht die Wettleidenschaft, die ihn auffrißt. Dagegen kann man es dem Hausknecht nicht ankreiden, daß er ein Opfer der Inflation geworden ist. Wenn Du die Inflation hineinbringen willst, so müßte sie schon anders charakterisiert werden.

Auch beim Bankier müßte man die irrsinnige Jagd nach dem Gelde dadurch verstärken, daß er (vielleicht) von dem Geld für sich persönlich gar keinen Gebrauch machen kann, etwa

durch ein Magenleiden gehemmt. Dadurch würde der absolute Leerlauf einer solchen Figur herausgearbeitet.

Schließlich ist in dieser »Normal – normal«-Szene noch hem-
mend, daß Thomas über den Irrsinn der Hotelinsassen inhalt-
lich dasselbe aussagt, was sie ein paar Sekunden später darstellen. Thomas müßte viel eher charakterisieren, welche
Funktionen diese Leute normalerweise ausüben könnten, so
z. B. den Bankier als Verwaltungsfunktionär der der Gesellschaft gehörenden Güter, als sinn- und planvoll wirkendes
Element. Also in diesem Sinne! Herzlichst

Erwin Piscator

⟨ *Aus Stefan Großmanns Kritik der Berliner Aufführung.*
›Der Montag Morgen‹. Berlin, 5. September 1927 ⟩

Toller bei Piscator

Sieben Uhr: Auffahrt der Autos, Anmarsch der Windjacken.
Im Gedränge war es unklar, was heute Festkleid war, Smoking oder Kniehose und Leinenjoppe. Ein Mann kam in Frack
mit weißer Weste, es war der Vertreter des Polizeipräsidiums,
er, der Festlichste von allen.

Sieben Uhr fünfzehn Minuten: Die Film-Ouvertüre Piscators,
von Meisels eindringlichen Anwandlungen disakkordisch begleitet. Allererstes Bild: Eine breite viereckige Generalsbrust
ohne Kopf, ordensübersät – wozu braucht eine Generalsbrust noch einen Kopf? – bietet sich dem Beschauer dar;
plötzlich greift eine rohe Hand nach dem glitzernden Brust-
schmuck. Die Generalsbrust wird leer und öde. Der Atem des
Zuschauers stockt. Was *Piscator* als Film-Wochen- oder vielmehr Jahres-Schauer bietet, hat man in der toten Kinowelt
noch nie zu sehen bekommen. Piscator ist ein visionärer Film-
Schauer, und was er gibt, sind die Schauer der Kriegserinne-
rungen. Atemlos sitzt man da. Kein Zweifel: Hier ist Deutschlands stärkster Film-Finder am Werk. ⟨ ... ⟩

Am Ende gab es rauschenden Applaus. Er wurde abgelöst
durch einen proletarischen Sprechchor, der aus dem Exil der
Galerie im Takte rief: »Pis–ca–tor!« Verdrießliche Einstudie-

185

rung, dem Gefeierten sicher am verdrießlichsten. Er wollte nicht erscheinen. Zuletzt sangen ein Gesangverein der Windjacken, ohne Schwung, wie auf Kommando, die Internationale. Auch das konnte den großen Abend Piscators nicht verderben.

Ein Meister des Theaters hat sein Haus. Er wird sich weder durch Anhänger noch durch Autoren stören lassen.

⟨*Aus Alexander Abuschs ›Bemerkungen‹ zu Tollers*
Hoppla, wir leben!
im ›Feuilleton der Roten Fahne‹. 7. September 1927⟩
Tollers Stück

Es lohnt sich, auch auf Tollers Stück nochmals einzugehen, weil gerade mit ihm die Piscator-Bühne eröffnet wurde. *Toller* zeigte in seiner früheren dramatischen Produktion pazifistische Verschwommenheit, die in ihrer Wirkung eine Knochenerweichung für die revolutionären Arbeiter darstellen. Alle jene verhängnisvollen Schwankungen Tollers in der bayerischen Räterepublik, sein zentristischer Defaitismus gegen die Revolution fanden ihre ideologische Ablagerung in Tollers früheren Stücken.

Betrachtet man demgegenüber das neue Stück Tollers, so ist er gesinnungsmäßig vom verschwommenen Pazifismus auf den Boden des Klassenkampfes gegen die Koalitionspolitik übergegangen. Die stärksten Stellen seines Stückes sind die der Zeichnung eines mit der reaktionären Bürokratie und dem Kapitalismus versippten, sozialdemokratischen Koalitionspolitikers. Toller bleibt natürlich *inkonsequent*. Er spricht zwar in seinem Stück sehr oft von der »Partei«, *vermeidet* aber peinlich, zu sagen, daß nur die *Kommunistische Partei* die einzige revolutionäre Partei des Proletariats sein kann. Seine »Partei« (er ist antianarchistisch, *für die* »Partei«) könnte auch eine USP sein. Im negativen Schluß seines Stückes, den Piscator positiv abändert, spiegeln sich seine inneren pessimistischen Schwankungen.

Gegenüber seinen früheren Stücken zeigt sich in Tollers

186

neuem Stück dahingehend ein *Fortschritt*, daß er Reportage gemacht hat. Er ist gestalterisch dem Proletariat näher gekommen. Er hat in die Arbeiterviertel hineingehorcht und einige lebendige Figuren nachgezeichnet, z. B. Mutter Meller, Albert Kroll, den Provokateur Rand. Neben der pathetischen Deklamation in seinen früheren Stücken sind in diesem Stück schon Ansätze proletarischer Realität sichtbar. Daß Toller die glänzende dichterische Idee, die revolutionäre Ungeduld eines seit 1919 gefangenen Arbeiters gegen die Zustände der »rationalisierten« kapitalistischen Gesellschaft von heute prallen zu lassen, *realistisch* nicht bewältigen konnte, war zu erwarten. Dazu hat er immer noch nicht genügend das Proletariat erlebt. Seine Hauptfigur, Karl Thomas, erstarkt nicht in den Erfahrungen des Kampfes gegen Opportunismus und Renegatentum, in der Erkenntnis des »Trotzalledem!« gegen die Kapitalistenklasse. Er verzweifelt, erhängt sich. Eine solche Figur ist natürlich im Leben durchaus möglich. Daß sie der Dichter jedoch in den *Mittelpunkt* des Stückes stellte und es nicht vermochte, ihr in stärkerer revolutionärer Entschlossenheit die andern proletarischen Revolutionäre entgegenzustellen, zeigt Tollers schwächliches Verhältnis zum revolutionären Kampf.

Ganz ins *Abstrakte* glitt Toller ab, als er an der Funktionärin Eva Berg die veränderte Einstellung einer Revolutionärin zur Liebe zeigte. Er gab bejahend die *Überspitzung* einer nicht unbedingt falschen Auffassung ins *Unsoziale*. Lenin hat auf das Unverantwortliche und Kleinbürgerliche dieser »Glas-Wasser«-Theorie (Liebe, wie man ein Glas Wasser rasch austrinkt) hingewiesen.

Die Aufführung des Toller-Stückes war eines jener *Experimente*, zu denen die Piscator-Bühne in der heutigen Situation des Mangels an proletarisch-revolutionären Stücken gezwungen ist. Sicher ist, daß schon allein die Existenz von Piscators Arbeit und Bühne als *Antrieb* zur Gestaltung neuer besserer Stücke dienen wird. Auf *dieser* Seite liegt eine der wichtigsten Hoffnungen, die man auf Piscator setzen darf.

Mit *Hoppla, wir leben!* ist der Höhepunkt der sensationellen Wirkung von Tollers dramatischem Werk deutlich überschritten. Von *Bourgeois bleibt Bourgeois,* der Komödie nach Molière, die am 2. Februar 1929 im Berliner Lessingtheater erstmals aufgeführt wurde, ist kein Text erhalten, bei *Feuer aus den Kesseln* wurde der dokumentarische Anhang fast stärker beachtet als das Stück, von *Wunder in Amerika,* der, zusammen mit Hermann Kesten geschriebenen, Satire auf die Verknüpfung von Geschäft und Religion in den USA, die am 17. Oktober 1931 im Mannheimer Nationaltheater uraufgeführt wurde, ist – in deutscher Sprache – nur ein Bühnenexemplar erhalten.

Dabei schien der Erfolg von *Bourgeois bleibt Bourgeois* vorprogrammiert. Alexander Granowsky, der als großer Stilist gerühmt wird, führte Regie; den Text schrieben Ernst Toller und Walter Hasenclever. Hermann Kesten verfaßte die Chanson-Texte, die Friedrich Holländer vertonte; die Hauptrollen spielten Max Pallenberg und Trude Hesterberg, der Propyläenverlag wollte – nach der Aufführung – die Buchausgabe veröffentlichen, ausländische Theateragenten interessierten sich für die Rechte, sogar Hollywood soll angefragt haben.

⟨*Hermann Kesten im Berliner ›Tagesspiegel‹.*
15. September 1957
über Bourgeois bleibt Bourgeois⟩

⟨...⟩ Bei der Aufführung war »ganz Berlin« da. Man erwartete allgemein einen Triumph, die Vorlage von Molière war herrlich, der Text von Toller und Hasenclever hochhumoristisch, meine Chansons recht hübsch gereimt, die Musik von Friedrich Holländer schlagkräftig, die Regie von Granowsky nur mit Shakespeare oder Granowsky vergleichbar, Pallenberg und der neuentdeckte kleine Komiker aus Hamburg sehr komisch, die Hesterberg verführerisch. Das Publikum schien dankbar und begeistert. Die Presse am anderen Tag war vernichtend. Alle Kritiker zerrissen alle und alles, und so schlagend, daß wenigstens ich restlos von ihrem Urteil überzeugt war. ⟨...⟩

Der Versuch, in der Blütezeit der Ausstattungsoperette, deren Erfolg Brechts ›Dreigroschenoper‹ (seit August 1928) so hervorragend nutzte, ein sozialkritisches Revuetheater zu etablieren, war damit gescheitert.

Dagegen geriet Tollers erster Versuch eines dokumentarischen Zeitstückes durchaus zu einem Kritiker-Ereignis; finanziell aber wurde es ein Mißerfolg. Das »historische Schauspiel« *Feuer aus den Kesseln*, das am 31. August 1930 in Ernst Josef Aufrichts Theater am Schiffbauerdamm erstmals aufgeführt wurde, ein Stück über die Matrosenrevolte des Jahres 1917 (vgl. Bd. I, S. 117 ff.; Bd. III, S. 119 ff., 327 f., 335 f.), leitete die Todesphase der Weimarer Republik ein. Im Jahr von Hitlers sensationellem Wahlerfolg (Gewinn von 107 Reichstagsmandaten; vgl. Bd. I, S. 17, 69 ff.) verdeutlichte es die Liquidierung der Revolution. Als »Meuterer-Drama« ging es in den Wortschatz der nationalsozialistischen Literaturkritik ein, die sich nicht scheute, an diesem Drama ihren Gegensatz von »jüdischer« und »deutscher Kritik« zu demonstrieren.

⟨ *Ernst Josef Aufricht (1966)*
über Tollers Feuer aus den Kesseln ⟩

⟨...⟩ Toller zeigte auf der Bühne die gescheiterte Revolte auf einem Schiff, die beiden Anführer vor einem Kriegsgericht und ihre Erschießung. Das letzte Bild – die Schlußapotheose: rote Fahnen mit kommunistischen Propagandatiraden – hatten Fischer und ich in schweren Verhandlungen Toller abgelistet und gestrichen. Es war während einer Abendprobe, Toller bat, für seine Entscheidung allein gelassen zu werden. Er verlangte ein Exemplar seines Stückes. Nach einer Stunde gab er mir das Buch zurück. Auf der ersten Seite stand: Den soundsovielten zwölf Uhr nachts. Zur Erinnerung an die Stunde, in der ein Mann verzichtete. Gezeichnet Ernst Toller. ⟨...⟩
Das Stück wurde mustergültig besetzt. Die beiden Hauptrollen spielten Speelmanns und Hörrmann, einen versteinerten Kriegsgerichtsrat sehr leise Erich Ponto, einen bösartigen Marineoffizier gertenschlank und elegant Theo Lingen, den Maat der sympathische Heinrich Gretler mit seinem guten Seehundsgesicht. Für die große Anzahl von Matrosen wählten wir Schauspieler, die unter der realistischen Regie von Hanns Hinrich nicht komödiantisch wirkten. Caspar Neher baute

ein fahrendes Schiff. Wir zeigten den Volltreffer einer Granate in den Maschinenraum.

Das Stück und die Aufführung hatten bei der Premiere und am nächsten Tag bei der Presse einen sensationellen Erfolg. Felix Holländer schrieb im »Acht Uhr Abend Blatt«: man müsse mir für den großen Abend danken.

Der Kartenverkauf war gleich null. Wir verschickten Tausende von Freikarten an Gewerkschaften und Arbeiterorganisationen, um das Theater wenigstens einen Monat zu füllen. Die Freikarten wurden nicht angenommen. Das realistische Zeittheater der zwanziger Jahre war gestorben.

⟨*Aus Walter Mehrings Premierenkritik.* ›*Die Weltbühne*‹.
16. September 1930⟩

⟨...⟩ »Falls Toller nicht übertreibt, was ich nicht glaube ...«, schrieb ein Kritiker, dem es, wie allen, vor den Dokumenten gruselte. Glauben Sie es nicht! Kein Künstler kann übertreiben; was er an Teuflischem sich ersinnen mag, die Wirklichkeit ist ihm überlegen. Im Zuschauerraum, einige Reihen hinter der Kritik zurück, saß Willy Sachse, einer der fünf zum Tode verurteilten Meuterer, »begnadigt« zu fünfzehn Jahren dann, von denen er zwei im Zuchthaus Celle verbüßt hat bis zur Revolution. In diesem Zuchthaus hatte der Staat zur Vollstreckung der Gerechtigkeit einen Ehrenmann eingesetzt, der systematisch die Gefangenen aushungerte; der erfand, auf eine Beschwerde des Verbrechers Sachse, diesen nüchternen Satz, der keinem Shakespeare eingefallen ist: »Für Sie war eine Kugel zu schade; wir müssen Sie auf eine billigere Methode wegbringen!«

Was glauben Sie, verehrte Teilnehmer an der Premiere, die Sie soviel Anteil nahmen am Geschick des Willy Sachse, was glauben Sie, an wem die Schuld auf Erden sich rächte, was glauben Sie, wie die Republik einen Helden belohnt, der handelte, als wir Feiglinge schwiegen? So belohnte sie: sie steckte ihn wieder ins Gefängnis; sie raubte die Existenzmöglichkeiten dem, der ihr die Existenz ermöglicht hat. Nicht um ihn zu strafen; doch sie braucht das Geld für anderweitige Zwecke. Die Republik – ganz wie die Monarchie – benötigt Feinde, und gegen die Feinde Militär, und für das Militär Beschäftigung; denn sie ist arm, sie hat an die vier Millionen Arbeitslose und kann sich nicht dazu die Arbeitslosigkeit eines kostspieligern Heeres leisten. Kein Mensch will den Krieg, nur die Ehre der Nation erfordert ihn. Und zu dieser Premiere werden wir wieder alle vollzählig sein und ihr applaudieren, weil die Kritik im Nachhinein ja doch keinen Zweck mehr hat. Denn alle Schuld rächt sich auf Erden. ⟨...⟩

Im gleichen Jahr 1930 erschien mit *Quer durch. Reisebilder und Reden* Tollers erste Bilanz seines Kampfes um die Revolution und die aus ihr entstandene Republik. Die Auswahl seiner Reden und Zeitungsartikel (seit 1918), die der Autor in diesem Band druckte, hat er stark überarbeitet, gekürzt, dem Pathos der Entstehungszeit entzogen. Als Meister der neuen Kunstform der Reportage zeigte er sich in den ›Amerikanischen‹ und den ›Russischen Reisebildern‹ (vgl. Bd. I, S. 226 ff.), von denen nur wenige Vorabdrucke erschienen waren. In Deutschland wurde dieses Buch in den gespenstischen Jahren der »Windstille« vor der Machtergreifung der Nationalsozialisten kaum noch rezensiert, doch erkannte zumindest Kurt Tucholsky seinen Charakter der Lebensbilanz (vgl. Werke Bd. III, S. 793 f.). –
Seit 1928 stand im Vordergrund von Tollers Aktivitäten der Kampf gegen den vordringenden Nationalsozialismus und den internationalen Faschismus. Da Rechtszustände für ihn »Machtauswirkungen der Herrschenden« waren, war dieser Kampf eng mit seinen Angriffen gegen Klassenjustiz, Vorurteil und Indizienbeweis verbunden. In den Ossietzky-Prozessen 1931 und 1932 sah er beide Kampfziele prototypisch vereint. Nachdem Carl von Ossietzky, als verantwortlicher Redakteur der ›Weltbühne‹, 1931 wegen Enthüllungen über die geheimen Reichswehrrüstungen zu 18 Monaten Gefängnis verurteilt worden war, versuchte Toller den zweiten Ossietzkyprozeß im Juli 1932 (wegen Beleidigung der Reichswehr) zu einem »internationalen Skandal« zu machen (Tucholsky, Briefe S. 495). Aber selbst sein Eintreten für Ossietzky auf dem PEN-Club-Kongreß in Budapest im Mai 1932 (vgl. Die Weltbühne, 7. Juni 1932) verhallte fast ungehört, und die Uraufführung seines letzten Justizdramas *Die blinde Göttin* (am

31. Oktober 1932 im Raimund-Theater, Wien, unter der Regie von
Jürgen Fehling), das einen realen Fall gestaltete (vgl. Bd. I, S. 107 ff.,
273), wurde in der reichsdeutschen Presse kaum noch zur Kenntnis
genommen.

⟨*Aus Felix Saltens Kritik der Uraufführung*
von Tollers Schauspiel ›Die blinde Göttin‹.
›*Neue Freie Presse*‹. *Morgenblatt. (Wien) 1. November 1932*⟩
⟨...⟩ Von politischen Tendenzen jeglicher Art hält sich das
Schauspiel Ernst Tollers diesmal vollständig frei. »Die blinde
Göttin«, das heißt Justitia, der eine Binde die Augen umhüllt,
ist verhängnisvoll eben wegen ihrer Blindheit. Zwei Menschen, schuldlos, wenngleich nicht rein von Gedankensünden,
geraten in die Justizmaschine und werden grauenhaft gefoltert, werden zur Hölle des Schimpfes, zum Fegefeuer peinli-
cher Lobhudelei gerissen. Ernst Toller gibt den ganzen Ablauf
dieses von Qual erfüllten Doppelschicksals, das mit dem Sterben der Ehefrau anhebt, über Gerichtssaal und Zuchthaus zur
Rehabilitierung, zum satirisch ausgemalten Festempfang der
Losgesprochenen bis zu ihrer Trennung voneinander führt.
Ein Fall, der sich vor einigen Jahren in der Wirklichkeit ereig-
nete, ein Schweizer Vorbild soll zu diesem Werk angeregt
haben. Gesinnungsmäßig ein gutes, ein verdienstreiches
Werk. ⟨...⟩
Ein dramatisch vollendeter, lebensprühender erster Akt zeigt,
wie die beiden, der Arzt und seine Geliebte, in die Fallgrube
des Verdachtes stürzen. Durch die Dummheit und geduckte,
neidische Mißgunst eines Dienstmädchens. Durch die pfiffige
Büberei eines diebischen Halunken. Dann kommt Gerichtsverhandlung und Urteil. Dann das Zuchthaus mit all seinen
veralteten und unmöglich gewordenen Grausamkeiten. Unmöglich und grausam, was im Zuchthaus an Verbrechern geschieht. Hundertfach unmöglich, tausendfach grausam, wenn
Unschuldige Derartiges ausstehen müssen. Szenen sind da, die
das siedende Blut eines Empörten geformt hat. Szenen, die
den Saal der Zuschauer zum Kochen, zu glühend heißen Aus-

brüchen bringen. Ein wilder Sturm, schon im Gerichtsakt entfacht, raste Beifall zur Bühne empor. Und in dem Auftritt zwischen Verteidiger und dem reuig gewordenen Sachverständigen wirkten Sätze, die den Sinn des ganzen Werkes enthielten, wie Sprenggeschosse, an denen das Haus sich zu einer hochauflodernden Begeisterung entzündete. Ernst Toller scheint mehr eine leidenschaftliche Natur, mehr ein inbrünstig unerschrockener Kämpfer für das Recht, für Menschlichkeit und Verstehen, mehr ein hinreißender Redner als ein Dichter. Trotzdem hat sein Werk auch dichterische Qualitäten. Die Figur des diebischen, lüsternen Gemeindeschreibers, der es in seiner intriganten Verlogenheit, in seinem bodenlosen Egoismus zum Bürgermeister bringt, diese Gestalt, die Betrug, Diebstahl, Meineid übt, ohne Strafe fürchten zu müssen, ist von einem Künstlerauge gesehen, von künstlerischen Händen geformt. Ebenso trägt der Anlauf, den Ernst Toller im letzten Schluß nimmt, deutliche Züge eines hohen Wollens. Die Geliebte hat sich während der fünf Zuchthausjahre gewandelt. Sie gesteht, sie wäre fähig gewesen, einst in der Zeit ihrer Liebe die zänkische, die hindernde Ehefrau des Doktors zu töten. Jetzt aber, nach dem Zuchthaus, nach dem Hohn des feierlichen Empfanges im Dorf, jetzt kann sie den Mann, um den sie gelitten, nicht mehr lieben, kann nicht wieder dort anfangen, wo sie früher mit ihm hielt, kann nicht weiter leben, als sei nichts geschehen, kann »nicht mehr bloß an sich denken«. Und verläßt ihn. Diesen Schluß, der das breite Publikum kaum befriedigt, der das erwartete glückliche Ende mit Notwendigkeit vermeidet, weil der Justizmord eben doch zu viel zerstört hat, um ein Glück noch glaubhaft sein zu lassen, diesen Schluß wagt Toller, von seinem künstlerischen Gewissen stärker gedrängt als von theaterpraktischen Erwägungen. Man versteht diesen Schluß und rechnet ihn Toller zur Ehre, auch wenn es ihm nicht ganz gelang, den gewandelten Seelenzustand der Erschütterten dramatisch zu bewältigen. 〈...〉
Der Spielleiter dieses Werkes, Jürgen Fehling, hat nun auch in

Wien einmal bewiesen, daß er als Führer, als Lenker von Darstellern, als Helfer und Mitschöpfer darstellerischer Leistungen, als Versteher und Entfalter dramatischer Werke alles eher ist denn ein Moderegisseur. Er fand sich hier inmitten eines Ensembles, das er nicht kannte, auf einem Boden, der ihm fremd war, also vor lauter Hindernissen, die gerade dem Regisseur gefährlich sind. Und seine enorme Intensität, seine fiebernd nervöse Arbeitsraserei hat alle diese Hindernisse überrannt, hat die Schauspieler so hoch getrieben, daß eine Aufführung von ganz seltenem Glanz zustande kam. »Für solche Talente hat man dankbar zu sein. Alle sind es heut' nicht genug, zum Donnerwetter! Seid kritisch, ja: doch wenn ganz große Bühnenleistungen (wie man sie jetzt gesehen hat) in der stärksten Gefährdung des Theaters nicht herzhaft anerkannt, sondern beschnüffelt, beknausert, in ihrer reifen Großartigkeit geschmäht werden, dann kommt, meine Lieben, noch vor dem Ende des Theaters das Ende der Kritik. Mit Recht!« Nicht ich bin es, der das sagt, O nein! Das schreibt, vor wenigen Tagen, Alfred Kerr. Nun, da der Berliner Ruhm Jürgen Fehlings in Wien bestätigt werden kann, ist es mir ein Vergnügen, zugleich mit dem Dank, den wir Fehling, Toller, der Mannheim wie der Markus schulden, die kleine Standrede des berühmten Berliners hieherzusetzen. Sie paßt, zufällig, auch für Wien. Nicht immer, aber manchmal.

Exil
1933-1939

Am 27. Februar 1933 brannte in Berlin das Reichstagsgebäude. Toller, der sich wegen eines Rundfunkvortrages in der Schweiz aufhielt, entging der geplanten Verhaftung nur durch Zufall. Seine Bücher wurden auf den am 10. Mai 1933 vor den deutschen Universitäten errichteten Scheiterhaufen mitverbrannt, sein Besitz wurde beschlagnahmt, ihm selbst im August 1933 die deutsche Staatsbürgerschaft entzogen.

Tollers unruhiges Wanderleben in den Jahren des Exils, in denen er wenigstens 200 Vorträge und Ansprachen gehalten hat, kann hier nur an einzelnen Stationen verdeutlicht werden, der beste Überblick ergibt sich aus den Akten der nationalsozialistischen Auslandsdienststellen, die ihn, als einen ihrer Hauptgegner, bis zu seinem Tod keinen Augenblick aus den Augen verloren haben.

Seine internationale Kampagne gegen den in Deutschland nun regierenden Nationalsozialismus eröffnete Toller mit der Anklagerede auf dem PEN-Club-Kongreß in Ragusa im Mai 1933 (vgl. Bd. I, S. 169 ff., 277 ff.). In Österreich rief vor allem das Verhalten der österreichischen PEN-Delegation, die sich gegen das Rederecht für Toller ausgesprochen hatte, Empörung hervor. Felix Salten setzte sich gegen diese Angriffe in der ›Neuen Freien Presse‹ (Wien) am 2. Juni 1933 zur Wehr.

⟨Aus der ›Deutschen Rundschau‹. Bd. LIX. Juni 1933⟩
Der Zwischenfall auf der internationalen Konferenz in Ragusa rückt den PEN-Club aufs neue ins Licht der Weltaufmerksamkeit. Die deutschen Delegierten sahen sich gezwungen, die Sitzung zu verlassen, als der Vorsitzende H. G. Wells das Wort Ernst Toller erteilte und als innerdeutsche Angelegenheiten – entgegen der ursprünglichen Abmachung – erörtert werden sollten. Sie taten auch das vernünftigste, was möglich war, als sie überhaupt auf eine weitere Teilnahme an der Konferenz verzichteten. Das noble Verhalten der österreichischen, Schweizer und holländischen Delegation, die mit

den Deutschen die peinliche Tagung verließen, zeigte, daß wir durchaus nicht isoliert waren und daß eine spätere weitere Mitarbeit in diesem Gremium durchaus eine Wendung und damit eine sinnvollere Zusammenarbeit der Nationen bringen kann. ⟨...⟩

⟨*Friedrich Torberg über den PEN-Club-Kongreß in Ragusa. ›Die neue Weltbühne‹. 15. Juni 1933*⟩

Ruhestörung in Ragusa

⟨...⟩ Der Penclub-Kongreß in Ragusa, von einer höheren Sittenpolizei bestenfalls als nächtliche Ruhestörung zu qualifizieren, ist vorbei. Es herrscht wieder Nacht und herrscht wieder Ruhe, aus welcher die prominenten Vertreter des deutschen Geistes nicht aufgeschreckt zu werden wünschen. Es ist ihnen, nach allem, eher peinlich, ihr persönliches Schicksal zum Aushängeschild niedriger Freiheitsinstinkte degradiert zu sehn. Symptome ihrer selbst, wollen sie es nicht als Symptom gewertet wissen und zucken nervös zusammen vor einer arrogierten Bundesgenossenschaft, die sich mit nichts andrem auszuweisen hat als mit dem naiven Glauben an geistige Verpflichtung, an die Solidarität des freien Schrifttums.

Nein, es ist nichts mit dieser Solidarität. Wenn es überhaupt eine gibt, dann die der Feigheit (oder was sich der schon erwähnten Radaulust eben als Feigheit darstellt). Man wird sie endlich zur Kenntnis nehmen müssen und sich mit ihr abfinden, keiner eitlen Empörung anheimfallen dürfen über ihr Bestehn und keiner aberwitzigen Hoffnung auf ihr freiwilliges Ende. Wenn morgen oder übermorgen aus irgendwelchen Gründen (und ganz gewiß nicht aus »künstlerischen«) die schwarzen Listen für ungültig erklärt werden, ist alles wieder gut, und jene, die sich in weiser Zurückhaltung ein paar vorübergehender Mißhelligkeiten halber nicht exponierten, werden zur Schadlosigkeit noch den Spott für die andern haben. Einer von diesen andern wird dann auch Felix Salten gewesen sein, der in der ›Neuen Freien Presse‹ vom 2. Juni immerhin die Tatsache gebrandmarkt hat, daß kein einziger von den Großen, deren Bücher verbrannt wurden, seine Stimme zum Protest erhob; was also für ihn Grund genug war, um seinerseits nicht zu protestieren.

»Ordnung muß sein, wenn auch bei uns«, sagt Schwejk. Und Salten hat recht, wenn auch als Salten. Es wäre sicherlich vorteilhafter und wirkungsvoller gewesen, hätte nicht er, sondern einer der Großen sich zu solchem Vorwurf aufgerafft. Aber die tun es nicht und werden es auch nicht tun. Sie können doch nicht pro domo Anklage erheben.

Und außer ein paar Büchern gibt es bekanntlich in Deutschland rein gar nichts, wogegen Anklage zu erheben wäre ...

Seit den späten zwanziger Jahren schon arbeitete Toller, wie die Vorabdrucke einzelner Kapitel belegen, an seiner Autobiographie *Eine Jugend in Deutschland*, die im Sommer 1933 im Querido-Verlag in Amsterdam erschien; (vgl. Bd. IV). Das Echo in der deutschsprachigen Exilpresse war naturgemäß schwach, das der englischsprachigen Presse auf die am 23. Februar 1934 unter dem Titel *I was a German* erschienene englische Übersetzung (von Edward Crankshaw. London: John Lane The Bodley Head) war erstaunlich stark. Holländische, spanische, russische u. a. Übersetzungen folgten rasch aufeinander.

⟨*Kurt Tucholsky am 25. August 1933 aus Zürich*
an Walter Hasenclever
über Tollers Eine Jugend in Deutschland⟩

⟨...⟩ Toller war hier und hat mir sein neues Buch gezeigt. Seine Lebensgeschichte. Ich halte das für sehr wirksam. Es hat nichts von diesem hohlen Pathos, das man ihm manchmal vorwirft – es ist sauber, klar, und hat vor allem etwas, das mir doch sehr imponiert hat: er gibt die bayerische Geschichte in politischer Hinsicht glatt preis. Also das hat mir gefallen. Eine Sache, die so viel gekostet hat – und dann sagen: ich habe mich geirrt ... das ist brav. Ich glaube, daß das Buch Erfolg haben wird.

Er sprach von einer Tournee durch England, die ihm, wie ich denke, das Leben kosten kann. Er ist sehr tapfer. Programm,

Dogma, Thesen – da sehe ich nicht klar. Et après? Ich weiß es nicht. Er wohl auch nicht. ⟨...⟩ (Tucholsky, Briefe S. 269 f.)

⟨*Dorothy Thompson über die 1934 erschienene, amerikanische Ausgabe*
von I was a German. ›*The Saturday Review of Literature*‹.
(New York) 31. März 1934⟩

A German Liberal's Flight into Egypt

There is, about Ernst Toller's latest book, a strange remoteness. Once upon a time, one thinks as one reads it, men were like this; once upon a time men thought like this; felt like this; believed like this. It is then a shock to realize that Toller is only forty years old, and that in this memoir he looks back upon his life from the age of thirty. *It is the apologia pro vita sua* of a very young man, and yet he writes of a world which seems already to belong to ages far past.

Not long ago the writer of this review had to make a baccalaureate address to a High School, and that experience was similar to the experience of reading Toller's book. For I am just about Toller's age, and looking at those seventeen year olds, I suddenly relived my own adolescence, especially my mental adolescence, and realized acutely that hardly a thought or conception which dominates the world of my youth obtains in the world today. Ours was a world of faith, hope, passionate belief in evolution – and in evolutionary socialism – confidence that wars would be abolished, that reason would prevail, and that man was certainly going onward and upward forever. Toller, in Europe, might well have imagined the war. Neither Toller nor any member of his generation could have imagined the form it would take, and none of our generation could have imagined the peace, the decade following the armistice, or the decade in which we now are, heralded by Oswald Spengler as the beginning of an epoch of world wars, in which man returns to his true nature. »I shall say it again and again! Man is a beast of prey!« cries Spengler, while contemporary history terribly confirms the assertion.

Ernst Toller is forty years old, a German, a Jew, a playwright, a poet, an exsoldier who fought in front line trenches, an ex-revolutionary, an ex-prisoner, and, at this moment, an expatriate and an exile. He was born a rather fortunate youth, for although he was a Jew, and even in pre-war and pre-Hitler Germany was made somewhat to feel that fact, his family were well-to-do, he was gifted, and he had a kind of personal beauty, very appealing. I know him only slightly, but I remember his appearance vividly. He has none of the more obvious physical characteristics of his race; his countenance is rather reminiscent of some of the wilder of the young John the Baptists of Raphael, the true aspect of the poet, sensuous but refined, a combination of strong animalism and spirituality. He is gifted, and attractive, and to this his memoir indirectly testifies, for how often, in his revolutionary days, was he befriended by women and hidden from the police, even by his political enemies. Yes, Toller, though he was a Jew, was in many ways beloved of the gods, and besides, he lived as a child near the Polish frontier, he was a German citizen, and therefore full of contempt for the dirty Polacks; if he was made to feel somewhat inferior on the one side, he could exert his own superiority on the other. He belonged very definitely to the middle classes; his family were able to give him a good education, even to send him to the University of Grenoble. Yet in his own country, they have burned his books. I have no doubt whatever that if the present régime could lay hands upon him he would be in a concentration camp at this minute, repeating more acutely the experiences of several years ago. Why? What harm has he done?

Perhaps, like Brunngraber's Karl, his chief error was to grow up in the twentieth century, trailing with him into it a great deal of the nineteenth. Or perhaps he was wrong to disregard the warning of Robinson Jeffers (a more prophetic poet than Toller), »Be in nothing so moderate as in the love of man.« Toller is immoderately humanitarian, and already, with the century only a third over, humanitarianism has an odor of dried roseleaves about it. He is Shelleyean, too. He feels that the whole world belongs to him; he wants to embrace all of life; he is ready to leave his manuscript to help right the injustices of the world; to fight for freedom. Only his gods undergo metamorphosis before his very eyes. He enlists as an impassioned German, convinced that his nation is surrounded and attacked by jealous enemies, and lives to believe that Germany has no less measure of guilt than any other power, and perhaps more. The war is for him an unmitigated horror. Its only justification can be a New Deal for everyone, when it is over. This conviction makes him a revolutionist – 1918 pattern. He is astute enough to see through the Republic, whose denouement in 1933 was implicit from the first, so he becomes a follower of Kurt Eisner, and an official of the short-lived Bavarian Soviet. A communist? Not quite. Again, he is the true representative of an essentially liberal age. Communism, yes, but without terror, without the suppression of the bourgeoisie; communism by persuasion. He cannot stomach the whole program. So the real communists – led by Leviné – and the not quite communists, led by Eisner, fight each other, while the Social Democrats join hands with the old monarchists to suppress both of them. To suppress both of them – and to prepare the way for 1933, when the 1919 socialist colleagues of Von Epp and the reactionaries shall sit along with communists in concentration camps.

Toller's book is two things, and immensely valuable as both. It is a personal memoir, written by a poet, tenderminded, observant, with a strong sensual memory, who has lived through the first phase of what may turn out to be – before it is finished – the most terrific period in world history. Among other things, it is a poet's reaction to the world war, and I think there cannot be too many such documents. There is certainly no universal reaction to the war. Adolf Hitler, for instance, who is among other things a man of considerable sensibility, found the war »the greatest period of my life – the greatest time for all Germans,« and cherishes every recollection of it, even its horrors. Yet here is another soldier, also a brave one, for whom – as for Erich Maria Remarque, – the war was a world crime, a horror to be forgotten if possible, an experience never, never, never to be repeated. Wherein lies the difference? Not, I think, in sensibility. Can it be, perhaps, that the close male comradeship of the trenches, the deep tenderness of one comrade in arms for another during a most intense experience – a feeling which comes out in such a play as »Journey's End« – has a romantic glamour for some natures, and no appeal whatsoever for men strongly heterosexual and strongly life-loving? I do not know, I have only observed that one thing that definitely divides those who follow National Socialism and those to whom it is repugnant, is precisely this attitude toward the war, or toward war as an idea. National Socialism provides a substitute for the front spirit. It glorifies the cult of comradeship, male comradeship – from the poet Stefan George, whom the National Socialists hail as their own, to Sieburg, who finds that precisely this cult is German militarism, and advises the outside world not to fear that it means war, because it exists as a good in itself. For Toller the whole war was esthetically repugnant. He hated the smell of the trenches, the smell of men. He longed for the companionship of women. And so, as a recorder of war he comes rather close to Ernest Hemingway, who was, unlike Toller, thoroughly hard-boiled, even rather fond of fighting for its own sake, but who nevertheless made his hero a deserter who left the comradeship of men locked together in death for a woman and the creation of a new life. ⟨...⟩

Über Tollers Auftreten auf dem Internationalen PEN-Club-Kongreß in Edinburgh, im Juni 1934, berichtete die Edinburgher Zeitung ›The Scotsman‹ am 19. Juni 1934 (vgl. Bd. I, S. 173 ff.):

Congress Impressions

⟨...⟩ Herr Toller, however, was accorded a particularly warm welcome by the congress when he rose to address it, and his long speech in English obviously made a deep impression. Clean-shaven, with strongly-marked eyebrows, and dark, greying hair that waved back from his forehead, he made an earnest plea on behalf of his fellow-country-men and brother writers who have suffered months of imprisonment in Germany without trial, and for that part of Germany, »das leidende Deutschland«, of which the official papers said nothing. The congress gave it their most sympathetic hearing, for it was delivered with a restraint that demanded respect. Nearly all the speeches were, in fact, marked by a certain cool detachment.

Am 21. Juni berichtete die gleiche Zeitung:

Herr Toller proposed a long resolution criticizing the National Socialist Government in Germany and calling for the release of certain German writers who had been deprived of their liberty.

The debate on the resolution became heated after a speech by a Swiss delegate, who, speaking in a personal capacity, denied the right of Herr Toller to pose as a champion of freedom. He alleged that fifteen years ago Herr Toller destroyed books of other people, a statement which produced loud protests from different parts of the hall. His second reason for opposing the resolution was that the Congress should not interfere with German affairs which were not as simple as they looked. Their duty was to see the situation clearly, and not think there was just one party for war and injustice and one against. He had himself met idealists even among Communists and Fascists.

Impassioned support for the resolution was given by Dr. Olden. He said the Swiss delegate could not have learned much from a short stay in Germany. If anyone could speak about Germany it was Herr Toller. The German exiles had this in common – they stood for peace. If the world was to be reorganised it should be done peacefully, and whoever said that in Germany at present was imprisoned and called a traitor.

Herr Ludwig thereafter hurried to the platform to speak in favour of Herr Toller. Although they had grave personal differences, he said there was no better man than Herr Toller to speak there for the exiled Germans. He had been imprisoned for five years for his convictions. The speech of Dr. Olden was described by Herr Ludwig as the best heard in the Congress. ⟨...⟩

Im Sommer 1934 nahm Toller am Ersten Kongreß der Schriftsteller der Sowjet-Union teil (vgl. Bd. I, S. 178 ff.); er reiste auf dem Rückweg über Finnland. Die deutsche Gesandtschaft in Helsinki berichtete darüber an das Auswärtige Amt in Berlin.

⟨*Aus den Akten des Auswärtigen Amtes*⟩

Deutsche Gesandtschaft   Helsingfors, den 13. Oktober 1934
Tgb. Nr. 2099
2 Anlagen,
4 Durchschläge.
Inhalt: Interview des Emigranten Toller
in hiesigen Zeitungen.

Der zur Zeit in England lebende kommunistische Schriftsteller Ernst *Toller* ist hier auf der Durchreise von Rußland, wo er einem Schriftstellerkongreß beigewohnt hat, von den Zeitungen ›Sosialidemokraatti‹ und ›Svenska Pressen‹ interviewt worden. Der in ›Svenska Pressen‹ vom 9. d. M. erschienene Artikel über dieses Interview, in welchem sich Toller besonders über die Vaterlandsliebe der Emigranten ausgelassen hat, ist in der Anlage in Übersetzung beigefügt. Von dem in ›Sosialidemokraatti‹ vom 9. d. M. erschienenen Artikel beehre ich mich, einen Auszug, der den auf Deutschland bezüglichen Teil des Interviews enthält, in Übersetzung zu übersenden.

⟨Unterschrift⟩

An
das Auswärtige Amt
Berlin

Anlage zum Bericht der Gesandtschaft Helsingfors vom
10. Oktober 1934 – Tgb. Nr. 2099 –.
Interview mit Ernst Toller in Suonen Sosialidemokraatti vom
9. Oktober 1934.

Das Blatt versieht das Interview mit einem Vorwort, es sei
unnötig, Toller dem Publikum vorzustellen, da alle und besonders die Arbeiter den von den Nazis aus Deutschland ver-
triebenen mutigen Schriftsteller und Kämpfer kennten, der
seit den Tagen des Weltkriegs furchtlos für eine gerechte Welt
gegen Reaktion und Unterdrückung gekämpft habe.
Toller selbst erklärt in dem Interview, er habe sich durch ein
Wunder vor dem Terror gerettet. Als die Nazis die Macht an
sich rissen, hatte er sich gerade in der Schweiz aufgehalten.
Wenn er in Deutschland gewesen wäre, würde sein Schicksal
sicher dasselbe geworden sein, wie das Mühsams und hunder-
ter anderer. Zwei Stunden nach Ausbruch des Reichstags-
brandes seien SA-Männer gekommen, um ihn wegen seiner
Mitschuld an dem Brand zu verhaften, als ob sie innerhalb
von zwei Stunden hätten beweisen können, daß ein Schriftsteller, der nicht einmal bekannter Kommunist gewesen sei,
an der Brandanstiftung teilgenommen hätte. Da sie ihn nicht
getroffen hätten, hätten sie sich damit begnügt, in seiner
Wohnung Unfug zu treiben. Er aber habe nicht mehr nach
Deutschland zurückkehren können, er sei ohne Heim und
Heimat gewesen, wie zahlreiche andere Schriftstellerkollegen.
Das Schicksal habe ihm wohlgewollt, als es ihm die unbe-
schreiblichen Leiden ersparte, die seine in Deutschland geblie-
benen Kollegen und tausende von deutschen Arbeitern hätten
durchmachen müssen. Er habe jetzt einen Zufluchtsort in
London gefunden, wo er ständig wohne. Wenn er behaupte,
die Engländer zu lieben, wolle er damit nicht diejenigen loben,

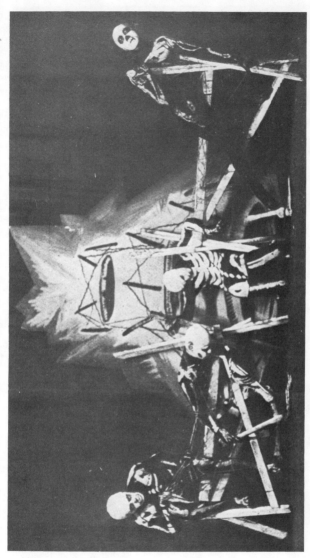

28 (Bildlegenden und Nachweise s. S. 299)

30

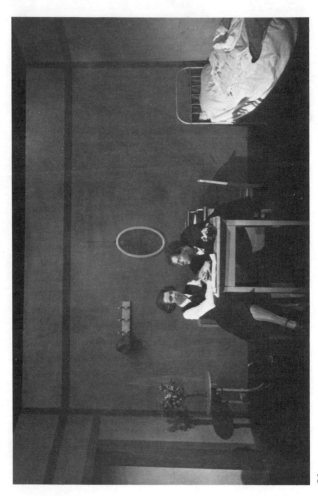

35

welche ihm Gastfreundschaft erwiesen hätten, sondern nur seiner Überzeugung Ausdruck verleihen. Der Begriff Gerechtigkeit sei in England lebendiger und stehe in höherer Achtung als in vielen anderen Ländern. Für einen Menschen, dem kürzlich alles weggenommen worden sei, was er sich als sein Recht zu betrachten angewöhnt habe, bedeute dieser Begriff und seine Hochschätzung außerordentlich viel. Er sei erstaunt gewesen, als er gesehen habe, wie eifrig in England die reaktionäre Presse sich für die Forderung auf Freigabe Thälmanns eingesetzt habe. Es mache einen paradoxen Eindruck, wenn reaktionäre Bürger anfingen, einen Kommunistenführer zu verteidigen. In England sei derartiges aber nicht ungewöhnlich und daraus sehe man, daß ein Flüchtling sich in England wohlfühlen könne.

Der Rest des Interviews beschäftigt sich mit dem Schriftstellerkongreß in Rußland, an dem Toller teilgenommen hat.

(Die zweite Anlage zu dem Bericht der deutschen Botschaft in Helsingfors ist eine schlechte Übersetzung des Berichtes aus ›Svenska Pressen‹ vom 9. Oktober 1934, mit der Überschrift ›Die Patrioten haben es schwer. Ein deutscher Emigrantenschriftsteller besucht Helsingfors auf der Reise Moskau-London‹). –

Im Gegensatz zu den Dramen aus der Zeit der Weimarer Republik hatten Tollers neuere dramatische Texte, beginnend mit der *Blinden Göttin*, im Exil kein Glück. Die Zeitung ›The Welwyn Times‹, die eine Aufführung von *The Blind Goddess* in Welwyn Garden City, Herts., England, besprach, fand dafür auch Gründe:

The play itself is not a great work. Compared with Galsworthy's *Justice* it is somewhat diffuse and uncertain. Toller's theme is social injustice, and he follows it to its beginning in the maladjustment of personal relations. The play loses some of its effect because much of it is occupied with German judicial procedure and the German prison system, both of which are different from ours.

Immerhin lobte noch 1935 kein geringerer als der irische Dramatiker Sean O'Casey, anläßlich der Edition von Tollers erster Dramensammlung *Seven Plays* (vgl. Bd. I, S. 149f., 276f.), vor allem die Dramen *Masse Mensch* und *Die Maschinenstürmer*.

⟨*Sean O'Casey in ›The New Statesman and Nation‹
am 9. Februar 1935 über Tollers* Seven Plays⟩
The Thing that Counts

⟨...⟩ Now a word or two about Ernst Toller and his *Seven Plays* – a holy number, and in many ways a holy book. They are published by John Lane, and the book costs 8 s. 6 d., and it is well worth the money. Of the seven plays, *Masses And Men* and *The Machine Wreckers* are the best, I think, but each has something to say, and all have in them that fierce outcry against the world's woe that is the strongest and shrillest note in every song that Toller has to sing. Here are plays for the modern theatre whether one likes them or not; whether they glorify one's pant for politics, or whether they provoke one to a hasty and hot condemnation of their implication. Each play is a serious reflection from a worthy and intelligent dramatist on the impact with which life has shaken him and made him reel, but still has left him standing on his feet. And all the plays are coloured deeply – some of them recklessly – with the imagery of a poet's mind. Almost all the plays cry out against, and cry in screams, what Toller thinks to be an inadequate social system for the working-class, and who to-day cannot see that the present system will allow few souls to go back clean to God? But this present social system inadequate to the need of the worker is just as inadequate to the need of the rich. We all walk in its slime whether we go barefoot or go with feet sheltered in satin shoes. In the scene of the Stock Exchange in *Masses And Men*, while the bankers and brokers are bidding, one of them says:

Third Bankers: Did you hear?
A mine disaster it seems.
People in want.
Fourth Banker: Then I suggest
A charitable entertainment,

206

A dance around the desk of the Exchange.
A dance to cope with want;
The proceeds to the poor,
Gentlemen, if you please,
A dance.

These who hold out hollowed hands to gather in such flimsy help are in need no more than those who think they give out life from charity.

But Toller's a dramatist, and that's the thing that counts. England will be striding nearer to a finer drama when Toller has his London season. That dawn seems to be a long way off, for, as I write, in London, and, probably all over England, of all the plays presented there are but three or four that can be said to come within the circle of drama, and of these, one was written by an Irishman, and the other two were written hundreds of years ago.

Im Laufe des Jahres 1935 erschienen in Amsterdam Tollers *Briefe aus dem Gefängnis*, die, nach einem Hinweis des britischen Übersetzers R. Ellis Roberts, Teil einer autobiographischen Trilogie sein sollten: »This book should be read as a continuation of the author's *I was a German*; and Ernst Toller is at work on a third volume of autobiography.« Erst die britische Fassung des Buches, *Letters from Prison*, die im April 1936 in London erschien, erregte einige Aufmerksamkeit. Im Vorwort schrieb R. Ellis Roberts:

Translator's Preface

I think that most readers will agree that Ernst Toller did rightly when he decided to publish this book. He had doubts about it, as any man of forty would have when he reads what he wrote in his twenties, and wrote in circumstances of such strain and anguish that at times cool judgment was extremely difficult. Publication will make it easier to kill the legend that Ernst Toller was ever a doctrinaire, or primarily a party man. He is that much rarer and more valuable person – a poet with principles. I have never understood how the legend of the doctrinaire Toller ever existed – even in Germany where the desire to classify has so often been too strong for the need to see. How could anyone read the early plays and fail to know that Ernst Toller was a poet with two passions – a passion for truth and a devotion to men and women? I do not add a passion for freedom since this is an integral part of the other two passions. Toller is, it is true, a good left-wing Socialist; but, as a poet, he must know that no man can hold any party doctrine fruitfully, beneficially, unless he realizes that there is good in men of other parties. Not in their systems; there is no need to hold that, but in the men and women. It is only the liar who claims to possess the whole truth; it is only the man without principles who will never hesitate to put his principles into practice. Directly you begin to apply political, economic, social or religious principles, you find yourself compelled to work with and on men and women. Some will oppose you. They may be mistaken; they may be wicked – they are almost sure to be stupid. They will, however, many of them, have in them something of the very principle for which you are fighting; and if you crush or destroy them, if you silence or torture them, you are false to your principle, you are, in killing them, betraying your own vision of the truth. All suppression is self-suppression – in fear a man refuses to listen to the voice which proclaims what his as yet unsmothered conscience has been whispering to him. All murder, whether of men or of ideas, is a kind of suicide. Toller would not extinguish any man's candle, even though it were lit from a match struck on a different box. He had in him the makings of a statesman, not of a politician. Toller did, it is obvious, occasionally wander a little way along that path of political idealism which would accept one formula, one doctrine as absolutely true. He used – though never, I think, with a wholehearted acceptance – those convenient words »proletariat« and »bourgeois«, as if class was a matter of eternal determination, and as if in one class certain ideas were foreordained and unalterable. The creative poet in him soon relieves him of that illusion. ⟨...⟩

208

⟨*Aus den Akten des Auswärtigen Amtes*⟩
Deutsche Gesandtschaft
B 74   Dublin, den 17. Januar 1935
2 Doppel
Inhalt: Verhinderung eines deutsch-
    feindlichen Vortrags des
    Kommunisten Toller in Dublin
Am 13. d. M. sollte hier in Dublin vor einer kommunistischen
Versammlung der bekannte kommunistische Literat Ernst
Toller, der sich zur Zeit in England aufhält, einen Vortrag
über das nationalsozialistische Deutschland halten.
Auf Vorstellungen der Gesandtschaft hat die irische Regie-
rung durch ihren Kommissar in London die Einreise Tollers
nach Irland verhindern lassen, so daß der Vortrag nicht statt-
gefunden hat.
Durchschlag dieses Berichts erhält die Botschaft in London.
                                          ⟨Unterschrift⟩
An das
Auswärtige Amt
Berlin

⟨*Aus Tollers in Deutschland weitergeführten Polizeiakten*⟩
DSt. 123.
Betreff: Einreise ausgebürgerter Personen
        in das Reichsgebiet.
I. Toller Ernst
   geb. am 1. 12. 93 in Samotschin
   wurde durch Beschluß vom 23. 8. 33 auf Grund des § 2 des
   Reichsgesetzes vom 14. 7. 33 über den Widerruf von Einbürgerungen und die Aberkennung der deutschen Staatsangehörigkeit (RGBl. I, S. 480 ff.) die deutsche Staatsangehörigkeit aberkannt. Obengen. ist wegen Landesverrats festzunehmen, wenn er (sie) im Inland aufgegriffen werden
   sollte. An die Bayerische Politische Polizei ist von der Festnahme sofort Bericht zu erstatten. (Verfg. d. Bayer. Polit.
   Pol. II 2, B. Nr. 32 067 v. 19. 2. 35).

II. Für 123 ist Karteikarte anzulegen mit folgendem Wortlaut:
»Ist wegen Landesverrats festzunehmen. Sofort Mitteilung
an Bayer. Polit. Polizei II 2 A, siehe Verf. Nr. 32067 II 2 v.
19. 2. 35.
Die deutsche Staatsangehörigkeit wurde dieser Person aberkannt auf Grund § 2 des RGes. v. 14. 7. 33 (RGBl. I
S. 480 ff.). Vormerkung in den PA.

Gesch. am 3. April 1935«
III. *Nach 313* (Fahndungsnachweis) mit dem Ersuchen um
Festnahmevormerkung:
»Festnahme wegen Landesverrats. Deutsche Staatsangehö-
rigkeit aberkannt auf Grund § 2 des Ges. v. 14. 7. 33 über
den Widerruf von Einbürgerungen. (Verfg. BPP. II 2 B.
Nr. 32067 II A v. 19. 2. 35).«

Das Jahr 1936 war – nicht nur für Toller – ein Jahr der Entscheidun-
gen. Mit der Besetzung der entmilitarisierten Zone des Rheinlandes
testete Hitler die Schwäche der westlichen Nationen; der Vierjahres-
plan diente der unmittelbaren Kriegsvorbereitung; das Regime war
im Inneren so stabilisiert, daß von nun an, jeweils am Vorabend von
Hitlers Geburtstag, geschlossene Jahrgänge in die Staatsjugend über-
nommen wurden, in welcher der Schießunterricht eingeführt worden
war. Außenpolitisch errang der Nationalsozialismus mit den Olympi-
schen Spielen in Garmisch und Berlin einen kaum zu unterschätzen-
den Propagandaerfolg. Die »Achse Rom-Berlin«, von der Mussolini
sprach, verdeutlichte die wachsende Gefahr des internationalen Faschismus, der seine militärische Kraft im beginnenden Spanischen
Bürgerkrieg unter Beweis stellte.
Angesichts dieser Stabilisierung von Nationalsozialismus und Faschismus in Europa war die Zersplitterung des deutschen Exils größer
denn je. So stand am Beginn des Jahres 1936 Tollers *Mahnung* zur
Einigkeit, nachdem er schon 1933/34 an dem Versuch zur Sammlung
des Exils gescheitert war. 1934 hatte er mit einem bitteren Brief die
nach dem PEN-Kongreß in Ragusa entstandenen Hoffnungen begra-
ben: »Ich habe zuweilen daran gedacht, die Emigration zu sammeln,
mit der strengen Disciplin einer Legion – es wäre ein vergebliches
Beginnen. Die Emigration von 1933 ist ein wüster Haufe aus zufällig
Verstoßenen, darunter vielen jüdischen verhinderten Nazis, aus

210

Schwächlingen mit vagen Ideen, aus Tugendbolden, die Hitler verhindert, Schweine zu sein, und nur wenigen Männern mit Überzeugung. Deutsche, allzu Deutsche.« Jetzt schreibt er in der ›Neuen Weltbühne‹ am 30. Januar 1936:

Mahnung   von Ernst Toller
Die Herren im Reich dürfen zufrieden sein. Drei Jahre – und welche Jahre! – sind ins Land gegangen, und noch immer fehlt die einheitliche Front der Gegner, noch immer wird die Tat zerschrieben und zerredet.
Haben wir nichts gelernt?
Wir verraten unsere Kameraden in Deutschland, wir verraten das künftige freie Reich, wenn wir uns nicht endlich, endlich finden.

Da die europäischen Staaten scheinbar unaufhaltsam dem Faschismus in die Hände fielen und die lange gehegten Hoffnungen auf die Sowjet-Union mit dem Beginn der »Stalinschen Säuberungen« starben, blieben die USA als letzte Bastion der Freiheit. Zusammen mit vielen seiner Freunde begann daher auch Toller 1936 die Umorientierung nach Übersee, die 1938 dann in die unter den Emigranten umstrittene »Europa-Flucht« mündete. Diese Umorientierung bedeutete für Toller eine neue Akzentverlagerung vom literarischen auf das rednerische Werk. Der geringe Erfolg, den seine satirische Komödie *No More Peace* im Mai und Juni 1936 in London hatte (vgl. Bd. III, S. 185 ff., 328 f.), mag ihn in diesem Entschluß bestärkt haben. Seine neuen, erst mit dem Ende des Spanischen Bürgerkrieges endenden, Aktivitäten, die darauf zielten, Amerika, Mexiko, Kanada und andere Länder zum Kampf gegen die nationalsozialistische Weltgefahr zu gewinnen, standen unter dem Motto, das Christopher Isherwood für ihn gefunden hatte: »Revolutionaries never sleep.«
Tollers Vortragsreise durch die USA und Kanada von Oktober 1936 bis Februar 1937, wobei er u. a. auf dem Deutschen Tag in New York am 14. Dezember 1936 sprach (vgl. Bd. I, S. 198 ff.), war durch einen vierseitigen Werbeprospekt der Firma William B. Feakins (New York und San Francisco) gut vorbereitet (vgl. LJGG VI, 1965, S. 270-274). Folgende Vorträge wurden in diesem Prospekt angeboten:

HITLER – THE PROMISE AND THE REALITY

Restlessness in post war Germany. The economic crisis. Personal meeting with Hitler. Hitler's life. Hitler's access to power. His program. What has he kept of it? The Jew-baiting program of the Nazis. Jews in revolutionary movements. Is the Jewish question a German question? Present situation in Germany – political, cultural, economic. Who has power in Germany? Consequences of militarism. Does Hitler want peace? Hitler and the future of Europe. Nazi propaganda abroad. The duty of democracies. How to preserve freedom and world-peace.

ARE YOU RESPONSIBLE FOR YOUR TIMES?

Ideals of the modern man. The leaders and the seducers. The part of the politician, of the philosopher, of the poet. Is the seducer the only culprit or are we also to blame? The fear of truth and refusal to think over questions demanding an answer. Evasion of reality. How we mould the future not by action but by failure to act. Is a new war at hand? Can it be circumscribed in a certain area? Ideals versus economics. War and its profiteers. The varying attitudes of the old and the young toward war. Relation of the dictator to war and peace. What can you do about it?

THE PLACE OF THEATRE IN OUR CHANGING WORLD

The theatre's function in society. Entertainment and education. Differences between modern drama and drama of the past. Theatre in Germany. Differences between expressionism and the new and old realism. The social drama. Some misinterpretations of the modern theatre. The task of the producer and of the author. The experimental theatre. The people's theatre. The part of the theatre and of the free writer and actor in Nazi-Germany. Freedom of art. The outlook.

DRAMA AS AN EXPRESSION OF YOUTH

Der Vortrag *Are you responsible for your times* (zum Text vgl. LJGG VI, 1965, S. 275-301) wurde am 1. November 1936 auch im kanadi-

schen Montreal gehalten. Das Deutsche Generalkonsulat berichtete
darüber, unter Zusendung von zwei Zeitungsausschnitten, am 3. November an das Auswärtige Amt in Berlin, wurde aber im Februar
1937 nochmals zur Berichterstattung aufgefordert.

⟨*Aus den Akten des Auswärtigen Amtes*⟩
Der Reichsminister
für Volksaufklärung und Propaganda
Berlin W8, den 25. Februar 1937.
Wilhelmplatz 8-9
Geschäftszeichen: VII 7057/16. 2. 37/3442 – 1,10.
An
das Auswärtige Amt
in
Berlin.
Betrifft: Vortragstätigkeit Ernst Toller.
In der Anlage wird Abschrift eines Berichts aus Montreal über
einen Vortrag des Kommunisten Ernst Toller übersandt.
Ich wäre dankbar, wenn das zuständige Konsulat zum Bericht
aufgefordert und mir von dem Ergebnis Kenntnis gegeben
würde.

Im Auftrag
gez. von Feldmann

Abschrift zu Nr. VII 7057/16. 2. 37/3442 – 1,10.
Betr.: Kommunist Ernst Toller.
Dieser vorgenannte Kommunist und Asphalt-Literat hat kürzlich hier in Montreal, und zwar in einer presbyterianischen
Kirche, einen Vortrag über das Thema: »Bist Du verantwortlich für Deine Zeit?« gehalten.
Toller wurde in einer Anzeige in der größten Zeitung von
Montreal, dem Montreal Daily Star, als einer der berühmtesten Dramatisten und Dichter der Welt bezeichnet, der als
Refugié von Deutschland jetzt in London lebt. Mit 25 Jahren
sei er Präsident des Bayerischen Freistaates gewesen und hätte
7 Jahre im Gefängnis zugebracht.
Toller würde sich zu keiner politischen Idee bekennen und

lediglich gegenwärtig für den Geist des Friedens arbeiten. Er hätte alle Formen politischer Unterdrückung bekämpft.

Ich habe mir den Vortrag dieses jüdischen Marxisten angehört. Es dürfte Sie interessieren zu erfahren, daß die Kirche überfüllt war und daß eine Parallelversammlung in einem anliegenden Gebäude abgehalten wurde, wo Lautsprecher aufgestellt waren, damit man auch dort die Rede Tollers hören konnte.

Die Zuhörer setzten sich größtenteils aus Juden und Kommunisten zusammen. Es waren aber auch eine ganze Reihe von Intellektuellen vertreten, die sich vor allen Dingen aus der Professorenschaft der größten Universität Canadas, der McGill University Montreal, rekrutierten. Für den Geist, der an dieser englisch-kanadischen Universität herrscht, ist es kennzeichnend, daß Toller von dem früheren Dekan der deutschen Fakultät an dieser Universität, Herrn Dr. Hermann Walter (einem Schweizer, der im vorigen Jahre wegen seines hohen Alters pensioniert worden war), eingeführt wurde.

Bei seiner Einführungsrede bemerkte Dr. Walter zynisch, daß Herrn Toller die größte literarische Auszeichnung dadurch zuteil wurde, daß das heutige Nazi-Deutschland seine Bücher verbrannt habe. (Stürmisches Beifallklatschen der Anwesenden).

In seinen Schlußworten, nach dem Vortrag des Toller, ließ Dr. Walter es sich nicht nehmen, darauf hinzuweisen, daß »wir hinsichtlich des Nationalsozialismus für die Folgen keine Rücksicht kennen werden«.

Dieser Dr. Walter ist nebenbei bemerkt Vorsitzender der Goethe-Gesellschaft in Montreal. Es entzieht sich meiner Kenntnis, ob Deutschland mit dieser Goethe-Gesellschaft in Montreal zusammenarbeitet.

Tollers Rede selbst war raffiniert ausgearbeitet und in gutem Englisch vorgetragen. Sie war ein einziger Haßausbruch gegen das heutige Deutschland und seinen Führer und enthielt außerdem eine Reihe von Beschimpfungen des deutschen Volkes.

Es war bezeichnend, daß der Rektor der McGill Universität, Principal Morgan, in den ersten Reihen der Zuhörer saß und den Vortrag mit beifälliger Miene aufnahm.

Ich habe mir gestattet, an den Präsidenten des »People's Forum«, eines literarischen Zirkels, beiliegendes Schreiben zu richten, auf das ich jedoch keine Antwort erhielt.

Ebensowenig hat die größte Zeitung in Montreal, der Montreal Daily Star, der ich Durchschlag dieses Schreibens einsandte, meine Ausführungen wiedergegeben.

Deutsches Generalkonsulat
für Kanada   Montreal,
J. Nr. 294   Ottawa, den 30. März 1937
Inhalt: Vortrag des jüdischen
        Emigranten Ernst Toller
        in Montreal
Auf den Erlaß vom 5. März d. J.
– Nr. P 1704 –
Über den in den Anlagen des obigen Erlasses erwähnten Vortrag des jüdischen Emigranten Ernst Toller in Montreal hat das Generalkonsulat unter dem 3. November 1936 – J. Nr. 1256 – unter Beifügung entsprechender Zeitungsausschnitte Bericht erstattet. Soweit sich feststellen läßt, entspricht die in dem Schreiben aus Montreal gegebene Darstellung des Vortrags und seiner Zuhörerschaft den Tatsachen.

Das »People's Forum«, vor dem der Vortrag Tollers gehalten wurde, ist eine lose Vereinigung zur Veranstaltung von Vorträgen und zur Diskussion von Gegenständen aus der politischen und kulturellen Welt der Gegenwart. Wie aus der laufenden Berichterstattung hervorgeht, hat das »People's Forum« mehrfach deutschen Emigranten das Wort erteilt. (Vgl. z. B. Bericht vom 20. Dezember 1935 – J. Nr. 1435 – betr. Vorträge der deutschen Emigranten Gerhart Seger und Emil Ludwig).

Was die Persönlichkeit des bei dem Vortrag von Ernst Toller mit einem Schlußwort beteiligten Dr. Hermann Walter betrifft, so ist es richtig, daß Dr. Hermann Walter Vorsitzender der Ortsgruppe der *Goethe-Gesellschaft von Amerika* in Montreal ist. Dr. Walter hat sich seit langen Jahren um die Vertiefung des Verständnisses von Goethe in Kanada verdient gemacht. Er ist bei der Veranstaltung der Feiern im Goethejahr 1932 führend beteiligt gewesen und dafür von der Deutschen Regierung durch Überreichung eines Goethebuches ausgezeichnet worden. In seiner Werbung für die Dichtung und Weltanschauung Goethes ist er in den letzten beiden Jahren besonders tätig gewesen – vgl. die nachfolgenden Berichte:

1. April 1932 – J. Nr. 315
29. Dezember 1932 – J. Nr. 1144
3. Januar 1933 – J. Nr. 3
1. März 1933 – J. Nr. 199
4. April 1935 – J. Nr. 360
6. März 1936 – J. Nr. 259.

In den Monaten November und Dezember 1936 hat Dr. Walter in Montreal Vorträge über das jüngste deutsche Schrifttum gehalten, die von einem gewissen Verständnis der deutschen Entwicklung zeugten.

Daß Dr. Hermann Walter sich bei der vorbeschriebenen Gelegenheit mit der Hetzrede des Juden Ernst Toller identifiziert hat, ist zu bedauern. Dr. Walter ist Schweizer von Geburt und war bis vor einigen Jahren Leiter der deutschen Abteilung der McGill Universität in Montreal. Amtliche Beziehungen zu ihm bestanden vornehmlich im Goethejahr 1932 und auch in den letzten Jahren insoweit, als Dr. Walter das Generalkonsulat über seine Tätigkeit in der Goethe-Gesellschaft auf dem Laufenden hielt. Die unerfreuliche Wandlung in der Haltung von Dr. Walter gegenüber dem Neuen Deutschland dürfte nach meiner Ansicht zum Teil auf Einflüsse der in ihrer Stellungnahme dort bekannten *Goethe-Gesellschaft* in *New York* zurückzuführen sein. Da Dr. Walter niemals Reichsdeutscher gewesen ist und bereits in dem Alter eines Mannes von 74 Jahren steht, dessen Lebensansichten weitgehend festgelegt sind, ist es schwierig, auf ihn in irgendeiner Weise Einfluß zu nehmen. Es wird jedoch der Tätigkeit der Goethe-Gesellschaft in Montreal, wie bisher, genaueste Aufmerksamkeit geschenkt werden. Granow

An
das Auswärtige Amt
Berlin.

Schon im Interview mit ›Svenska Pressen‹ am 9. Okt. 1934 hatte Toller darauf hingewiesen, wie tief ihn die Ermordung von Erich Mühsam (im Juli 1934 im KZ Oranienburg) getroffen habe: »... daß ich ihnen niemals verzeihen kann, daß sie meinen Freund Erich Mühsam ermordet haben. Dies hat mich tiefer geschmerzt als Verbannung und Verfolgung.« In Leningrad hatte er 1934 von Willi Bredel, dem nach mehr als einjähriger Haft die Flucht aus dem KZ Fuhlsbüttel gelungen war, genaue Berichte über die Zustände in den deutschen KZ's erhalten. So begann er Anfang 1938 – nach einer historischen Begebenheit – die Arbeit an einem Drama über diese Lager, dem er den Titel *Pastor Hall* gab (vgl. Bd. III, S. 245 ff., 329 ff.). Toller erlebte weder die Verfilmung dieses Textes (1940) – ›The New Statesman and Nation‹ nannte den Film am 1. Juni 1940 den »first really successfull anti-Nazi film« – noch den Streit um die Aufführung in den USA, noch auch die kurzlebige Inszenierung im Deutschen Theater in Berlin 1947.

⟨Pastor Hall *wird in New York abgelehnt*⟩

Dramatists Play Service
Incorporated

6 East 39th Street, New York

Barret H. Clark. Executive Director

December 6, 1938

Mr. Ernst Toller
Mayflower Hotel
Central Park West & Sixty-first Street
New York, New York
Dear Ernst:
I read the new play over the week-end. I am not surprised to find it part and parcel of your own passionate, flaming self – a work of the mind and heart.

But you didn't ask for praise – nor for a long disquisition. Specifically, I speak of the language of the translation. Well, it is here and there satisfying and it no doubt is English, but English is no longer *our* language here. I began to mark a word or a sentence here and there, and then I quit. The *music*, the rhythm, are so consciously English that a good part of the time I feel I am reading a more or less dead language. There is very little color in it and none (or almost none) of that lyric quality which I find in the original German of your other work.

I am not primarily criticizing your translator, because I know that a great deal of what he writes would be considered proper in England. If the play is done there, no doubt the English ear will accept most of what my ear will not accept. One great difficulty any translator would have with this play (as with many other European plays) is that the characters often speak aloud what many of us feel and think, no doubt, but don't utter. The educated European speaks things that we would feel too self-conscious to utter. Your Pastor is a noble figure, but if such a man *here* in our country, spoke as he does, on occasion, we would call him a poseur.

I honestly believe that if the play is to be done in this country, you should have a playwright like Behrman, or Rice, or Howard, rephrase the language. I don't mean adapt the play but iron out the phrases, make them sound if not colloquial, at least not *un*colloquial.

The manuscript is here. Can you call for it? Shall I express it to you?

I'd like to see you whenever you care to spare a moment. Maybe you'd like to rest an hour from your zealous humanitarianism and just »escape from it all.«

I hope you'll be able to come out with me to the local school. They're going ahead with *No More Peace*.

Affectionately,
Barrett
(Barrett H. Clark)

Ernst Toller hat es sich nie verziehen, daß er – als glühender Pazifist – nicht, wie viele seiner Freunde, im Spanischen Bürgerkrieg in die Internationalen Brigaden eingetreten ist. »Ende Juli 1938«, heißt es in den nachgelassenen Fragmenten eines Spanienbuches, »nach zwei Jahren Krieg, kam ich nach Spanien. Ich hatte das Land vor dem Kriege gekannt, hatte dort gelebt und seine Menschen liebgewonnen. Als der Krieg begann und die ersten Freiwilligen nach Spanien eilten, wollte auch ich es tun. Mögen die Gründe, die mich daran hinderten, noch so zwingend sein, ich ließ sie vor meinem Gewissen nicht gelten, jetzt war ich hier, ich fühlte, ich hatte eine Schuld gut zu machen.« In Spanien entstand im Anblick der hungernden Bevölkerung, in Barcelona und Madrid, der Plan, als ein neuer Nansen, 50 Millionen Dollar zu sammeln, um damit die Hungernden auf beiden Seiten der Fronten zu unterstützen. Die in aller Welt jährlich zur Vernichtung vorgesehenen Nahrungsüberschüsse sollten mit diesem Geld angekauft und transportiert werden.

Bis zum Ende des Spanischen Bürgerkrieges, also bis Frühjahr 1939, war die Weltpresse angefüllt mit Nachrichten über diese großangelegte Hilfsaktion, liefen von allen Seiten im Berliner Auswärtigen Amt die Berichte der Auslandsvertretungen ein. In Spanien, Frankreich, Großbritannien, Schweden, Norwegen, Dänemark und den USA warb Toller selbst für seinen Plan, sammelte er Dokumente, Unterschriften, Unterstützungszusagen. Doch fiel und stand das Projekt mit der Haltung von Präsident Roosevelt. Am 26. August 1938 rief daher Toller von Madrid aus, über den Rundfunk, die Hilfe des Präsidenten der USA an. Er hoffte, daß seine Rede (vgl. Bd. I, S. 209 ff.) über Kurzwelle auch in den USA empfangen werden könnte, doch wurde sie dort nicht gehört.

Tollers Memorandum über seine *Spanish Help Action* beginnt:

Spanish Help Action
Memo by
Ernst Toller

As a man with no official function, as a writer, I am asking the democratic governments to give 50 million dollars to help the starving civil population in Spain. It may seem a mad dream to you, devoid of any reality. But isn't it a fact that quantities of food, worth 50 million dollars and more, are being wasted and, indeed, destroyed in many lands? I beg the help of practical men, of men of reality, to realize the dream of saving that food to save a people.

Travelling through loyalist Spain, I realized very soon that these people had preserved their genuine dignity, their great moral attitude, their sense of freedom and individual responsibility. The army is disciplined. They are well fed. I saw also the fate of the civil population. In every modern war the civil population suffers more than in the wars of past times. You have seen this in England, I have seen this in Germany, during the Great War. The privations of the civil population are terrific. But they bear their fate with dignity, without uttering any complaint. Many private organizations in many countries and especially the Quakers are helping them marvelously. But their means are limited. The Government of loyalist Spain is doing what it can. It has organized children's homes and children's restaurants. The local authorities have organized canteens for the people. But, as you will understand, they have to think in the first place of the military needs, of the defense of the constitutional independence. One must not forget, that in Republican Spain there live three million refugees, representing an enormous burden. A great part of the territories, from which Catalonia and Castile have been supplied their food, is now in the hands of Franco. And it is a well known fact that there are twice as many people living in Republican territory than there are living in the much larger territory occupied by Franco.

I remember two historical facts: the action of the League of Nations for Soviet Russia in 1921, associated always with the name of Nansen, and the great American action after the Great War for Germany, Belgium and Austria, the so-called »Hoover-plan«. Could there not be a similar action, an Inter-Governmental action for the civil population of Spain? *For the civil population of all Spain, on both sides of the battlefield – according to need?* ⟨...⟩

In diesem Memorandum werden u. a. folgende Briefe und Telegramme zitiert:

LETTER
from
THE DISTINGUISHED CATHOLIC WRITER JOSE BERGAMIN AND THE PAINTER PABLO PICASSO

Mr. Ernst Toller:

As Spaniards, deeply wounded, not only in our sentiments of justice and truth, but by the terrible cost in Spanish flesh and blood that mounts day by day, we want to tell you, dear friend, how we expect from all men of good will a deeper and keener understanding of our Spanish struggle; we say this in the hope, confidence and certainty that our people will be victorious. And from this true understanding we expect that material help to be forthcoming due to our victims from motives both of humanity and justice. Old men, women, children in Spain are suffering terribly: with heroic resignation, they are making this sacrifice to maintain peace for those people who have not yet lost it. Surely there should be some response from those who are able to give material relief and assistance in return for this generous service rendered by the Spanish people?

Their suffering is terrible. It does not take away their hope and confidence even though, in their agony they find other people asleep. Our great suffering, Toller, should awaken them. For in all this is a promise that must be faithfully kept with our blood this is the only salvation that remains to us all. Cannot our Spanish people, our men, women, and children hope for a single gesture of love, solidarity and help in this terrible trial? For the good of all, we ask that this shall be so.

Your good friends,
Jose Bergamin
Pablo Picasso

November 11, 1938

My dear Toller:

I have examined your plan for the relief of the food situation in Spain and it seems to me an admirable one. I think you ought to put it directly to President Roosevelt. I have met him several times and I think he has just the greatness and simplicity to make the waste of the more fortunate countries the food of the starving Spanish.

I think you ought to go straight to him and to Mrs. Roosevelt. They are not merely humane people, they have just the large commonsense needed to make your prayers a preachable thing.

All my best wishes for your success.

Yours,

H. G. Wells

Auf dem Höhepunkt der Aktivitäten für die Spanienhilfe verwendete Toller seine neu gewonnene Popularität, um England vor den verheerenden Folgen der »appeasement«-Politik zu warnen, um es, zumal nach dem Anschluß Österreichs, vor einem Nachgeben in der Frage der Eingliederung des Sudetengebietes zu warnen. Die Rede *An England* (vgl. Bd. I, S. 215ff.) wurde in London am 29. September gehalten, also am Tag der Unterzeichnung des Münchener Abkommens zwischen Hitler und Chamberlain. Hitlers Erpressungspolitik war nochmals erfolgreich.

Von Oktober bis Anfang November 1938 warb Toller dann in Schweden, Dänemark und Norwegen für sein Spanienprojekt; die Kampagne in den USA begann er Mitte November.

⟨*Aus den Akten des Auswärtigen Amtes*⟩

Deutsche Gesandtschaft

– A 1667 –   Stockholm, den 31. Oktober 1938.

Inhalt: Besuch von Ernst *Toller*
          in *Schweden*.
          4 Berichtsdoppel.

Nachdem hier bekannt geworden war, daß der von seiner Mitwirkung in der Münchener Räte-Regierung im Jahre 1919 bekannte Jude Ernst *Toller* nach Schweden kommen würde, um hier eine nach seinen Angaben angeblich beiden Seiten zugute kommende Hilfsaktion für Spanien einzuleiten, hat die Gesandtschaft sich mit der Stockholmer Presse, der Presse-Abteilung des hiesigen Außenministeriums und anderen Stellen in Verbindung gesetzt und diese über die Persönlichkeit des Toller und seine Vergangenheit aufgeklärt. Obwohl auch versucht wurde, über einen der Gesandtschaft bekannten Geistlichen vor Toller zu warnen, hat das Haupt der protestantischen Kirche Schwedens, Erzbischof Erling *Eidem*, Toller empfangen und nach den eigenen Angaben Tollers, für seine Pläne »Interesse und Sympathie« gezeigt. Ebenso ist Toller von hier noch nicht bekannten Regierungsstellen und insbesondere von der Leitung der sozialdemokratischen Gewerkschaften empfangen worden.

Außer in »Den Svenska Nationalsocialisten« ist inzwischen auch in einigen bürgerlichen Blättern auf die Vergangenheit Tollers und seine Rolle bei dem Münchener Schreckensregiment des Jahres 1919 hingewiesen und die Ansicht ausgesprochen worden, daß dieser Mann wohl kaum der richtige Vermittler für eine Hilfsaktion schwedischerseits sei. Ein in diesem Sinne geschriebener Leitartikel von »Nya Dagligt Allehanda« vom 27. d. Mts. wird von dem Chefredakteur des »Social-Demokraten« in der Ausgabe vom 28. d. Mts. unter der Überschrift »Allehanda als Franco-Organ« schärfstens kritisiert und die Angaben über Toller als Dichtung und Lügen bezeichnet. »Social-Demokraten« vom 29. d. Mts. veröffentlichte eine Erklärung Tollers, worin dieser seine Rolle in München 1919 als die eines Menschenfreundes schildert, der z. B. viele Offiziere vorm Erschießen gerettet habe.

Toller hat sich von hier aus nach Finnland begeben. Die Gesandtschaft Helsingfors ist von hier aus informiert worden.

D. Wied.

An das
Auswärtige Amt
Berlin

Ähnliche Berichte, wie der vorstehende, liefen aus Kopenhagen, Oslo
und Bergen ein.
Die Hilfsaktion scheiterte in dem Augenblick, in dem sie ihr Ziel
erreicht hatte. Zu dem Zeitpunkt nämlich, als nach unendlichen Mü-
hen, der amerikanische Präsident Franklin D. Roosevelt ein Komitee
ernannte, welches – ähnlich wie beim Hoover-Plan nach dem Ersten
Weltkrieg – die amerikanische Hilfe organisierte, begann unter den
Schlägen der letzten nationalspanischen Offensive die Spanische Republik zusammenzubrechen.

⟨*Aus der* ›*New York Times*‹ *vom 30. Dezember 1938*⟩
At the personal invitation of President Roosevelt, a committee
of ten prominent Americans has been formed to raise an esti-
mated $ 500000 necessary to process and ship 600000 bar-
rels of flour from the United States to feed starving civilians
on both sides in Spain, starting next month.
George MacDonald, a papal Marquis, and a leading Catholic
layman, announced yesterday at his offices, 149 Broadway,
that he had accepted the President's invitation to be chairman
of this committee. Coincidental with his announcement, Mr.
MacDonald also made public the text of a letter he had re-
ceived from the White House and his reply.
Mr. MacDonald made the announcements through John
F. Reich, associate secretary of the American Friends Service
Committee, which will supervise the distribution of the flour.
This committee has been administering relief on both sides in
Spain since December, 1936. ⟨...⟩

⟨*Aus einer Stichwortsammlung Tollers*
für ein Buch über die Spanien-Hilfsaktion⟩
Schweden hat anderthalb Millionen, Norwegen eine halbe
Million Kronen gegeben, England 50000 £.
Erfolg, aber unter welchen tragischen Umständen.

224

Zentralspanien abgeschnitten, Niederlage unaufhaltsam.
Arbeit für Sendungen nach Zentralspanien.
Auch Zentralspanien fällt.
Was bleibt?
Hilfe für Flüchtlinge.
400 000 in Frankreich.
Traum und Wirklichkeit.

Der Dramatiker und Erzähler Christopher Isherwood berichtet in dem ›The Head of a Leader‹ überschriebenen Tollerporträt (Encounter I, 1953) über seine letzte Begegnung mit dem erschöpften und enttäuschten Toller (im Frühjahr 1939), bei dem die übergroße Anstrengung in eine übergroße Depression umgeschlagen war.

⟨*Christopher Isherwood (1953) über Ernst Toller*⟩
It was in New York that we met again – for the fourth and last time. Six months had passed. The Spanish Civil war was over. The dictators, in the hour of their triumph, were uttering new threats. On a beautiful cold spring afternoon I crossed Central Park to the hotel at which he ⟨Toller⟩ was staying.
He opened the door to me himself. To my surprise, I found him quite alone:
»You must please excuse all this untidiness,« he told me. »If I had known that you were coming I would have made some preparations.«
Even as we sat down, I was struck by the change in his appearance, and in his manner. He looked older, yellower, thinner. The black eyes were sombre, and almost gentle. And his pleasure at my visit was quite touching:
»How are you, my friend? What have you been doing? Please tell me some news of England.«
I told him everything I could think of. I did all the talking. He listened attentively, smoking one cigarette after another. I noticed that his hands trembled a little, as he lit them. At length, I asked:

»But what about your work?«

The eyes did not brighten, as I had expected. Instead, he shrugged his shoulders lightly:

»It is accomplished. The funds have been raised. We were successful.«

»I'm very glad.«

»There were difficulties, of course. ... When I landed in New York I had hoped to make great publicity for the scheme, to give interviews to the Press. ... But I was unlucky. Not one single journalist came to my cabin. Not one. And do you know why? They were all crowding around a foreign film actress, and a dwarf!«

»A dwarf?«

»Yes. This dwarf, it seems, was particularly important, because of his extremely small size. He was more interesting to the reporters than all the thousands of my unhappy countrymen.«

His disdainful smile, as he said this, had something of its old magnificence. But only for an instant. His face darkened again, into moody silence.

»And what are you doing now?« I asked him.

Once more, he shrugged his shoulders.

»I am here. As you see.«

»Shall you stay long?«

»Who knows?« he sighed. »At the present, my plans are very uncertain.« Glancing round the hotel bedroom, so large and luxurious and unfriendly, and at his three scarred, shabby suitcases standing in the corner, I realized, with a slight shock, that he, who had successfully demanded so many thousands of dollars, was probably short of money. Perhaps he could not even pay his bill. He seemed to know what I was thinking, for he smiled, sadly and gently, as he walked across to the window.

»You know,« he told me, »I long very greatly to return to Europe.«

»You don't like it here?«

»I hate it.« He said this quietly, quite without passion, stating a simple fact.

»Look,« he pointed. »Over there is the Zoological Garden. You have seen the sea-lions?«

»Yes. I've seen them.«

»When I am lying in bed at night, I can hear them. And sometimes it seems to me that they are angry, that they are crying aloud to demand the destruction of this city.«

I laughed. We both looked out, at the white shafts of the skyscrapers, splendid in the pale sunshine, along the edge of the park.

I told him: »A friend of mine calls them The Fallen Angels.«

»The Fallen Angels? Good. Very good. ....« I could watch his mind playing with the idea. »One might write something...« he began. Then he checked himself, paused; said, with sudden decision: »Isherwood, you must write about this town. You must write a great drama, or a novel.«

It was a command – one of his many commands. But I could not accept it meekly: »Why don't you,« I suggested, »write that novel yourself?«

He shook his head – and the finality of this refusal was the last memory of him which I was to carry away with me. »No, Isherwood. No. I shall never write about this country. I have come here too late.«

»Am 19. Mai 1939 hielt Franco eine große Siegesparade in Madrid ab, am 22. machte Toller in einem Hotelzimmer in New York seinem Leben ein Ende.« (ter Haar S. 195) Die letzten Motive für diesen die Welt der Emigranten erschütternden Freitod werden wohl immer unklar bleiben. Aus den zahlreichen Nachrufen der Freunde jedenfalls sprachen nicht nur Verständnis, Mitleid und Trauer, sondern auch Enttäuschung über dieses Ende, das sie für einen Sieg Hitlers hielten. In den Zeitungen und Zeitschriften des Exils, aber auch in zahlreichen Blättern der einheimischen Presse, meldeten sich u. a. Walter Mehring, Walther Victor, Kurt Hiller, Emil Ludwig, Klaus Mann, Manfred Georg und Dorothy Thompson zu Wort. Die in Nazi-Deutschland verbreiteten Meldungen von Tollers Tod folgten alle im Tenor der Notiz des ›Berliner Lokalanzeigers‹ vom 23. Mai 1939:

Selbstmord Ernst Tollers
Kabelmeldung uns. Nachrichtendienstes
New York, 22. Mai

Der berüchtigte kommunistische Schriftsteller und Verfasser
von zahlreichen Hetzstücken, Ernst *Toller*, hat jetzt die Konsequenz aus seinem verpfuschten Leben gezogen. In New
York, wohin er im Laufe seines Emigrantenlebens verschlagen
worden ist, hat er sich in einem Hotel erhängt.

In New York wurde ein Komitee zur Vorbereitung der Begräbnisfeier
gegründet. Bei dieser Feier, an der über 500 Personen teilgenommen
haben sollen, sprachen Oskar Maria Graf, Sinclair Lewis, Klaus
Mann und Juan Negrin. Noch im Oktober 1941 aber stand – nach
einem Brief von Dr. Else Toller an Franz Werfel – Tollers Urne unbeachtet »in einem Aufbewahrungskeller« des Friedhofs.

⟨*Aus der ›New York Post‹. 23. Mai 1939*⟩

⟨...⟩ A committee whose task it will be to make funeral
arrangements and honor Tollers' memory was formed today
with these members:

Thomas Mann, Dorothy Thompson, Arnold Zweig, Oswald
Garrison Villard, Bennett Cerf, Donald Ogden Stewart, Dr.
William James, professor of psychology in Harvard Univer-
sity; former Governor Wilbur Cross of Connecticut; Joseph
Freeman, author of »American Testament«; Dr. Kurt Gold-
stein and Alfred Doeblin, German poet.

It is the purpose of the committee, a spokesman said, to invite
to the funeral services a prominent speaker who will stress
Toller's position »as the greatest intellectual force among
democratic writers today.«

The committee also will sponsor a memorial meeting and
arrange for a definitive edition of Toller's works.

⟨*Aus einem Brief Erwin Piscators an Hans Sahl.
Datiert: New York, 1. Juni 1939*⟩

⟨...⟩ Ich weiß nicht, zu welcher Stunde am 23. Mai Du Deinen Brief geschrieben hast. Vielleicht kannst Du es noch nachträglich berechnen. War es abends gegen sieben Uhr? Dann

war es zur gleichen Stunde, als sich mittags um 1 Uhr in New York Ernst Toller am Haken seiner Badezimmertür aufhängte. Seine Sekretärin kam ahnungslos vom Lunch zurück, sie hatte ihn eine Stunde vorher verlassen. Beide waren damit beschäftigt gewesen, Toller's Koffer für die Reise nach England zu packen. Toller war die letzte Zeit sehr deprimiert, ich versuchte, ihm zu helfen. Seine Hände waren heiß – er flüchtete zu den Menschen und von ihnen – sich lösend und anklammernd zugleich. Zwei Ärzte hatten ihn beraten, der eine riet ihm hierzubleiben und in ein Sanatorium zu gehen, der andere sagte, er sollte nach England oder Frankreich gehen. Die Sekretärin erzählte: während des Packens trieb es ihn hin und her – bleiben oder wegfahren – wegfahren oder bleiben? Was tun? Was hat noch einen Zweck? Für wen? Für was? – Einer unserer süßen Kommilitonen, Leidensgenossen und Koemigranten verfolgte ihn hier seit einem Jahr, indem er behauptete, Toller's neues Stück sei ein Plagiat, noch in den letzten Tagen schrieb er ihm einen häßlichen Brief.

Als die Sekretärin zurückkam, packte sie ruhig weiter, bis auf unerklärliche Weise ein unangenehmes Gefühl sie beschlich. Sie öffnete die Schranktür – da war nichts. Die Badezimmertür – sie war schwer zu öffnen – als sie stärker drückte, baumelte in der Öffnung ein Arm. Ernst hatte sich an dem Gürtel seines Bademantels aufgehängt, war auf einen Stuhl gestiegen, war dann aber, als er sich von dem Stuhl abstieß, anscheinend gefallen, sodaß er jetzt auf dem Stuhle saß. Die Schnur hatte ihn nicht erwürgt, sondern ihm das Genick gebrochen, sodaß er also einen schönen und »glücklichen« Tod gehabt zu haben scheint.

Es gibt Leute, die meinen, daß er ermordet worden sei. Diese fußen auf Untersuchungen vor dem Dies-Committee, wo ein verhafteter Nazi ausgesagt hat, daß eine hiesige Gruppe eine Selbstmordwelle unter den Emigranten entfesseln will, und Toller sei das erste Opfer gewesen. Man wird nicht recht klug daraus. Seine Sekretärin sagt, das sei nicht möglich, da man nicht mehr ins Badezimmer hinein noch hinaus konnte. Der

Stuhl und der Körper versperrten den Weg so, daß kein Raum für einen andern Menschen mehr da war.

Über meine Gefühle brauche ich Dir nichts mitzuteilen, Du wirst dieselben gehabt haben. Sein Gesicht im Sarg (ich war eine Stunde allein da) war friedlich und schön, erstaunlich einfach, soweit man das sagen darf, beruhigend. Es ging etwas »Vollendetes« davon aus. ⟨...⟩

⟨*Aus dem Nachruf Lion Feuchtwangers in*
›Die Neue Weltbühne‹.
8. Juni 1939⟩
Dem toten Ernst Toller

Wie überströmend von Leben war dieser Ernst Toller. Wenn man eine Stunde mit ihm zusammen war, wieviel Entwürfe schüttete er vor einen hin, wieviel Pläne von Stücken, Geschichten, Essais. Wieviel Hilfsaktionen wollte er unternehmen, für einzelne, für Gruppen, für Völker. Und mit welchem Feuer machte er sich an all diese Unternehmungen, und mit welchem Elan führte er sie durch.

Toller besaß wie wenige andere die Gabe, Menschen hinzureißen. Er liebte die Menschen, die Menschen spürten das, und sie spürten, daß die Worte, die er aus dem Munde ließ, ihm aus dem Herzen kamen. Ich erinnere mich eines Morgens, da ich mit ihm eine Mädchenschule in London besuchte. Sein Englisch war damals noch keineswegs perfekt, aber mit welcher Kunst und mit wieviel Einfühlung erzählte er den englischen Kindern seine Geschichten, wie wurde er selbst zum Kind, und wie hingen sie an seinen Lippen, trotz der ungewohnten Sprache, lachend, weinend, weil er selber lachte und weinte. ⟨...⟩

Mein Freund Ernst Toller hatte zuviel Herz für die anderen, um an sein eigenes Werk zu denken. Wenn einer, dann war er eine Kerze, die, an beiden Enden angezündet, verbrannte.

Abschied von Ernst Toller

Zum ersten Mal, nach einer Freundschaft von zwanzig Jahren, verstehe ich dich nicht, Ernst Toller. Was auch die Gründe zu deinem Selbstmord gewesen sein können – ich verstehe dich nicht. Niemandem von uns, die wir 1933 Deutschland zu verlassen hatten, sind solche Gründe erspart geblieben, niemandem die Enttäuschungen, die künstlerischen und menschlichen; die Angst vor dem Nicht-Weiter-Können; die Verzweiflung beim Anblick einer Welt, die immer wieder auf ihn hereinfiel; niemandem der irrsinnige Aufwand an Zeit und Nerven, den unbezahlte Rechnungen für sich in Anspruch nehmen. Wenn ein Dichter, der im Elfenbeinturm lebt, Hand an sich legt, bleibt das ebenso eine Privatsache wie seine Dichtungen. Aber du warst doch ein Kämpfer, Ernst Toller, und in vorderster Front und mitten im Kampf. Mehr ein Kämpfer als alles andere, und so wolltest du auch gesehn sein. Wenn du ein Stück vollendetest, warst du nicht so stolz darauf, daß es ein gutes Stück war, als daß es eine gute Waffe war gegen Reaktion und Unterdrückung. Vor zwanzig Jahren, als die erstickte Revolution zu einer so schwachen Republik führte, verzagten viele von uns – du nicht. Du fordertest zum Kampf auf und machtest in München eine zweite Revolution. Du kamst ins Gefängnis, und in den Jahren seither sahst du in deiner Haft einen noch größeren Ruhm, als in deinem Werk. Nachdem der Feind von uns allen, der Feind der Menschheit, sich Deutschlands bemächtigt hatte, wurdest du der flammendste, der beredsamste, der tätigste unter seinen Gegnern. Wie oft hörte ich dich in London darüber klagen, daß unsre Bücher, Theaterstücke und Kampfschriften gegen ihn so wenig auszurichten vermochten. Du sagtest, man müßte einen Weg finden, ihm anders beizukommen. Ich wußte keinen, du aber fandst ihn bald danach. Du begannst deine Sammlungen für die Verfolgten, du erweitertest dein Kampffeld, nahmst dich auch der Unglücklichen in Spanien an, und noch im letzten Jahr bereistest du ganz Europa und brachtest mehr als eine Million Dollars für die spanischen Kinder zusammen. Die große Tat eines großen Kämpfers. Und noch vor wenigen Tagen, auf dem Weltkongreß des PEN-Clubs, fordertest du uns auf, vor allem jener Kämpfer gegen den Fascismus zu gedenken, die in Deutschland geblieben waren. Diese, sagtest du, sind die wahren Helden. Ernst Toller, hast du an sie gedacht? Hast du dir vorgestellt, wie deine Tat verwirrend und niederschmetternd auf sie wirken würde? Was für eine Waffe du mit deinem Strick jenen in die Hand spieltest, die sich nichts Besseres wünschten, als ihn dir um den Hals zu binden? Nein, sonst hättest du ihn nicht benützt. Der ihn benützte, das war nicht mehr der Toller, den wir liebten, der uns so oft mitgerissen hatte. Das tat dir ein andrer an, einer, den die Jahre der Emigration plötzlich um sich selbst gebracht hatten. Einen Augenblick ausruhn? Aber auf dem Passionsweg der Emigration gibt es keine Stationen. Solang der Antichrist auf dieser Welt ist, werden wir alle, Hunderte von deinen Kollegen, Hunderttausende von deinen Gefährten, sein Kreuz weitertragen müssen. Es darf, es wird ihm nicht gelingen, uns um uns selbst zu bringen.

Toller, unter uns sind viele, die nicht so erfolgreich waren wie du, nicht so anerkannt – gerade deswegen darf mir in diesem Augenblick nichts so sehr am Herzen liegen, als sie von der abscheulichen Anziehungskraft deiner Tat abzuwenden. Deswegen ist es jetzt nicht der Augenblick, von deinem Werk zu sprechen, seinem stürmischen Geist und seiner edlen Haltung. Wenn du mich noch hören könntest, du, der wirkliche, unser Toller – du würdest aufstehn und selbst vom Unrecht sprechen, das dir geschehn ist, deinem Werk und deinen Gefährten.

Aber du kannst mich nicht mehr hören, du ruhst jetzt in Frieden. Ach, wir alle wollen den Frieden. Aber nicht diesen! Nicht diesen! Denn dieser ist ein Hitler-Friede.

AUSGEWÄHLTE BIBLIOGRAPHIE

(Von Tollers Werken werden nachfolgend jeweils die Erstausgaben genannt. Daten in runden Klammern sind Uraufführungsdaten. Die Angaben Bd. I-V *verweisen auf den Druck oder einen Teildruck des entsprechenden Textes in den* Gesammelten Werken*).*

1. Zu Tollers Lebzeiten selbständig erschienene (autorisierte) Publikationen:

Gedichte:

Der Tag des Proletariats. Ein Chorwerk von Ernst Toller. Verlagsgenossenschaft Freiheit e.G.m.b.H. Berlin 1920.

Gedichte der Gefangenen. Ein Sonettenkreis von Ernst Toller (Nr. 44). Kurt Wolff Verlag München 1921. ⟨Bd. II⟩.

Das Schwalbenbuch von Ernst Toller. Gustav Kiepenheuer Verlag Potsdam 1924. ⟨Bd. II⟩.

Ernst Toller: Vormorgen. Gustav Kiepenheuer Verlag Potsdam 1924.

Prosa:

Deutsche Revolution. Rede, gehalten vor Berliner Arbeitern am 8. November 1925 im Großen Schauspielhause zu Berlin von Ernst Toller. E. Laub'sche Verlagsbuchhandlung G.m.b.H. Berlin 1925. ⟨Bd. I⟩.

Ernst Toller: Justiz. Erlebnisse. E. Laub'sche Verlagsbuchhandlung G.m.b.H. Berlin 1927. ⟨Bd. I⟩.

Nationalsozialismus. Eine Diskussion über den Kulturbankrott des Bürgertums zwischen Ernst Toller und Alfred Mühr, Redakteur der Deutschen Zeitung. Gustav Kiepenheuer Verlag Berlin 1930.

Ernst Toller: Quer durch. Reisebilder und Reden. Gustav Kiepenheuer Verlag Berlin 1930. ⟨Bd. I⟩.

Ernst Toller: Eine Jugend in Deutschland. Querido Verlag Amsterdam 1933. ⟨Bd. IV⟩.

Ernst Toller: Briefe aus dem Gefängnis. Querido Verlag N. V. Amsterdam 1935. ⟨Bd. V⟩.

Schauspiele:

Die Wandlung. Das Ringen eines Menschen von Ernst Toller. Gustav Kiepenheuer Verlag Potsdam 1919. (30. 9. 1919, Berlin). ⟨Bd. II⟩.

Masse Mensch. Ein Stück aus der sozialen Revolution des 20. Jahrhunderts von Ernst Toller. Gustav Kiepenheuer Verlag Potsdam 1921. (15. 11. 1920, Nürnberg). ⟨Bd. II⟩.

Die Maschinenstürmer. Ein Drama aus der Zeit der Ludditenbewegung in England in fünf Akten und einem Vorspiel von Ernst Toller. E. P. Tal&Co. Verlag Leipzig, Wien, Zürich 1922. (30. 6. 1922, Berlin). ⟨Bd. II⟩.

Ernst Toller: Der deutsche Hinkemann. Eine Tragödie in drei Akten ⟨*später unter dem Titel* Hinkemann⟩. Gustav Kiepenheuer Verlag Potsdam 1923. (19. 9. 1923, Leipzig). ⟨Bd. II⟩.

Der entfesselte Wotan. Eine Komödie von Ernst Toller. Gustav Kiepenheuer Verlag Potsdam 1923. (16. 11. 1924, Moskau). ⟨Bd. II⟩.

Die Rache des verhöhnten Liebhabers oder Frauenlist und Männerlist. Ein galantes Puppenspiel in zwei Akten frei nach einer Geschichte des Kardinals Bandello. Verlegt bei Paul Cassirer in Berlin 1925. ⟨*Erster Journaldruck schon* 1920 *in den* Weißen Blättern VII, Nr. 11, S. 489 ff.⟩. (8. 5. 1923, Jena).

Hoppla, wir leben! Ein Vorspiel und fünf Akte von Ernst Toller. Gustav Kiepenheuer Verlag Potsdam 1927. (1. 9. 1927, Hamburg und 3. 9. 1927, Berlin). ⟨Bd. III⟩.

Bourgeois bleibt Bourgeois ⟨*Die von Ernst Toller, Walter Hasenclever und Hermann Kesten verfaßte Komödie nach Molière wurde am* 2. Februar 1929 *in Berlin uraufgeführt. Der Text des Stückes konnte nicht ermittelt werden und muß als verschollen gelten*⟩.

Feuer aus den Kesseln. Historisches Schauspiel von Ernst Toller. Anhang: Historische Dokumente. Gustav Kiepenheuer Verlag Berlin 1930. (31. 8. 1930, Berlin). ⟨Bd. III⟩.

Wunder in Amerika. Schauspiel in 5 Akten von Ernst Toller und Hermann Kesten. Hektographiertes Bühnenmanuskript Gustav Kiepenheuer Bühnenvertrieb Berlin 1931. ⟨*Die erste gedruckte Ausgabe des Stückes erschien in englischer Sprache in* Seven Plays, 1935 *unter dem Titel* Mary Baker Eddy⟩. (17. 10. 1931, Mannheim).

Die blinde Göttin. Schauspiel in fünf Akten von Ernst Toller. Gustav Kiepenheuer Verlag A. G. Berlin-Charlottenburg 1933. Gedruckt bei R. Kiesel zu Salzburg. ⟨*Motive dieses Stückes sind verwendet in* Blind Man's Buff. A Play in Three Acts by Ernst Toller and Denis Johnston. Jonathan Cape London 1938⟩. (31. 10. 1932, Wien).

No More Peace! A Thoughtful Comedy by Ernst Toller. Translated by Edward Crankshaw. Lyrics Adapted by W. H. Auden. Music by Herbert Murill. John Lane The Bodley Head London 1937. ⟨ *Die erste vollständige deutsche Fassung dieses Textes ist gedruckt in* Bd. III⟩. (11. 6. 1936, London).

Pastor Hall. Schauspiel von Ernst Toller. Hektographiertes Bühnenmanuskript. Bühnenvertrieb und Verlag Bruno Henschel & Sohn Berlin-Charlottenburg 1946. ⟨ *Die erste gedruckte Ausgabe des Stückes erschien in englischer Sprache* Pastor Hall. A Play in Three Acts by Ernst Toller. Trans. Stephen Spender. John Lane The Bodley Head London 1939; *vgl.* Bd. III⟩. (24. 1. 1947, Berlin).

2. Massenspiel-Szenarien:

15 Bilder aus der großen französischen Revolution. Entworfen von Ernst Toller. Einstudiert v. den Herren Dr. Kronacher und Dr. Winds. Orchester Gust. Schütze. Die Kostüme und Requisiten sind vom Schauspielhaus Leipzig und von dem städtischen Theater freundlichst zur Verfügung gestellt. Festschrift zum 25. Gewerkschaftsfest Leipzig am 6. August 1922. (6. 8. 1922, Leipzig).

Krieg und Frieden ⟨ *Massenspiel. Entworfen von Ernst Toller. Einstudiert von Adolf Winds. Aufgeführt auf dem Gewerkschaftsfest in Leipzig am* 7. August 1923. *Ein Text konnte nicht ermittelt werden*⟩.

Erwachen! Massenschauspiel für das werktätige Volk zu Wasser und zu Lande. Nach Motiven von Ernst Toller. Zusammengestellt und inszeniert von Dr. Adolf Winds, Oberspielleiter d. städt. Theater in Magdeburg. 1. Arbeiter-Kultur-Woche und Gewerkschaftsfest Leipzig 2.-6. August 1924. (3. 8. 1924, Leipzig).

3. Nachgelassene Werke:

Berlin, letzte Ausgabe! Hörspiel von Ernst Toller. Hektographiertes Manuskript ⟨Harvard University-Library⟩.

Der Weg nach Indien. Das Epos vom Suezkanal. ⟨ *Entwurf eines Drehbuches.* Toller-Sammlung der Yale University-Library⟩.

Lola Montez ⟨ *Drehbuch. Kein Text ermittelt*⟩.

Heavenly Sinner. Comedy ⟨ *Drehbuch, zusammen mit Sidney Kaufman. Im Besitz von Sidney Kaufman, USA*⟩.

236

4. Filme:

Menschen hinter Gittern. 1931. Deutsche Fassung und Dialoge nach Bearbeitungen von Walter Hasenclever und Ernst Toller von E. W. Brandes. Ein deutscher Metro-Goldwyn-Mayer Sprechfilm.

Pastor Hall. 1940. Produced by Charter Film Productions Ltd., England. Producer: John Boulting. Directed and edited by Roy Boulting. Screen Play: Leslie Arliss, Anna Reiner and Haworth Bromley, based on a story by Ernst Toller. ⟨ *Dem Vertrieb des Filmes in den USA war ein von* Robert E. Sherwood *geschriebenes und von* Eleanor Roosevelt *gesprochenes Vorwort vorangestellt. In Mexiko lief der Film unter dem Titel* El martir⟩.

5. Sammelausgaben:

Verbrüderung. Ausgewählte Dichtungen von Ernst Toller. Arbeiterjugend-Verlag Berlin 1929.

Seven Plays by Ernst Toller. Comprising The Machine-Wreckers, Transfiguration, Masses and Man, Hinkemann, Hoppla! Such is Life!, The Blind Goddess, Draw the Fires!, together with Mary Baker Eddy by Ernst Toller and Hermann Kesten. With a New Introduction by the Author. John Lane The Bodley Head London 1935.

Ernst Toller: Ausgewählte Schriften. Mit Geleitworten von Bodo Uhse und Bruno Kaiser. Hrsg. von der Deutschen Akademie der Künste zu Berlin. Verlag Volk und Welt Berlin 1961.

Ernst Toller: Prosa, Briefe, Dramen, Gedichte. Mit einem Vorwort von Kurt Hiller. Rowohlt Verlag Reinbek bei Hamburg 1961.

Ernst Toller: Gesammelte Werke. Hrsg. von Wolfgang Frühwald und John M. Spalek. 5 Bände. Carl Hanser Verlag München 1978.

6. Bibliographie:

John M. Spalek, Ernst Toller and His Critics. A Bibliography. Charlottesville 1968. ⟨*Orientiert umfassend über die Texte von und über Toller bis 1967*⟩.

7. Wissenschaftliche Literatur zu Leben und Werk Tollers:

Altenhofer, Rosemarie, Ernst Tollers politische Dramatik. Diss. Washington University, St. Louis, Mo., 1977 ⟨masch.⟩.

Andersen, Francis P., An Analytical Study of Techniques of Persuasion in the Plays of Ernst Toller. Diss. University of Southern California 1956 ⟨masch.⟩.

Bablet, Denis und Jacquot, Jean, L'expressionisme dans le Théâtre Européen. Paris 1971.

Bütow, Thomas, Der Konflikt zwischen Revolution und Pazifismus im Werk Ernst Tollers. Mit einem dokumentarischen Anhang: Essayistische Werke Tollers. Briefe von und über Toller. Hamburg 1975.

Cafferty, Helen Louise, Georg Büchner's Influence on Ernst Toller: Irony and Pathos in Revolutionary Drama. Diss. University of Michigan 1976 ⟨masch.⟩.

Denkler, Horst, Drama des Expressionismus. Programm – Spieltext – Theater. München 1967.

Droop, Fritz, Ernst Toller und seine Bühnenwerke. Eine Einführung. Mit selbstbiographischen Notizen des Bühnendichters. Bln. 1922.

Elsasser, Robert, Ernst Toller and German Society: The Role of the Intellectual as Critic, 1914-1939. Diss. Rutgers University 1973 ⟨masch.⟩.

Fähnders, Walter und Rector, Martin, Linksradikalismus und Literatur. Untersuchungen zur Geschichte der sozialistischen Literatur in der Weimarer Republik. Bd. 1. Reinbek 1974.

Frühwald, Wolfgang, Kunst als Tat und Leben. Über den Anteil deutscher Schriftsteller an der Revolution in München 1918/1919. In: Sprache und Bekenntnis. Sonderband des LJGG 1971, S. 361 ff.

ders., Exil als Ausbruchsversuch. Ernst Tollers Autobiographie. In: Die deutsche Exilliteratur 1933-1945. Hrsg. von Manfred Durzak. Stuttgart 1973, S. 489 ff.

Furness, N. A., Toller and the Luddites: Fact and Symbol in ›Die Maschinenstürmer‹. In: The Modern Language Review 73, 1978, S. 847 ff.

Geifrig, Werner, Ernst Toller – Dichter und Politiker »Zwischen den Stühlen«. In: Vergleichen und verändern. Festschrift für Helmut Motekat. Hrsg. von Albrecht Goetze und Günther Pflaum. München 1970, S. 216 ff.

ter Haar, Carel, Ernst Toller. Appell oder Resignation? München 1977.

Hinck, Walter, Das moderne Drama in Deutschland. Vom expressionistischen zum dokumentarischen Theater. Göttingen 1973.

Hoffmann, Ludwig und Hoffmann-Ostwald, Daniel, Deutsches Arbeitertheater 1918-1933. Eine Dokumentation. Berlin 1961.

Kändler, Klaus, Drama und Klassenkampf. Beziehungen zwischen Epochenproblematik und dramatischem Konflikt in der sozialistischen Dramatik der Weimarer Republik. Berlin und Weimar 1970.

Klein, Alfred, Zwei Dramatiker in der Entscheidung. Ernst Toller, Friedrich Wolf und die Novemberrevolution. In: Sinn und Form 10, 1958, S. 702 ff.

Klein, Dorothea, Der Wandel der dramatischen Darstellungsform im Werk Ernst Tollers (1919-1930). Diss. Bochum 1968.

Knobloch, Hans-Jörg, Das Ende des Expressionismus. Von der Tragödie zur Komödie. Frankfurt am Main 1975 (Regensburger Beiträge zur deutschen Sprach- und Literaturwissenschaft Bd. 1).

Kreiler, Kurt, Die Schriftstellerrepublik. Eine Studie zur Literaturpolitik der Rätezeit. Berlin 1978.

Kreuzer, Helmut, Die Boheme. Beiträge zu ihrer Beschreibung. Stuttgart 1968.

Lämmert, Eberhard, Das expressionistische Verkündigungsdrama. In: Der deutsche Expressionismus. Formen und Gestalten. Hrsg. von Hans Steffen. Göttingen 1965, S. 138 ff.

Malzacher, Werner W., Ernst Toller – ein Beitrag zur Dramaturgie der zwanziger Jahre. Diss. Wien 1959 ⟨masch.⟩.

Marnette, Hans, Untersuchungen zum Inhalt-Form-Problem in Ernst Tollers Dramen. Diss. Potsdam 1963 ⟨masch.⟩.

Mennemeier, Franz Norbert, Das idealistische Proletarierdrama. Ernst Tollers Weg vom Aktionsstück zur Tragödie. In: Deutschunterricht 24, 1972, S. 100 ff.

ders., Modernes deutsches Drama. Kritiken und Charakteristiken. Bd. I: 1910-1933. München 1973.

Park, William Macfarlane, Ernst Toller: The European Exile Years 1933-1936. Diss. University of Colorado 1976 ⟨masch.⟩.

Paulsen, Wolfgang, Expressionismus und Aktivismus. Eine typologische Untersuchung. Straßburg 1934.

Petersen, Carol, Ernst Toller. In: Expressionismus als Literatur. Gesammelte Studien. Hrsg. v. Wolfg. Rothe. Bern u. München 1969 S. 572 ff.

Raddatz, Fritz J., Erfolg oder Wirkung. Schicksale politischer Publizisten in Deutschland. München 1972.

Reimer, Robert C., The Tragedy of the Revolutionary. A Study of the Drama of Revolution of Ernst Toller, Friedrich Wolf and Bertolt Brecht: 1918-1933. Diss. University of Kansas 1971 ⟨masch.⟩.

Reso, Martin, Der gesellschaftlich-ethische Protest im dichterischen Werk Ernst Tollers. Diss. Jena 1957 ⟨masch.⟩.

ders., Die Novemberrevolution und Ernst Toller. In: Weimarer Beiträge 5, 1959, S. 387 ff.

Rühle, Günther, Theater für die Republik 1917-1933 im Spiegel der Kritik. Frankfurt am Main 1967.

ders., Zeit und Theater. Bd. I: Vom Kaiserreich zur Republik 1913-1925. Berlin 1973. Bd. II: Von der Republik zur Diktatur 1925-1933. Berlin 1972.

Schlaffer, Hannelore, Dramenform und Klassenstruktur. Eine Analyse der dramatis persona »Volk«. Stuttgart 1972.

Signer, Paul, Ernst Toller. Eine Studie. Berlin 1924.

Sokel, Walter H., Ernst Toller. In: Deutsche Literatur im 20. Jahrhundert. Strukturen und Gestalten. Hrsg. von Otto Mann und Wolfgang Rothe, Bd. II, Bern und München ⁵1967, S. 299 ff.

ders., Der literarische Expressionismus. Der Expressionismus der deutschen Literatur des 20. Jahrhunderts. München 1970.

Spalek, John, Der Nachlaß Ernst Tollers. In: LJGG VI, 1965, S. 251 ff.

ders. und Frühwald, Wolfgang, Ernst Tollers amerikanische Vortragsreise 1936/37. Mit bisher unveröffentlichten Texten und einem Anhang. In: LJGG VI, 1965, S. 267 ff.

ders., Ernst Toller: The Need for a New Estimate. In: The German Quarterly 39, 1966, S. 581 ff.

ders., Ernst Tollers Vortragstätigkeit und seine Hilfsaktionen im Exil. In: Exil und Innere Emigration II. Internationale Tagung in St. Louis. Hrsg. von Peter Uwe Hohendahl und Egon Schwarz. Frankfurt am Main 1973, S. 85 ff.

Wächter, Hans-Christof, Theater im Exil. Sozialgeschichte des deutschen Exiltheaters 1933-1945. München 1973.

Willibrand, William Anthony, Ernst Toller and His Ideology. Iowa City 1945.

ders., The Timely Dramas of Ernst Toller. In: Monatshefte (Wisconsin) 39, 1947, S. 157 ff.

Abkürzungen

Aufricht	Ernst Josef Aufricht, Erzähle, damit du dein Recht erweist. Berlin 1966.
Bd. I-V	verweist auf die Bände der Gesammelten Werke Ernst Tollers. Hrsg. von Wolfgang Frühwald und John M. Spalek. München 1978.
Deuerlein	Ernst Deuerlein, Hitler. Eine politische Biographie. München 1969 (List Taschenbücher Nr. 349).
Foerster	Friedrich Wilhelm Foerster, Erlebte Weltgeschichte 1869-1953. Memoiren. Nürnberg 1953.
Frühwald	Ernst Toller, Hinkemann. Eine Tragödie. Hrsg. von Wolfgang Frühwald. Stuttgart 1971 (Reclams Universal-Bibliothek Nr. 7950).
Großmann	Stefan Großmann, Der Hochverräter Ernst Toller. Die Geschichte eines Prozesses. Mit der Verteidigungsrede von Hugo Haase. Berlin 1919 (Reihe: Umsturz und Aufbau).
ter Haar	Carel ter Haar, Ernst Toller. Appell oder Resignation? München 1977.
Hauptmann	Carl Hauptmann, Leben mit Freunden. Gesammelte Briefe. ⟨Hrsg. von Will-Erich Peuckert⟩. Berlin-Grunewald 1928.
Heiden	Konrad Heiden, Geburt des Dritten Reiches. Die Geschichte des Nationalsozialismus bis Herbst 1933. Zürich ²1934.
Hering	Alfred Kerr, Die Welt im Drama. Hrsg. von Gerhard F. Hering. Köln und Berlin 1954.
Heuß	Theodor Heuß, Erinnerungen 1905-1933. Tübingen 1964.
Kayser	Rudolf Kayser, Erinnerungen an Gerhart Hauptmann. In: Gerhart Hauptmann, Leben und Werk. Eine Gedächtnisausstellung des Deutschen Literaturarchivs zum 100. Geburtstag des Dichters im Schiller-Nationalmuseum Marbach a. N. Ausstellung und Katalog: Bernhard Zeller in Verbindung mit Anneliese Hofmann, Walther Migge, Erna Knorpp

	und weiteren Mitarbeitern des Schiller-Nationalmuseums. Stuttgart 1962, S. 359-362.
Klein	Dorothea Klein, Der Wandel der dramatischen Darstellungsform im Werk Ernst Tollers (1919-1930). Diss. Bochum 1968.
Kortner	Fritz Kortner, Aller Tage Abend. München 1969 (dtv Nr. 556).
LJGG	Literaturwissenschaftliches Jahrbuch im Auftrage der Görres-Gesellschaft. Neue Folge.
Lutz	Heinrich Lutz, Deutscher Krieg und Weltgewissen. Friedrich Wilhelm Foersters politische Publizistik und die Zensurstelle des bayerischen Kriegsministeriums (1915-1918). In: Zeitschrift für bayerische Landesgeschichte 25, 1962.
von Molo	Walter von Molo, So wunderbar ist das Leben. Erinnerungen und Begegnungen. Stuttgart 1957.
Piscator	Erwin Piscator, Das Politische Theater. Neubearbeitet von Felix Gasbarra. Mit einem Vorwort von Wolfgang Drews. Reinbek 1963.
Spalek	John M. Spalek, Ernst Toller and His Critics. A Bibliography. Charlottesville 1968.
Tucholsky, Briefe	Kurt Tucholsky, Ausgewählte Briefe 1913-1935. Hrsg. von Mary Gerold-Tucholsky und Fritz J. Raddatz. Reinbek 1962.
Tucholsky, Werke	Kurt Tucholsky, Gesammelte Werke. Hrsg. von Mary Gerold-Tucholsky und Fritz J. Raddatz. 3 Bde. Reinbek 1960.
Weber	Marianne Weber, Max Weber. Ein Lebensbild. Tübingen 1926.
Zeller/Otten	Kurt Wolff, Briefwechsel eines Verlegers 1911-1963. Hrsg. von Bernhard Zeller und Ellen Otten. Frankfurt am Main 1966.

Brief an Annemarie Puttkammer im Kurt Wolff-Verlag (17. April 1921) über die »Gedichte der Gefangenen«

Liebe Annemarie Puttkammer,
Dank für Ihren Brief, dessen rückhaltlose Offenheit mich ehrlich erfreut hat.
Die Verse sind ungleich, ich weiß es ...
Also: ich wäre mit dem Vorschlag des Verlags einverstanden, wenn neben den Sonetten folgende Gedichte in das Büchlein aufgenommen würden: »Den Müttern«, »Soldaten«, »Übrig meiner Zelle«, »Der

Ringende«, »Verweilen im Gefängnis«, »Marschlied«(?), »Durch das Gitter . .«(?), »Dämmerung im Gefängnis«(?).
(? bedeutet: nochmalige Prüfung vorbehalten.)
Titel: Entweder »Vormorgen der Gefangenen« oder »Wir müssen um das Sakrament der Erde ringen« – Bitte lassen Sie mich die endgültige Entscheidung des Verlags recht bald wissen.

Ihnen und Herrn Kurt Wolff beste Grüße,

Ihr Ernst Toller.

Fest. Niederschönenfeld 17. 4. 21.

Nachwort

Unter der Überschrift »Fall Toller« berichtete die Zeitschrift ›Volksbühne‹ im Februar 1922 über die bayerischen Zensurmaßnahmen gegen die Nürnberger Aufführungen von *Masse Mensch* und kommentierend über die Situation des Autors in der Festungshaft in Niederschönenfeld: »Wird ihm ein Brot zugesandt, so zerschneidet es die Festungsverwaltung zunächst, um festzustellen, ob auch nichts ›Unerlaubtes‹ eingebacken ist; ebenso wird der Inhalt jeder Konservenbüchse, die Freunde ihm schicken, zunächst zerstückelt und durchsucht. Er steht nicht anders unter Zensur als seine Mitgefangenen. Urlaub gibt es nicht.« Der ›Fall Toller‹ – das heißt der Streit um die systematische Behinderung der kämpferisch-literarischen Tätigkeit Ernst Tollers durch die Behörden des Strafvollzugs und die damit verbundene Wertung seines schriftstellerischen Werkes – entstand im öffentlichen Bewußtsein um das Jahr 1922, also in der Zeit, in welcher der Autor mit seinen Dramen *Masse Mensch* und *Die Maschinenstürmer* große Auslandserfolge errang. Intern, das heißt sowohl im Bereich innersozialistischer Auseinandersetzungen, wie auch im Streit der bürgerlichen und der sozialdemokratischen Presse, gab es einen ›Fall‹ Toller schon seit dem Jahre 1919. Tollers von Gustav Landauer beeinflußte Grundüberzeugung, daß »nichts, nichts in der Welt ⟨...⟩ so unwiderstehliche Gewalt der Eroberung ⟨habe⟩ wie das Gute«[1], brachte ihn in den Tagen der Münchener Räterevolution in Gegensatz zu den entschlossenen Revolutionären, welche der Vorstellung vom »gemeinsamen Untergang der kämpfenden Klassen« erlegen waren und davon sprachen, daß auch die »Niederlage der Kommunisten ⟨...⟩ dem Proletariat gedient ⟨hätte⟩, wie

---

[1] Gustav Landauer, Aufruf zum Sozialismus. Revolutionsausgabe. Berlin 1920. S. XVII (Vorwort, datiert: »München, 3. Januar 1919«).

jede Niederlage, die eine revolutionäre Klasse im heroischen Kampfe erleidet«.[2]

Die Vorstellung vom Kompromißpolitiker Toller, der seine bourgeoise Herkunft nicht habe überwinden können, wurde zu einem Topos kommunistischer Kritik im Streit auch um das literarische Werk des Autors durch die zwanziger und die dreißiger Jahre hindurch; sein Pessimismus, seine angeblich nur gefühlsbetonte Annäherung an das Proletariat bestimmte diese Kritik schon früh, ihm den Namen eines sozialistischen Autors zu entziehen und ihn – bis in die jüngste Zeit hinein[3] – als einen »linken bürgerlichen Schriftsteller« zu werten. Im Juni 1919 gab es dann tatsächlich einen »Fall Toller« im Sinne der Strafprozeßordnung; die Sozialistische Studentenpartei gebrauchte in diesem Monat auch den Terminus erstmals und forderte »die Verhandlung des Falles Toller vor einem ordentlichen Geschworenengericht«, nicht vor dem von den siegreichen ›Weißen‹ eingesetzten Standgericht. Toller selbst lernte in der Pressekampagne um seinen Prozeß und in diesem Verfahren die Vielfalt der später so heiß umkämpften Aspekte seines ›Falles‹ insofern kennen, als er den unmittelbaren Zusammenhang von Politik und Literatur an sich selbst erfuhr. Durch die literarische Begutachtung seiner bis dahin erschienenen Gedichte und des erst im Manuskript vorliegenden Dramas *Die Wandlung* nämlich gelang seinen Verteidigern der lebensrettende Nachweis humanitärer Grundgesinnung, so daß auch das Standgericht, das wenige Wochen vorher noch Eugen Leviné »ehrlose Gesinnung« bescheinigt und damit das Todesurteil begründet hatte, dies bei Toller

2 Vgl. dazu den Abschnitt I. (»Bourgeois und Proletarier«) des ›Manifestes der Kommunistischen Partei‹ (1848); vgl. im vorliegenden Band (Dokumentation. Abschnitt: Revolution und Räterepublik) die Ausschnitte aus der ›Münchner Roten Fahne‹ (April 1919); vgl. auch Bd. I, S. 58 ff. und Bd. IV, S. 152 ff.

3 Vgl. die Auseinandersetzung mit Toller im ›Lexikon sozialistischer deutscher Literatur von den Anfängen bis 1945. Monographisch – biographische Darstellungen‹ (Redaktionskollegium: Inge Diersen, Horst Haase u. a.), 1973. S. 485 ff.

verneinte: »Es kann nicht festgestellt werden, daß seine für strafbar befundene Handlung aus einer ehrlosen Gesinnung entsprungen ist.«

Die neuen, nunmehr für die Auseinandersetzung um Person und Werk des Autors entscheidenden Akzente erhielt der ›Fall Toller‹ in den Jahren 1919 bis 1924, als er mit dem Streit um die bayerischen Festungshaftanstalten verknüpft und Toller damit zum Inbegriff freiheitlicher Gesinnung, des Widerstandes gegen Schikane und Willkür, schließlich zum Idealbild des Gesinnungsrevolutionärs stilisiert wurde. Die Verschärfung der Festungshaft, die nach dem Gesetz eine Ehrenhaft war, fast bis zur Zuchthausstrafe, Tollers Auflehnung gegen diese Form eines ungesetzlichen Strafvollzuges, die am ›Fall Niederschönenfeld‹ entflammten schweren Justizkonflikte zwischen Bayern und dem Reich um die von der bayerischen Regierung verweigerte Anwendung der Reichsamnestiegesetze, beziehungsweise die bayerische Beharrung auf einem als Zuchtmittel verwendeten System individueller Begnadigung und der Einräumung von Bewährungsfristen, all dies wirkte zurück auf Themen, Struktur und Erfolg oder Mißerfolg von Tollers literarischem Werk. Weit empfindlicher als in Freiheit lebende Autoren hat der Festungsgefangene Toller, der im Juli 1924 erstmals eines seiner Stücke auf der Bühne sehen konnte, auf die Pressekritiken seiner Dramen reagiert. Mit jeder neuen Tausenderserie eines älteren Textes, mit jedem neuen Stück hat er – literarisch verschlüsselt – auf die Kritiken geantwortet, da ihn die Festungszensur an einer offenen Auseinandersetzung hinderte. Am stärksten wirkten dabei offenkundig zwei bürgerliche Kritiker auf den Autor, die ihn nicht nur gleichsam ›entdeckt‹, sondern auch den noch immer anhaltenden Zwiespalt der literarischen Kritik vorformuliert haben: Alfred Kerr, Starkritiker des ›Berliner Tageblattes‹, und Stefan Großmann, Rezensent und Herausgeber der Zeitschrift ›Das Tagebuch‹. Während Alfred Kerr vorsichtig versuchte, Toller aus der expressionistischen Stilwelt und ihrem tragischen Genre in Richtung auf Satire und Komödie zu lenken, hat

Stefan Großmann seinen Zwiespalt zwischen ästhetischer und politischer Wertung offen benannt. Kerr faßte seine Kritik an der Prävalenz des tragischen und des pathetischen Tones in Tollers Gefängnisdramen in dem – unangemessenen – Zweizeiler zusammen:

> »Wenig heiter guckt sich's in die Welt
> Aus der Festung Niederschönenfeld.«[4]

Auf solche privat und öffentlich ausgesprochenen Hinweise hat Toller u. a. mit der Satire *Der entfesselte Wotan* geantwortet, die sich aber in Deutschland während der Weimarer Republik – trotz der Inszenierung durch Jürgen Fehling in der ›Tribüne‹ (Berlin) am 23. Februar 1926 – nicht durchsetzen konnte.

Stefan Großmann, der 1919 in einer weit verbreiteten Schrift den »Hochverräter Ernst Toller« enthusiastisch verteidigt hatte, kritisierte besonders scharf *Die Maschinenstürmer*: »Im Grunde ist die Haft des Ernst Toller eine Erfolg-Versicherung für ihn. Der gefangene Dichter muß in die Höhe gehoben werden. Er wurde auch im großen Großen Schauspielhaus bejubelt. Aber die Hitze wäre noch begeisterter gewesen, wenn das Werk Tollers mitgeholfen hätte.«[5] Obwohl er dann zu den unmittelbaren Adressaten des Dramas *Hinkemann* gehörte und an *Hoppla, wir leben!* rühmte, daß Toller hier »zum ersten Male seine düstere monologische Art überwunden« habe, daß er »zum ersten Male lachen und Lachen erzeugen« könne, näherte er sich mit der Kritik dieses Dramas doch der nicht unbedeutenden Schar jener Rezensenten, die den Dichter und Künstler Ernst Toller nur als einen begabten Szenaristen für die Regieexperimente der Zeit gelten lassen

---

4 Alfred Kerr, Toller und Brecht in Leipzig. In: Berliner Tageblatt Nr. 171, 11. Dezember 1923.
5 Vgl. im vorliegenden Band Stefan Großmanns Kritik der *Maschinenstürmer* (Dokumentation. Abschnitt: Festungshaft).

wollten: »Auch Toller hat puritanische Neigungen (wie so viele revolutionäre Monomanen). Die Braut, die eben mit dem Revolutionär geschlafen hat, jagt ihn aus dem Bett auf die Gasse. Kein erotisches Dankbarkeitsgefühl, kaum die Fähigkeit zur erquickenden Erinnerung. Das Ministermädel schreit im Bett mit dem Feudalen nach einer lesbischen Freundin. Toller will die sexuelle Sachlichkeit der neuen Frauen zeigen, aber seine erotische Welt ist freudlos geworden.«[6]

Der Zwiespalt zwischen künstlerischer und politischer Wertung belastete zunehmend die Selbsteinschätzung des Autors. Dabei scheint diese Seite des ›Falles Toller‹ auch mit einer Eigenart vor allem der bürgerlichen deutschen Literaturkritik in den zwanziger Jahren zusammenzuhängen; sie tat sich schwer bei der gerechten Würdigung der kämpferisch-politischen und damit der rhetorischen Elemente von Tollers Texten und ihrer Sprache.

Der Autor muß nach allem, was wir aus den Erinnerungen der Zeitgenossen von ihm wissen, ein hinreißender und glühender Redner gewesen sein, dessen Faszinationskraft auch im Exil, im fremden Sprachmedium, nichts von ihrer Wirkung einbüßte. Auf das Predigthafte des expressionistischen Verkündigungsdramatikers machte 1919 Kurt Tucholsky aufmerksam, als er – anläßlich einer Aufführung der *Wandlung* – »Tollers Publikum« beschrieb: »Das Publikum blieb stumm. Und da oben riß einer sein Herz auf und predigte das Evangelium der Liebe – zum wievielten Mal auf dieser Welt?«[7] Alfred Kerr, der seinen Geschmack an romanischen Kunstformen gebildet hatte, schien das Toller so oft vorgehaltene Pathos schon in *Masse Mensch* funktional geworden: »⟨...⟩ wenn eine fast religiöse Stimmung über die Menschen kommt; wenn politisches Erörtern, Abwägen, Meinungsaustausch fast zum Oratorium wird: so läßt sich kein anderer Grund hierfür feststel-

6 Stefan Großmann, Theatertagebuch. In: Der Montag Morgen. Berlin, 5. September 1927.
7 Tucholsky, Werke Bd. I, S. 523.

len, als daß ein Mensch mit einem ⟨...⟩ unfeststellbaren Fluidum, nämlich ein Dichter, dies schuf.«[8]

So ist der Zusammenhang zwischen Politik und Literatur bei Toller, der nicht ein Programm, wohl aber eine Idee, die des Friedens, verkündete, enger und greifbarer als bei seinen formstrengen Zeitgenossen. Das Drama war für ihn nur eine andere Form des Kampfes um den Menschen, den er sonst mit Rede und Reportage, mit Sprechchor und Massenspiel, mit der politischen und der sozialen Tat führte. Die absolute ethische Fundierung der Kunst wie der Politik war dem Schüler Kurt Eisners Verpflichtung. Wie die politische Rede, wenn sie aus ihrem situativen Kontext gerissen wird, kalt und grau erscheint, so ist dieser Kontext, die Entstehungs- und Wirkungssituation von Tollers Werk, ein konstitutives Element auch seiner künstlerischen Texte. Er hat ein prozeßartig verlaufendes Werk geschaffen, das nie abgeschlossen war, nie die Reifestufe einer gleichsam – auch für den Autor – gültigen Form erreichte, es ist nur in der Vielfalt seiner Fassungen und Schattierungen, seiner unaufgelösten Widersprüche, des sensationellen Erfolges und des allzu raschen Vergessens verstehbar. Gerechtigkeit wird dem Schriftsteller wie dem Politiker Toller nur widerfahren lassen, wer die Bedingungen von Produktion und Rezeption seines Werkes, damit auch das für ihn traumatische, noch im Exil immer wieder beschworene Erlebnis der deutschen Revolution 1918/19 in die Betrachtung einbezieht.

*

Ernst Toller hat sein Drama *Die Wandlung* in den Jahren 1917/18 als Flugblatt konzipiert. Er wollte »aufwühlen (›aufhetzen‹ gegen den Krieg!)«. Wegweiser sollte es sein zur Revolution und ist daher geschrieben »mit der Absicht, Dumpfe aufzurütteln, Widerstrebende zum Marschieren zu bewegen,

8 Vgl. Kerrs Kritik in diesem Band (Dokumentation. Abschnitt: Festungshaft).

Tastenden den Weg zu zeigen ⟨...⟩ und sie alle zu gewinnen für revolutionäre sachliche Kleinarbeit«[9]. Der in diesen Worten Tollers eklatante Stilbruch, der plötzliche Abfall vom revolutionären Pathos zur Nüchternheit politischer Tagesarbeit kennzeichnet exakt die geistige Lage der bayerischen Revolutionäre der Jahre 1918/19, denen das mit der ganzen Leidenschaft der pathetischen Person angestrebte Fernziel einer politisch-religiösen Menschheitserneuerung im Wirbel der Tagespolitik verlorenzugehen drohte. Auf dem beschwerlichen Weg der politischen Kleinarbeit schöpften sie Kraft und Hoffnung aus der Vision eines Zukunftsreiches »der Arbeit und des Friedens«[10]. Den überlebenden Teilnehmern schien das Intermezzo der bayerischen Revolution schon in Jahresfrist seltsam unwirklich zu sein, denn im Juli 1920 war der alte, durch die Revolution nur scheinbar überwundene Zustand so radikal wiederhergestellt, daß Toller an Kurt Wolff schreiben konnte: »Die Geschichtsforscher des Tages bezweifeln es zwar, aber es gilt immerhin noch als historisches Faktum, daß Kurt Eisner in prähistorischen sozusagen legendären Zeiten bayerischer Ministerpräsident war.«[11] Mit zunehmender Distanz zu den Ereignissen in München traten in den Berichten und Erinnerungen der bayerischen Revolutionäre die grotesken und tragikomischen Seiten dieser Revolution hervor, die auf dem Hintergrund der blutigen Eroberung Münchens durch die Freikorps-Truppen umso gespenstischer wirken. Die Gefangenen in den bayerischen Festungshaftanstalten sangen in Moritaten vom Schicksal »ihrer« Revolution, die Erich Mühsam in einer Versammlung der Betriebsräte in der Nacht vom 11. auf den 12. April 1919 unter das Zeichen des Herzens stellte. Auf Max Leviens Zwischenruf nämlich: »Sie haben das Volk ins Unglück gestürzt, ohne Kopf!«, soll Müh-

9 Ernst Toller an Kasimir Edschmid im Oktober 1919. In: Briefe der Expressionisten. Hrsg. von Kasimir Edschmid. Frankfurt 1964. S. 131 f.
10 Gustav Landauer, Aufruf zum Sozialismus. Revolutionsausgabe, Berlin 1920. S. VII f.
11 Toller an Kurt Wolff am 13. Juli 1920. Zeller/Otten S. 324.

sam geantwortet haben: »Mir ist Herz ohne Kopf lieber, als Kopf ohne Herz.«[12] Tollers Geschichte vom Stachusverteidiger Alisi, der mit seinen Maschinengewehren nicht vor der Übermacht der Weißen, sondern vor dem Keifen der Frau Sonnenhuber kapitulierte, Oskar Maria Grafs Anekdote vom Artillerieleutnant Sebastian Adolf Wigelberger, der den ›Weißen‹ an der Dachauer Front durch einen – nie wieder zurückkehrenden – Parlamentär den Krieg erklärte, ehe er den ersten Schuß abfeuerte, treffen nicht zufällige, sondern wesentliche Züge des bayerischen Utopia. Selbst Erich Mühsams von den Passanten mitleidig belächelter Versuch, allein auf einer Bank am Stachus in München stehend, kurz vor Eisners die Revolution einleitendem Demonstrationszug, die Republik auszurufen, ist ein historisches Faktum[13]. In der Nacht vom 7. auf den 8. November 1918 konstituierte sich in München, unter der Führung Kurt Eisners, der für die deutschen Schriftsteller noch lange nach seinem gewaltsamen Tode der Inbegriff für Moralität in der Politik war, ein Arbeiter-, Bauern- und Soldatenrat, der letzte Wittelsbacher König ging ins Exil, und in einem Überraschungscoup wurde der Volksstaat Bayern, die Bayerische Republik proklamiert. Weder Toller noch Landauer waren unmittelbar an den Revolutionsereignissen beteiligt, wenige Tage nach dem 7. November rief Eisner beide Freunde nach München, damit sie, wie er an Landauer schrieb, »durch rednerische Betätigung an der Umbildung der Seelen« arbeiteten[14].

12 Aus Notizen des Maschinenmeisters Fritz Kunz, die bei einer Hausdurchsuchung 1921 beschlagnahmt und in Abschrift zu Tollers Polizeiakten gelegt wurden.
13 Vgl. Bd. IV, S. 191 f.; Oskar Maria Graf, Münchener Revolutionsgeschichten. In: Das Tagebuch VIII, 1, 1927. S. 1051; Ulrich Linse, Die Anarchisten und die Münchner Novemberrevolution. In: Bayern im Umbruch. Die Revolution von 1918, ihre Voraussetzungen, ihr Verlauf und ihre Folgen. Hrsg. von Karl Bosl. München und Wien 1969. S. 37.
14 Vgl. Gustav Landauer, Sein Lebensgang in Briefen, unter Mitwirkung von Ina Britschgi-Schimmer hrsg. von Martin Buber. Bd. II. Frankfurt am Main 1929. S. 296.

So war die erträumte ›Dichterrepublik‹ Wirklichkeit geworden, die Dichter Eisner, Landauer, Mühsam, Toller u. a. waren die politischen Führer des ersten revolutionären Staates auf deutschem Boden. Überall aber griffen in diesen ersten Nachkriegsmonaten die deutschen Künstler aktiv in die Politik ein. In das preußische Ministerium für Wissenschaft, Kunst und Volksbildung wurde z. B. im Dezember 1918 Leo Kestenberg als Referent für musikalische Angelegenheiten berufen; auf seine Anregung hin bildete der USP-Minister Hoffmann einen Kunstbeirat im preußischen Kultusministerium, dem Max Liebermann, Richard Strauß und Gerhart Hauptmann angehörten[15]. In München griffen die Vertreter der neugegründeten Künstlergewerkschaft in die Verhandlungen des Nationalrates ein; neben die Arbeiter-, Bauern- und Soldatenräte trat – freilich nicht mit den gleichen Befugnissen – ein Rat geistiger Arbeiter, dessen Vorsitz ein Neffe Clemens Brentanos, der Nationalökonom Lujo Brentano, übernahm; an seiner Seite stand Ricarda Huch. Schon im Dezember 1918 sprach Heinrich Mann vor diesem Rat über »Sinn und Idee der Revolution«. Die von Eisner bewilligten 30 Sitze der geistigen Arbeiter im Zentralrat der Republik wurden allerdings von seinem Sekretär Felix Fechenbach auf 6 Sitze reduziert, da die Eloquenz der geistigen Arbeiter diesen sonst ein zu starkes Übergewicht über die anderen Räte gegeben hätte[16].

Bruno Frank, Oskar Maria Graf, der Dirigent Bruno Walter, die Schauspielerin Tilla Durieux sind weitere Künstler, die sich für die Gründung Kurt Eisners begeisterten. »Die hundert Tage der Regierung Eisner«, so erklärte Heinrich Mann in seiner Gedenkrede auf den am 21. Februar 1919 ermordeten Ministerpräsidenten, »haben mehr Ideen, mehr Freuden der

---

15 Vgl. Leo Kestenberg, Bewegte Zeiten. Musisch-musikantische Lebenserinnerungen. Wolfenbüttel und Zürich 1961. S. 40 f.
16 Vgl. Lujo Brentano, Mein Leben im Kampf um die soziale Entwicklung Deutschlands. Jena 1931. S. 353 ff. Brentano war der Initiator des Rates geistiger Arbeiter in München.

Vernunft, mehr Belebung der Geister gebracht, als die fünfzig Jahre vorher.«[17]

Während der kurzlebigen ersten Räterepublik arbeitete Ret Marut, alias B. Traven, im Propagandaausschuß bzw. in der Aufklärungskommission, doch waren auch an der letzten Revolutionsphase, der kommunistischen Räterepublik, die ebenfalls nur wenige Apriltage überdauerte, noch Künstler und Schriftsteller führend beteiligt. Eugen Juljewitsch Leviné selbst, der, zusammen mit Max Levien, den kommunistischen Rätegedanken verkörperte, war, nach den Worten von Fedor Stepun, »ein ungewöhnlich weichherziger, ja sentimentaler junger Mann, der das Trommeln des Herbstregens auf den Dächern der Proletarierwohnungen in Versen besang und ein Drama aus dem Leben reiner und edler Prostituierter schrieb. Sein von keinerlei persönlichen Erfahrungen durchbluteter und jeglichem Fanatismus und Dogmatismus ferner Sozialismus trug offensichtlich ein ethisch-pädagogisches Gepräge.«[18] Während der kommunistischen Rätetage arbeitete im »Aktionsausschuß revolutionärer Künstler« der von Landauer bewunderte Dramatiker Georg Kaiser mit Friedrich Burschell, mit dem aus dem Sturmkreis bekannten Maler Georg Schrimpf, mit Alfred Wolfenstein und vielen anderen zusammen. Diese Auswahl bekannter und weniger bekannter Namen von Künstlern und Gelehrten, die an den Revolutionsereignissen in Bayern teilnahmen, belegt den besonderen Charakter dieser Republik und verdeutlicht die Faszination, die von den utopischen Zielgedanken der Eisner, Toller und Landauer auf die deutsche Intelligenz ausgingen. Daß sich freilich gerade durch die künstlerische Prägung des Staates eine Kluft zwischen Führern und Geführten auftat, daß eine tiefe Kluft, die nur in den ersten Tagen der Revolution vom Rausch der Anfangserfolge überdeckt wurde, zwischen den

17 Vgl. dazu Klaus Schröter, Heinrich Mann in Selbstzeugnissen und Bilddokumenten. Reinbek 1967. S. 99f.
18 Fedor Stepun, Vergangenes und Unvergängliches. Aus meinem Leben. Erster Teil 1884-1914. S. 145.

Revolutionären und dem in seiner Masse revolutionsunwilligen Volk entstand, haben die Revolutionäre erst zu spät erkannt; selbst Gustav Landauer schien seine Mahnung aus dem Oktober 1918, den Dichter nicht »schlechtweg zur Führung der allgemeinen Volksangelegenheiten« zu berufen[19], vergessen zu haben. So bestand Hitlers erstes Gefolge beim Putsch des Jahres 1923 vorwiegend »aus den Enttäuschten der Räterepublik und dem Abschaum des Münchener Proletariats«[20]. Ernst Toller hat in der Festungshaft 1921 das von Walther Rathenau schon 1919 scharfsinnig analysierte Schicksal der deutschen Revolution in seinem Drama *Masse Mensch* gestaltet. Rathenau hatte erkannt, daß aus der Perspektive der Massen die Novemberrevolution eine Revolution der Ranküne war, nicht, wie ihre idealistischen Theoretiker glaubten, eine Revolution der Gesinnung[21]. Nur weil schon 1918 bei den Massen die Rachsucht vorherrschende Triebkraft der Revolution war, konnte die Gegenrevolution, deren vornehmliche und häufig genug auch zynisch eingestandene Antriebskraft die Ranküne war, das Volk auf ihre Seite ziehen.

So endete, was als Dichterrevolution begonnen hatte, im Blutbad der einander liquidierenden Radikalismen. Die gewaltlose, utopische Gesellschaftskonstruktion Tollers, Landauers, wohl auch die Eisners, war machtlos, im Inneren wie im Äußeren dem zur Gewalt entschlossenen Radikalismus ausgeliefert. Während in das bewußt erzeugte Machtvakuum von außen die den Nationalsozialismus und *alle* seine Greuel präfigurierenden Kräfte der Gegenrevolution stießen, verband

---

19 Gustav Landauer, Eine Ansprache an die Dichter. In: Die Erhebung. Berlin 1919. S. 296 ff. (Die Rede wurde am 18. Oktober 1918 gehalten).
20 Vgl. zur Sozialschichtung von Hitlers erster Anhängerschaft u. a. F. X. Aenderl, Bayern. Das Problem des deutschen Föderalismus. Altötting 1947. S. 23.
21 Vgl. Walther Rathenau, Kritik der dreifachen Revolution. Berlin 1919. Vgl. auch Wolfgang Frühwald, Kunst als Tat und Leben. Über den Anteil deutscher Schriftsteller an der Revolution in München 1918/19. In: Sprache und Bekenntnis. Sonderband des LJGG. Berlin 1971. S. 361 ff.

sich im Inneren der Gedanke des anarchistischen Opfertodes unlösbar mit der »Katastrophenvision« vom Untergang der kämpfenden Klassen. Die Anhänger der Räterepublik, den Klang der Todespredigten ihrer zerstrittenen Führer im Ohr, folgten im Mai 1919 nicht mehr Tollers Aufruf zu einer letzten, waffenlosen Demonstration, nicht mehr Landauers Gedanken eines Frauen- und Kinderkreuzzuges, sondern allein Levinés verzweifeltem Versuch, den Untergang zum Fanal des neuen Anfangs zu machen: »Den blutigen Preis müssen wir doch zahlen. Viele von uns werden die Sonne nicht mehr lachen sehen, viele von uns durch unseren Tod die künftige Freiheit einleiten. Wir wollen wissen, wofür wir sterben.«[22]

Von den verantwortlichen Führern der bayerischen Revolution ist nur Ernst Toller den Mördern entgangen. Eisner wurde im Februar 1919 ermordet, Gustav Landauer im Mai des gleichen Jahres, Leviné wurde im Juni in München standrechtlich erschossen, Mühsam 1934 im Konzentrationslager Oranienburg zu Tode gefoltert; wer noch 1919 nach Rußland entkommen war, wurde dort während der sogenannten Stalinschen Säuberungen ermordet.

Kurt Tucholsky zog 1930, als der Begriff der Revolution im Bereich der Kunstkritik wucherte, als man von einer Theaterrevolution, einer Literatur- und Musikrevolution, einer Revolutionierung der Künste sprach, eine bittere Bilanz: »Wegen ungünstiger Witterung fand die deutsche Revolution in der Musik statt.«[23]

*

Am 4. Juni 1919 wurde Toller nach einer wochenlangen intensiven Fahndung im Hause des Kunstmalers Reichel in der Münchener Werneckstraße verhaftet. Sein mit Spannung in

22 Rosa Leviné, Aus der Münchner Rätezeit. In: Die Münchner Räterepublik. Zeugnisse und Kommentar. Hrsg. von Tankred Dorst. Mit einem Kommentar versehen von Helmut Neubauer. Frankfurt am Main 1966. S. 140.
23 Tucholsky, Werke Bd. III, S. 656.

der Öffentlichkeit erwarteter Prozeß war der letzte Höhepunkt in einer langen Reihe von Standgerichtsverhandlungen gegen führende Mitglieder der Räteregierungen, die der Lynchjustiz im unmittelbaren Anschluß an die Eroberung Münchens durch die Freikorpstruppen entgangen waren. Gustav Klingelhöfer, Adjutant Tollers an der Dachauer Front, wurde am 12. Juni zu 5 Jahren und 6 Monaten Festung, August Hagemeister am 12. Juni zu 10 Jahren Festungshaft, Ernst Niekisch am 23. Juni zu 2 Jahren Festung und Erich Mühsam am 12. Juli zu 15 Jahren Festung verurteilt. Die Gefängnisse in und um München waren überfüllt; zur Zeit von Tollers Prozeß liefen vor den bayerischen Standgerichten 4256 Verfahren gegen Führer und Mitläufer der Räterepublik[24]. Die Anklage gegen Toller basierte, wie alle Hochverratsbeschuldigungen dieser Tage, auf einer Rechtskonstruktion. Nach Annahme der Staatsanwaltschaft nämlich begann Tollers hochverräterische Tätigkeit am 7. April 1919, dem Tag der Proklamation einer bayerischen Räterepublik; sie habe sich gegen die durch das vorläufige Staatsgrundgesetz vom 17. März 1919 geschaffene Verfassung gerichtet. Am 17. März aber war der Streit zwischen den Räten und dem Parlament um die Machtpositionen im zukünftigen Staat noch in vollem Gange, das am 25. Februar vereinbarte Vetorecht des Zentralrates hatte volle Gültigkeit. Das Staatsgrundgesetz vom 17. März war zudem nicht etwa vom Plenum des Landtags oder vom Kongreß der Räte gebilligt worden, sondern allein vom Ältestenrat des Landtags, der, nach Hugo Haases Verteidigungsrede für Toller, »keine staatsrechtlichen Funktionen« besaß. Die Anklage konstruierte, wie Toller selbst mit Recht betonte, »den Begriff des Hochverrats gegen ein Staatsgrundgesetz, das formal keine Rechtsgültigkeit

---

24 Über die Zustände in den Münchener Gefängnissen in diesen Wochen informiert plastisch ein – im Deutschen Literaturarchiv in Marbach aufbewahrtes – Manuskript von Paula Sack (der Gattin des frühexpressionistischen Schriftstellers Gustav Sack), die, als Sekretärin Erich Mühsams denunziert, mehrere Wochen in Haft genommen worden war.

hatte, und das in Wirklichkeit durch Rechte des Zentralrats, von denen darin keine Rede ist, aufgehoben war«[25].

Ohne Zweifel aber stand, trotz Hugo Haases scharfsinnigem Nachweis der Rechtskonstruktion[26], die Anklage gegen die Räterepublikaner in Übereinstimmung mit dem Rechtsgefühl der Mehrheit der bayerischen Bevölkerung. Die Revolution war tatsächlich, wie Gustav Landauer vorausgesehen hatte, »ein Traum« geblieben, vorrevolutionärer Geist beherrschte das Volk und die Justiz. So büßten die bayerischen Revolutionäre im Grunde nicht für das in ihren Strafurteilen genannte Verbrechen des Hochverrats, sondern für das »Verbrechen der Revolution«. Daß sich die Revolution in der bloßen Beseitigung der Monarchie nicht erschöpfen wollte, war ein Gedanke, den die Mehrheit des Volkes nicht nachvollziehen konnte.

Im Laufe der Verhandlung gegen Toller zeigte es sich, daß das Zerrbild, welches die gegenrevolutionäre Propaganda zwischen April und Juli 1919 von ihm gezeichnet hatte, nicht den Tatsachen entsprach. Alle konkreten Vorwürfe, wie die Verhaftung von Geiseln, die Requirierung von Wein an der Front bei Dachau, die Unterschlagung von Geldern etc. wurden durch Zeugenaussagen eindeutig widerlegt; bestehen blieb der – nach den Worten des Staatsanwaltes – »objektive Tatbestand des Hochverrats«, daneben der Vorwurf einer »moralischen Verantwortlichkeit« für alle Geschehnisse während der Rätetage in München. Die von der Anklagebehörde dabei verfolgte Taktik, Toller mit Hilfe psychiatrischer Gutachter auf Grund psychopathischer Züge in seinem Charakterbild mildernde Umstände zuzubilligen, wirkt bis heute in der wissenschaftlichen Literatur nach und hatte für den Angeklagten während der Zeit seiner Festungshaft weitreichende Folgen. Die Anklage verfolgte das Ziel, die Regierung Toller als ein Regime »politisch unreifer, ästhetisierender und übersensiti-

25 Vgl. Bd. I, S. 96.
26 Vgl. die entsprechenden Ausschnitte aus Haases Rede, Bd. I, S. 93 ff.

ver« Menschen zu diffamieren, die Verteidigung antwortete dagegen mit Zeugen und Gutachtern, die aus der Persönlichkeit und dem literarischen Werk Tollers das Bild eines lauteren und reinen Charakters zeichneten, das Bild eines Revolutionärs aus sittlicher Verantwortung, dessen politische Unerfahrenheit ihn, wie er später selbst eingestanden hat, in ein Abenteuer gestürzt hatte, dem er nicht gewachsen war. So schwankt das Bild des *Politikers* Toller – selbst im Urteil der Freunde – noch immer zwischen den in seinem Prozeß festgelegten Positionen, das heißt zwischen Max Webers Ausspruch vor dem Standgericht, Gott habe Toller im Zorn zum Politiker erschaffen und Kurt Hillers mutigem Glauben, Toller würde, »hätte er sich am Leben erhalten – möglicherweise heute ⟨d. h. 1961⟩ in Deutschland als oberste, nehruhafte Autorität der ›heimatlosen Linken‹ nicht nur, sondern der gesamten Trägerschaft des Fortschrittsgedankens und Fortschrittswillens – sozial, kulturell, verfassungspolitisch, außenpolitisch – und als Brücke zwischen Ost und West wirken«[27]. Der Autor selbst ist – in richtiger Einschätzung seiner Kräfte und Fähigkeiten – nach der Zeit der Festungshaft nicht in die aktive Parteipolitik zurückgekehrt; er suchte in seinem Werk und in all seinen oppositionellen Aktivitäten in der Weimarer Republik und im Exil das Vermächtnis seines Freundes Gustav Landauer zu erfüllen, die eigene »Bereitschaft zur Erschütterung« auf alle zu übertragen, an sich selbst das »Metonoein« paradigmatisch darzustellen, »das in Erhebung, in Größe, in Edelmut, im Neuen und Unerhörten, in der Überwältigung schamvoller Reue und kühnen Entschlusses den Zwang zum eigenen Willen, die Schmach zur Herrlichkeit, die Schuld zum Stachel und die Ausstoßung zum Völkerbund machen könnte und müßte«[28].
Obwohl die Öffentlichkeit in Tollers Schlußwort vor dem

27 Ernst Toller, Prosa, Briefe, Dramen, Gedichte. Mit einem Vorwort von Kurt Hiller. Reinbek 1961. S. 16.
28 Gustav Landauer, Eine Ansprache an die Dichter. 1919.

Standgericht[29], in dem er sich zum Vermächtnis Eisners und Landauers bekannte, zum letzten Mal von den hohen Zielideen der bayerischen Revolution hörte, klangen die Leitworte der Revolution, zu denen die Termini ›Freiheit‹, ›Schönheit‹ und ›Würde‹ gehörten, noch lange Jahre im Ohr der Münchener nach. Der Wahlredner Joseph Goebbels konnte sicher sein, verstanden zu werden, als er 1932 zynisch den Zustand Deutschlands, den er selbst mit herbeigeführt hatte, mit den Worten beklagte: »Wo ist denn Arbeit und Brot und Freiheit, Schönheit und Würde?«[30]

*

Am 3. Februar 1920 wurde der Festungsgefangene Toller in die abgelegene Haftanstalt Niederschönenfeld bei Rain am Lech gebracht, wohin im Laufe des Jahres 1920 auch die restlichen sozialistischen Festungsgefangenen Bayerns verlegt wurden. Von den rund 410 zu Festungshaft verurteilten Räterepublikanern waren im Juli 1920 etwa 280 bereits mit Bewährungsfrist entlassen, etwa 100 Festungsgefangene befanden sich durchschnittlich von 1919-1924 in Niederschönenfeld. Zu ihnen gehörten nicht nur die Revolutionäre des Jahres 1919, sondern auch sozialistische und kommunistische Gefangene, die 1920/21 wegen Vergehen gegen die öffentliche Ordnung und Sicherheit zu Festungsstrafen verurteilt wurden, sowie zahlreiche Schutzhaftgefangene. 80 kriminelle Strafgefangene arbeiteten in der Festung als Kalfaktoren, Handwerker und Arbeiter in dem zur Haftanstalt gehörenden landwirtschaftlichen Betrieb[31].

29 Vgl. Bd. I, S. 49 ff.
30 Joseph Goebbels, Revolution der Deutschen. 14 Jahre Nationalsozialismus. Goebbelsreden mit einleitenden Zeitbildern von Hein Schlecht. Oldenburg i. O. 1933. S. 99. Es handelt sich um eine in München gehaltene Wahlrede vom 31. Juli 1932.
31 Für die Mitteilung zahlreicher Einzelheiten über die Verhältnisse in Niederschönenfeld danke ich dem ehemaligen Oberverwalter Krebs (Niederschö-

Der Strafvollzug in den bayerischen Festungen war durch Reichsgesetz geregelt, Ausführungsbestimmungen zu dem einschlägigen § 17 des Reichsstrafgesetzbuches wurden am 18. März 1893 durch »Königlich allerhöchste Verordnung« erlassen. Diese Hausordnung des Jahres 1893 war nach Meinung des bayerischen Justizministeriums nicht mehr geeignet, im Jahre 1919 »dem Gebote der Staatssicherheit völlig gerecht zu werden«; so erließ der bayerische Justizminister Dr. Ernst Müller-Meiningen am 16. August 1919 eine verschärfte »Hausordnung für die zum Vollzug der Festungshaft an Personen des Zivilstandes bestimmten Orte«. Zweifellos war das Ministerium formal zum Erlaß solcher Vollzugsvorschriften berechtigt, auch ist es keine Frage, daß die Häftlinge – vor allem die in Ebrach – durch ihre Haltung selbst das scharfe Vorgehen der Behörden provozierten, doch rief bei den Niederschönenfelder Gefangenen u. a. die Tatsache Verbitterung hervor, daß für die nichtsozialistischen Festungsgefangenen, das heißt zunächst für den Eisnermörder Graf Arco-Valley, dann auch für die Putschisten des November 1923, in Landsberg eine eigene Festungshaftanstalt eröffnet wurde, in der die verschärfte Hausordnung nicht zur Anwendung kam. Der tiefere Grund für den Erlaß der neuen Hausordnung und für ihren Tenor, auch der für die erneute Verschärfung im Alltag des Strafvollzuges, war wieder der Zusammenstoß von vorrevolutionärem und revolutionärem Denken.

Die Revolution in Bayern war mit dem Untergang der Räterepublik und selbst mit der Etablierung der gegenrevolutionären Regierung Kahr nicht beendet. Für die sozialistischen Festungsgefangenen war sie in der täglichen Auflehnung gegen Verurteilung und Strafvollzug, in legalen und illegalen, propagandistischen und selbst in der Vorbereitung militärischer Aktionen gelebte Gegenwart. Zwischen dem politischen Ge-

nenfeld). Noch nach 40 Jahren erinnerte sich Herr Krebs vor allem an Erich Mühsams Protestaktionen, an Toller, der nie an lärmenden Protesten teilgenommen hatte, nur schwach. Der Dienst im Flügel der radikalen Häftlinge in Niederschönfeld war bei den Wachmannschaften unbeliebt.

schehen innerhalb und außerhalb der Gefängnismauern bestand eine Relation, die nicht allein aus dem Wechsel der bayerischen Kabinette und der Festungsvorstände zu erklären ist. Bis zur Wende des Jahres 1923/24 nämlich dauerte – wenn man eine ungefähre Grenze setzen will – in Deutschland die revolutionäre Situation. Man könnte vereinfachend davon sprechen, daß die Phase sozialistischer Revolutionsbewegungen und der nationalkonservativen Gegenrevolution zeitlich ungefähr mit der Haftdauer Tollers zusammenfiel. In den Jahren 1919-1924, den Jahren der »europäischen Nachkriegsspannung«, suchte sich die Republik vor allem im Kampfe gegen ihre Gegner von links zu stabilisieren. Die Revolutionsstimmung der deutschen Arbeiterschaft dauerte an, auch der Nationalsozialismus hat in seinen Anfängen von ihr profitiert. Die blutigen Nachkriegskämpfe der Freikorps und der Reichswehr gegen die verschiedensten Aufstandsbewegungen und Separationsversuche dürfen wohl kaum mit den Kämpfen zwischen der Polizei und den Bürgerkriegsarmeen der Rechten und der Linken in den späteren Jahren der Republik parallelisiert werden. Auch das wirtschaftliche und soziale Gefüge Deutschlands war erst gegen Ende des Jahres 1923 grundlegend revolutioniert, die Inflation hatte das Vernichtungswerk der kleineren Vermögen und die Proletarisierung des Mittelstandes vollendet. So spiegelt das Gefängniswerk Tollers, zu dem in diesem Zusammenhang auch die *Briefe aus dem Gefängnis* gerechnet werden können, nicht allein die revolutionäre Gesinnung des Autors und seiner Freunde, einer kleinen Gruppe verzweifelter Revolutionäre in einer bayerischen Festungshaftanstalt, die *Briefe* sind als Dokumente einer poetisch verdichteten Zeitgeschichte Briefe aus der deutschen Revolution.

Seit dem Kapp-Putsch im März 1920, der in Bayern mit der Ablösung der sozialdemokratisch geführten Regierung Hoffmann durch ein bürgerliches Kabinett endete, war Niederschönenfeld die einzige sichtbare Wunde am Körper der »Ordnungszelle Bayern«. Die 1920 fixierte Situation – dem

Übergangskabinett Kahr folgten bis März 1933 relativ stabile und stets von der Bayerischen Volkspartei geführte Regierungen – war der Stimmung im Lande gemäßer als die überraschende politische Konstellation des November 1918. Der sozialistischen Opposition im Landtag, der sich 1920 auch die SPD anschloß, gelang es, den Strafvollzug an den sozialistischen Gefangenen in Bayern so lange in der Diskussion zu halten, bis die ausbrechenden Konflikte Bayerns mit dem Reich, also auch die bayerischen Separationsbestrebungen, den ›Fall Niederschönenfeld‹ und innerhalb dieses Problemkreises den ›Fall Toller‹ zu einem Politikum ersten Ranges machten.

Das Bild, das aus Tollers autobiographischen Schriften, vor allem aus den *Briefen aus dem Gefängnis,* vom ›Fall Niederschönenfeld‹ entsteht, entspricht nicht völlig der Realität, und schon dieses Faktum sollte davor warnen, diese *Briefe* nur als ›Briefe‹, nicht als künstlerische Texte zu lesen. Toller hat bei der Stilisierung des Buches innerhalb der Jahreskapitel aus künstlerischen Gründen auf Symmetrie geachtet und die spektakulären Ereignisse, die sich von der Mitte des Jahres 1920 bis zur Mitte des Jahres 1922 häuften, auf die Gesamtdauer der Haft von 1919 bis 1924 verteilt. Dem Gefangenen – so scheint der Autor ausdrücken zu wollen – verwischten sich im Jahre dauernden Gleichmaß des harten und oft ungerechten Strafvollzuges die Konturen politischer Ereignisse, die einer rasch begeisterten, aber ebenso rasch abgelenkten Öffentlichkeit scharfe Akzente zu setzen schienen.

Im März des Jahres 1920 erfaßte die vom Kapp-Putsch ausgehende Unruhe auch das Festungsgefängnis Niederschönenfeld. Die Gefangenen wurden von den Gerüchten über eine bevorstehende Erstürmung des Gefängnisses alarmiert, sie schmiedeten Abwehr- und Ausbruchspläne, zumal die vom Justizministerium angeordneten außerordentlichen Sicherheitsmaßnahmen die Gerüchte bestätigten. Wenige Wochen später wurde von der Festungszensur ein solcher Ausbruchsplan abgefangen, der die Verbindung radikaler Häftlingsgruppen mit revolutionären Kreisen außerhalb des Gefängnisses bewies. Das Justizministerium nutzte die Gelegenheit, um die andauernde Gefährlichkeit der Häftlinge und die Notwendigkeit des verschärften Strafvollzuges zu beweisen. Ort und Gefängnis Niederschönenfeld wurden von schwer bewaffneten Sicherheitspolizisten mit spanischen Reitern und Maschinengewehren abgeschirmt, die Gefangenen durch Wächter des benachbarten Zuchthauses Kaisheim aus ihren Zellen getrieben, Münchener Kriminalbeamte durchsuchten die Zellen, verhafteten die Rädelsführer der angeblichen Verschwörung und transportierten sie ins Untersuchungsgefängnis Neuburg. Vom Fenster seiner Zelle aus hielt der ehemalige Soldatenrat Fritz Sauber über Stunden hin flammende Protestreden hinab in den leeren Hof der Festung. Obwohl das von Justizminister Müller-Meiningen gegen die ›Verschwörer‹ eingeleitete neue Hochverratsverfahren von seinem Nachfolger schon im Juli 1920 niedergeschlagen wurde, erscheint es verständlich, daß der bayerische Landtag unter diesen Umständen im Mai einen Amnestieantrag für die politischen Gefangenen und im August die Übertragung der Kapp-Amnestie auf die ›Räteverbrecher‹ ablehnte.

Der hier liegende Zündstoff zu einem jahrelangen schweren Justizkonflikt zwischen Bayern und der Reichsregierung entbrannte, als im Februar 1921 die gegenseitigen Beziehungen durch den Konflikt um die bewaffneten Einwohnerwehren schwer belastet wurden. Auf dem Höhepunkt der Auseinandersetzungen wurde 1921 der Fraktionsvorsitzende der USPD im Bayerischen Landtag, Karl Gareis, von einem Offizier der Einwohnerwehr ermordet, und am 17. Juni 1921 lenkte die Gareis-Debatte im Deutschen Reichstag den Blick der Öffentlichkeit auf die Justizverhältnisse im »Ordnungsstaat« Bayern. Im September des gleichen Jahres übernahm die ehemalige Nummer 61 der Niederschönenfelder Häftlinge, Ernst Niekisch, den Fraktionsvorsitz der USP im Landtag. Sein Amtsantritt fiel in die Zeit eines neuen Konfliktes zwischen Bayern und dem Reich um die Anwendung der nach der Er-

mordung Erzbergers (am 26. August 1921) erlassenen Reichs-
ausnahmeverordnung. So fand er die Themen seiner Opposi-
tionspolitik vorgezeichnet: den ›Fall Niederschönenfeld‹ mit
dem dafür exemplarischen ›Fall Toller‹ und das Verhältnis
zwischen Bayern und dem Reich. Als Niekisch in dem am
26. Oktober 1921 zum Reichsjustizminister ernannten SPD-
Politiker Gustav Radbruch einen starken Bundesgenossen erhielt, wurde die bayerische Regierung erstmals in die Defen-
sive gedrängt. Radbruch, der kurz vor seiner Ernennung, auf
dem Görlitzer Parteitag der SPD, den Strafvollzug in Niederschönenfeld scharf kritisiert hatte, machte sofort das »Recht
der Reichsaufsicht« in diesem Falle geltend, woraus sich ein
reger Notenkrieg zwischen München und Berlin entwickelte.
»Auf die Höhen der Außenpolitik und in die Zeiten des Wiener Kongresses« fühlte sich Gustav Radbruch versetzt, »wenn
der bayerische Gesandte Preger ihm in allen Formen des di-
plomatischen Verkehrs eine neue Note überbrachte.«[32] Niekisch gab seine Offensivpolitik auch dann nicht auf, als der
Justizkonflikt, der sich zuletzt in der Frage konkretisiert
hatte, ob einem Untersuchungsausschuß des Deutschen
Reichstages der Besuch von Niederschönenfeld gestattet
würde, mit einem Pyrrhussieg der bayerischen Regierung endete. Die bayerische Weigerung, dem Untersuchungsausschuß
die Tore der Festungshaftanstalt zu öffnen, wurde von der
Reichsregierung aus politischen Gründen – vor allem um den
bayerischen Separationsbestrebungen nicht neue Nahrung zu
geben – respektiert, doch war Bayern nun gezwungen, sich in
Form einer umfangreichen Denkschrift vor dem Reichstag,
dem Landtag und der Öffentlichkeit zu rechtfertigen. Die
›Denkschrift über die Erfahrung beim Vollzuge der Festungshaft‹, die am 23. Dezember 1921 der bayerische Ministerpräsident Graf Lerchenfeld dem Landtag übermittelte, gab Niekisch Gelegenheit zu einer – nicht veröffentlichten – Gegen-

---

32 Gustav Radbruch, Der innere Weg. Aufriß meines Lebens. Stuttgart 1951.
   S. 147f.

denkschrift und zu neuen Interpellationen im Landtag. Jetzt wurde von der USPD der ›Fall Toller‹ hochgespielt, den die Regierung in der Denkschrift ganz ausgespart hatte. Nur schwer konnte das Justizministerium die Behandlung Tollers, des nach Mühsam bekanntesten Häftlings in Niederschönenfeld, rechtfertigen. Bot Mühsam durch seinen lautstarken Widerstand deutliche Angriffsflächen, so wußte Toller stets zwischen den verantwortlichen und den ausführenden Organen des Strafvollzugs zu unterscheiden. Er gehörte in Niederschönenfeld weder zu jenen, welche – nach dem BVP-Sprecher Fritz Schäffer – »die bis zu einem gewissen Grade berechtigte Hoffnung« erweckten, doch »noch vernünftig zu werden«, noch zu jenen, »die immer nur von der Idee ausgehen, es liege im revolutionären Interesse, unter allen Umständen Schwierigkeiten zu machen«. Toller lehnte sich auf gegen Willkür und Bösartigkeit und beharrte mit unerschütterlichem Rechtsbewußtsein auf dem im bayerischen Vollzug nicht mehr erkennbaren ehrenhaften Charakter der Festungsstrafe. Die revolutionäre Gesinnung in dieser Haltung zu bewahren, erschien ungleich schwieriger als der von Niekisch und von Toller kritisierte, oft pöbelhaft ausartende Widerstand gegen das Gefängnispersonal. Zu Tollers Freunden in Niederschönenfeld gehörten Beamte der Wachmannschaften ebenso wie die geistige Elite der Häftlinge und einfache, gelegentlich mit Zuchthaus vorbestrafte Rotgardisten. In ihnen allen fand er ein aufmerksames und kritisches Publikum bei ersten Lesungen aus seinen Manuskripten; deren pathetisch-rhetorischer Ton, der in späteren Fassungen Schritt für Schritt reduziert wurde, erklärt sich auch aus der Nähe zu dieser ersten Hörer- und Leserschaft.

Die Vorwürfe, die der Vertreter des bayerischen Justizministeriums in den Sitzungen des Verfassungsausschusses gegen Toller erhob, fielen nach Form und Inhalt so aus dem Rahmen der üblichen Landtagsdebatten über Niederschönenfeld, daß selbst der Berichterstatter der Bayerischen Volkspartei die Notwendigkeit solcher, für die Zuhörer oft *nur* peinlichen

›Enthüllungen‹ zu verteidigen suchte. Von der Bayerischen Regierung wurde Tollers *Charakter* beschrieben, »weil systematisch im ganzen Reiche und auch gegenüber der Reichsregierung eine Reklame dafür veranstaltet wurde, Toller sei bei seinen angeblich hohen, menschlichen, dichterischen und künstlerischen Qualitäten unbedingt von der ›unverdienten‹ Festungshaft freizumachen«. Toller konnten keine neuen Straftaten nachgewiesen werden, er konnte nicht wegen Aufhetzung der Mitgefangenen angegriffen werden, sein neues ›Vergehen‹ war, im Gefängnis zu einem international bekannten und anerkannten Dramatiker geworden zu sein. So beschränkten sich die ›Vorwürfe‹ gegen ihn auf die Zitierung alter psychiatrischer Gutachten und eines »hausärztlichen Berichtes«, der unter Bruch der ärztlichen Schweigepflicht Einzelheiten über eine Krankheit Tollers ausbreitete. Aus dem Wust der halbamtlichen und amtlichen Verdächtigungen erstand das Bild eines Mannes, dessen Gerechtigkeitsgefühl zutiefst verwundet war. Der Kampf der bayerischen Regierung gegen Toller im Jahre 1922 folgte der von der Staatsanwaltschaft im Juli 1919 eingeschlagenen Fährte, die zurückweist auf den Pressekampf gegen Toller in den Rätetagen und nur das Ziel verfolgte, die unbestreitbare sittliche Größe des politischen Gegners zu verdunkeln. Unter dem Eindruck des unnötig harten Strafvollzuges und der Diffamierungskampagne in der Öffentlichkeit wurde Toller in Niederschönenfeld fast zu einem Fanatiker der Gerechtigkeit, von dessen moralischem Rigorismus zeugt, daß er die ihm wiederholt angebotene Begnadigung – erstmals nach dem Erfolg der *Wandlung* 1919 – ablehnte, da er das System der Individualbegnadigung verabscheute und nicht Gnade forderte, sondern Recht. Die Justizbehörden wußten auf diese Grundhaltung nicht anders zu reagieren als mit Einzelhaft, Kostentzug, Schreibverbot, Hofverbot, Bettentzug, Ablehnung von Urlaubsgesuchen und schließlich mit der Ausweisung aus Bayern.

Mit der großen Toller-Debatte im Bayerischen Landtag am 9. März 1922 war der Höhepunkt der Auseinandersetzung um Niederschönenfeld überschritten, denn in dieser 112. Sitzung formulierte Fritz Schäffer, Niekischs Gegenspieler auf der Seite der Regierungsparteien, die wirkungsvolle These, daß die Staatsregierung niemals Partei sein, sondern die »oberste Leitung und der oberste Richter in unserem Staatswesen und nicht mit den einzelnen Festungsinhaftierten, Mühsam, Hagemeister und dergleichen in der gleichen Rolle. Es wäre eine Untergrabung der Staatsautorität, wenn hier die Staatsregierung nur die gleiche Rolle hätte, wie etwa der einzelne Festungsgefangene«. Mit dieser These gelang es der Regierung, aus der bloßen Defensivhaltung herauszukommen und in der Pose der unparteiischen Obrigkeit zwischen den Ansprüchen der Gefangenen und der Gefängnisverwaltung scheinbar zu vermitteln. Das Justizministerium ließ sich nun anhand eines Fotoalbums[33] am 13. Juni 1922 genau über die einzelnen Häftlinge informieren, um ständig Auskunft geben zu können und damit die Häufung der Beschwerden und die ausgedehnten Debatten zu vermeiden. Die neue Taktik bestand ihre Feuerprobe, als nach der Ermordung Walther Rathenaus der erneuerte Konflikt zwischen Bayern und dem Reich dem ›Fall Niederschönenfeld‹ nochmals politisches Gewicht gab. Diesmal endete der Streit mit einem vollen Sieg Bayerns: die Räterepublikaner blieben von der Rathenau-Amnestie ausgeschlossen.

Es bedurfte eines außerordentlichen Anlasses, um das Interesse an den Zuständen in Niederschönenfeld danach wieder zu beleben. Am 16. Januar 1923 starb in der Festungshaftanstalt der ehemalige Volksbeauftragte für Volkswohlfahrt und derzeitige KPD-Landtagsabgeordnete August Hagemeister unter Umständen, welche die Opposition eine Mitschuld, zumindest Leichtfertigkeit der Gefängnisbehörden vermuten ließen. Die Landtagsfraktionen der KPD und der SPD, in der

---

33 Das Album ist überschrieben: »Insassen der Festungshaftanstalt Niederschönenfeld 1919-1922«. Aus diesem Album, das ich 1966 in Niederschönenfeld noch eingesehen habe, das heute leider verschollen ist, stammt das Umschlagfoto zu Bd. II der *Gesammelten Werke*.

die USP nunmehr aufgegangen war, verlangten am 25. Januar Auskunft über den Tod Hagemeisters, am 26. Januar beantragte die SPD die »Ernennung eines Ausschusses zur Untersuchung der tatsächlichen Verhältnisse in Niederschönenfeld«. Doch als in der dadurch ausgelösten Debatte der kommunistische Abgeordnete Eisenberger davon sprach, daß die »Frage Niederschönenfeld – und wenn Sie noch so sehr lachen – keine bayerische Frage, sondern eine deutsche Reichsfrage, eine Weltfrage geworden ist«, war das Interesse der Öffentlichkeit so weit erlahmt, daß der Landtagsmehrheit ein neuer Schachzug gelang, der den ›Fall Niederschönenfeld‹ als Politikum neutralisierte. Die Hagemeisterdebatte am 13. Februar 1923 wurde durch eine Boykotterklärung der Regierungsparteien eingeleitet. Der Abgeordnete Held von der BVP erklärte:

»Was Niederschönenfeld und die dortigen Verhältnisse betrifft, so sind sie so oft in diesem Hause erörtert worden, daß wir uns eins mit der großen Mehrheit des bayerischen Volkes wissen, wenn wir es ablehnen, unsere gute Zeit mit derartigen Dingen weiter zu vertrödeln.
(Sehr richtig! rechts und in der Mitte.)
Wenn im übrigen für andere Parteien das Bedürfnis besteht, über diese Dinge zu sprechen, so soll die Befriedigung dieses Bedürfnisses in gar keiner Weise eingeschränkt werden.«

Der von der SPD beantragte Untersuchungsausschuß kam dann zwar zustande, doch entsprachen die Mehrheitsverhältnisse im Ausschuß denen im Landtag. So beendete der Ausschuß seine Tätigkeit nach einem einzigen Verhandlungstag, ohne die Haftanstalt selbst besucht zu haben. Ohne Debatte billigte der Landtag am 30. Mai das Ergebnis, »die Untersuchung als durch die gegebenen Aufklärungen der Staatsregierung für erledigt zu erklären«. Ohne Debatte wurden am gleichen Tag ein Zusatzantrag der SPD und zwei Eingaben der Niederschönenfelder Häftlinge, die Verhältnisse in der Festungshaftanstalt an Ort und Stelle zu untersuchen, abgelehnt. Dies war die Situation, aus der Tollers satirische Komödie vom *Entfesselten Wotan* und sein *Schwalbenbuch* erwuchsen. Auch die Opposition im Landtag beugte sich der öffentlichen Stimmung und suchte den ›Fall Niederschönenfeld‹ zu entschärfen. Toller fand dafür im Gefängnis die Formel: »Liquidierung der Revolution.«

Mehrfach wurden im Landtag in der Folgezeit Amnestieanträge für politische Straftaten abgelehnt. Bayern hielt auch dann noch am Individual-Begnadigungs-System fest, als die Amnestien auf politische Häftlinge der Rechten und der Linken angewendet werden konnten. Der deutschnationale Abgeordnete Dr. Hilpert erklärte dazu am 9. Juli 1924 bei der Debatte über eine Amnestierung Hitlers und der Nationalrevolutionäre des November 1923: Man glaube in Bayern, daß Amnestierung »immer wieder das Begehren nach Amnestien auch auf der anderen Seite auslösen, und wenn ich auch zugebe, daß eine Amnestierung der moskowitischen Emissäre ganz anders zu bewerten ist als eine Amnestierung derer vom November 1923, so wird man nicht leugnen können, daß durch fortgesetzte allgemeine Amnestierungen eben das formale Rechtsbewußtsein Erschütterungen ausgesetzt wird ⟨...⟩«. Die Sitzungsberichte des Bayerischen Landtages verzeichnen am 31. Juli 1924 die letzte Debatte über Niederschönenfeld; im Dezember 1924 wurde die Festungshaftanstalt aufgelöst.

*

Am 15. Januar 1926 schrieb Toller über den *Entfesselten Wotan* an Dr. Lutz Veltmann in Berlin: »Das Buch bedarf zweier Ergänzungen. Die eine füge ich diesem Brief bei, die zweite betrifft den Schluß, der jetzt so lautet: ›Ich habe eine Mission. Ich habe geglaubt, die Welt durch die Tat zu erlösen. Sie lehnt ab. Wohlan denn: Nun will ich die Welt durch das Wort erlösen.‹ «

Diese Neufassung des Schlusses ist deutlich auf die neue Taktik Hitlers und der Propagandisten des Nationalsozialismus zugespitzt, die nach dem Scheitern der ›Nationalrevolution‹ 1923 durch Demagogie und auf legalem Wege versuchten, was auf dem Wege der Gewalt noch nicht erreichbar war; diese Neufassung des Schlusses enthält aber auch ein klein wenig Selbstironie jenes Autors, der im Gefängnis – fast über Nacht und für ihn selbst überraschend – zum bekanntesten, meist übersetzten deutschen Dramatiker der zwanziger Jahre geworden war und sich nach seiner Entlassung als Mittelpunkt eines hektischen Kulturbetriebes sah, den er nicht verstand und der ihn doch mit seinen Wirkungsmechanismen und seinen Wirkungsmöglichkeiten faszinierte.

Die ungeheuere Wirkung vor allem von Tollers dramatischem Werk auf die Zeitgenossen stellt ein verwickeltes Problem dar, zumal die zeitgenössische und die heutige literarische Kritik dafür nur widersprüchliche Erklärungsversuche anzubieten haben. Toller selbst erklärte die Fruchtbarkeit seines Schaffens in Niederschönenfeld damit, daß das künstlerische Werk der einzige Ort war, an dem er sich »einigermaßen Luft machen durfte. ⟨...⟩ Dort war die Zensur nicht so streng wie bei Briefen, so preßte ich in meine Dramen alle unterdrückten Gedanken und Gefühle, auch die, die nicht notwendig zum einzelnen Werk gehörten.«[34] Der Autor deutete damit Stil und Entstehung dieser Dramen, nicht ihre Wirkung. Der überraschende Erfolg von Tollers literarischem Werk in den Jahren bis 1933, der im Exil nicht angehalten hat, ist offensichtlich nur aus dem Zusammentreffen zahlreicher zeit-, theater- und literaturgeschichtlicher Faktoren zu begreifen, die von dem Schlagwort ›Revolution‹ – der politischen, wie der literarischen und der dramaturgischen – nur ungenügend übergriffen werden. Als Brennspiegel aller die Zeit bewegenden Strömungen und Kräfte ist Tollers Werk vollkommenes Abbild des Nachkriegsdeutschland, das sich darin, ungeachtet aller angeblichen künstlerischen Mängel, wiedererkannt hat. Den gegen Toller von der zeitgenössischen Kritik meist erhobenen

34 Vgl. Bd. I, S. 143.

Einwand hat Alfred Kerr auf die Formel gebracht: »Toller spricht Zeitung.« Doch scheint gerade dieser, von Kerr keineswegs negativ gewertete Eindruck den Erfolg mitbestimmt zu haben. Toller hat als einer der ersten deutschen Autoren das in der Literatur der fünfziger und der sechziger Jahre überstrapazierte Motiv der Reproduktion und Klischierung von empirischer Realität entdeckt. Einem Publikum, dessen Denken und Sprechen, dessen Wünsche und Sehnsüchte von den Medien, von Zeitungen, Zeitschriften, Boulevardtheater, von Sportfesten und politischen Massenveranstaltungen, vom emporstrebenden Film und bald auch schon vom Rundfunk bestimmt waren, fiel es leicht, sich im Spiegel dieser Zeitstücke wiederzuerkennen. Entstehungs- und Wirkungsgeschichte von Tollers Dramen hängen zusammen. Im Festungsgefängnis erlebte der Dichter das Zeitgeschehen als Zuschauer, als Akteur nur im engen Raum des Strafvollzuges, der für ihn ein Modellfall politischer Realität war. Im Filter der zahllosen von ihm gelesenen Zeitungen und Zeitschriften entstand ihm ein Bild der Zeit, das mehr Klischee als Original zu sein schien. Wenn aber das Gesicht der Wirklichkeit entscheidend von der Großmacht Presse geprägt ist, dieses Klischee also auf das Original zurückwirkt, wer wollte dann entscheiden, was letztlich Klischee und was Original ist? Toller hat diese Problematik erkannt und in seinem Werk thematisiert. Sein dramatisches Problem ist nicht die Verkündigung des pädagogischen Programms von der Durchschaubarkeit der Welt, sondern die alte Frage nach der Wirklichkeit unserer Existenz und die nach der tragischen Schuld des in einer so fragwürdigen Realität zum Handeln gezwungenen Menschen.

Am 30. September 1919 wurde in der ›Tribüne‹ in Berlin Tollers Drama ›Die Wandlung‹ erstmals aufgeführt. Wenige Tage vorher war das kleine, avantgardistische Theater des »ganz jungen Deutschland« mit zwei kurzen Stücken von Walter Hasenclever eröffnet worden, jetzt erst bewies es sein »Daseinsrecht. ⟨...⟩ So vollkommen fand sich die Dichtung und das neuartige expressionistische Ausdrucksmittel, daß sie einander bestätigten«[35]. Und schon erschien in den Kritiken auch das Schlagwort von der »Revolution der Bühne«. Als revolutionär wurde nicht nur der Text, sondern vor allem die Inszenierung mit der konsequenten Abwendung vom Illusionstheater empfunden. Das Gründungsmanifest der ›Tribüne‹ betonte ja, daß »die unaufschieblich notwendige Revolution des Theaters ⟨...⟩ mit einer Umgestaltung des Bühnenraumes beginnen« müsse[36], und diese Forderung wurde durch die Alltagskleidung der Schauspieler, wie auch die jeweils nur angedeutete Szenerie, erfüllt. Toller schrieb, in der Nachfolge von Strindberg und Reinhard Johannes Sorge, ein Stationendrama, in welchem der Held – mit dem sprechenden Namen Friedrich – die durch Leid und Schmerz erfahrene Wandlung, die individuelle Wiedergeburt, durch sein Vorbild auf alle Menschen guten Willens zu übertragen sucht. Aus der Erkenntnis des Menschseins erwächst der Wille zur Revolution:

»ALLE *(leis, als ob sie lächelten)*: Wir sind doch Menschen!
(Stille.)
FRIEDRICH: Nun, ihr Brüder, rufe ich euch zu: Marschiert! ⟨...⟩
Marschiert – marschiert am lichten Tag. Brüder, recket zermarterte Hand / Flammender freudiger Ton! / Schreite durch unser freies Land / Revolution! Revolution!«[37]

Dieser Schluß des Dramas erweckte 1917, zur Zeit der Entstehung, und 1919, zur Zeit seiner Uraufführung, andere Assoziationen als die der Gesinnungsrevolution; im Kontext der Zeit wurde die expressionistische Metapher konkret verstanden. So stellte der Regisseur Karlheinz Martin in Berlin die Szenenfolge um und setzte die Szene mit der Geburt eines Kindes, dem Bild der Hoffnung und des neuen Lebens, an die

35 Hermann Kienzl, Die Eröffnungsvorstellung der ›Tribüne‹. In: Leipziger Neueste Nachrichten 23. 9. 1919; ders., Das Drama des Ernst Toller. Ebd. 4. 10. 1919.
36 Vgl. Julius Bab, Das Theater der Gegenwart. Geschichte der dramatischen Bühne seit 1870. Leipzig 1928.
37 Vgl. Bd. II, S. 60 f.

Stelle des plakativ wirkenden Aufrufes. Der sprachlose Protest der eingekerkerten Revolutionäre, so schien der Regisseur mitzuteilen, das Opfer ihrer Freiheit und ihres Lebens, ist der Anfang neuen Lebens, der Beginn der eigentlichen ›Wiedergeburt‹, an deren Vorabend das Drama angesiedelt ist.

Nach allem, was wir von der Stimmung in den bayerischen Festungen wissen, hat Martin die dort herrrschende Revolutionsstimmung souverän und sicher getroffen. Die kongeniale Interpretation seines Dramas wies auch dem noch unerfahrenen Autor den Weg; sie nahm seine Entwicklung vom revolutionären Anarchismus zum revolutionären Pazifismus vorweg und gab ihm eine erstmals in *Masse Mensch* ergriffene Lösungsmöglichkeit seines dramatischen Grundkonfliktes.

Ein von der Kritik sogleich als »rein subjektiv« und »sekundär« abgewertetes Nebenthema des Dramas wurde mitbestimmend für den Erfolg. Friedrich, die individuell gestaltete und mit autobiographischen Zügen ausgestattete Hauptfigur der *Wandlung* ist Jude, sie wurde von Fritz Kortner bei der Uraufführung mit eigenen Erfahrungen verbunden dargestellt. *Die Wandlung* gestaltet die Antwort des deutschen Judentums auf den anschwellenden, nationalen Antisemitismus in Deutschland, als dessen Wortführer am Ende des 19. Jahrhunderts Heinrich von Treitschke aufgetreten war: »Was wir heute von unseren israelitischen Mitbürgern zu fordern haben, ist einfach: sie sollen Deutsche werden, sich schlicht und recht als Deutsche fühlen – unbeschadet ihres Glaubens und ihrer alten heiligen Erinnerungen, die uns allen ehrwürdig sind; denn wir wollen nicht, daß auf Jahrtausende germanischer Gesittung ein Zeitalter deutsch-jüdischer Mischkultur folge 〈...〉«[38] Die Antwort des deutschen Judentums bestand in einer einzigen Folge von Assimilationsversuchen, die ihren Höhepunkt im Ersten Weltkrieg erreichten, als die deutschen Juden diejenige Bevölkerungsgruppe waren, die den größten Blutzoll bezahlte. In der *Wandlung* spricht Friedrich, der sich

---

38 Heinrich von Treitschke, Deutsche Kämpfe. Neue Folge. 1896. S. 19 ff.

soeben durch Tapferkeit im Kriege »Bürgerrechte« erworben hat: »Zehntausend Tote! Durch zehntausend Tote gehöre ich zu ihnen. ... Ist das Befreiung? Ist das die große Zeit?«[39] Toller hat eine solche Szene nicht nur selbst erlebt, sie ist auch symptomatisch für die antisemitische Atmosphäre im deutschen Kaiserreich und die Haltung der nationalen Antisemiten im Ersten Weltkrieg. Unter dem oft als unwirklich gescholtenen Pathos von Tollers Sprache verbirgt sich brutalste Realität. 1893, in Tollers Geburtsjahr, saßen im Deutschen Reichstag bereits 16 Abgeordnete der antisemitischen Parteien, und allein Konsequenz, Methode und Anwendungsmöglichkeit unterscheiden den Antisemitismus Hitlers und Streichers vom Programm des Antisemitismus eines Otto Böckel. Selbst die Wannseekonferenz, auf der am 20. Januar 1942 das Programm der berüchtigten ›Endlösung‹ entwickelt wurde, konnte – zumindest nach außen – die in den Jahren 1914-1918 gegebene Antwort des deutschen Judentums auf die Forderung der nationalen Antisemiten nicht einfachhin übergehen. Im Protokoll der Konferenz heißt es: »⟨...⟩ finden in den jüdischen Altersghettos weiterhin die schwerkriegsbeschädigten Juden und Juden mit Kriegsauszeichnungen (EK I) Aufnahme. Mit dieser zweckmäßigen Lösung werden mit einem Schlage die vielen Interventionen ausgeschaltet.« –

Solange der Regisseur »schöpferischer Mittler« blieb, das heißt solange er als Interpret den Dichter zu sich selbst wies, war die Inszenierungsgeschichte von Tollers Dramen ein fast idealtypisches Beispiel für die Kooperation von Bühne und Autor. Erst als 1927, bei den Proben zu *Hoppla, wir leben!,* die Individualität des Autors und der experimentelle Stilwille des Regisseurs aufeinanderprallten, war diese Periode fruchtbarer Zusammenarbeit beendet. »Schöpferischer Mittler« war nach Tollers eigener Formulierung der Regisseur Jürgen Fehling, der im Oktober 1921 in der Berliner Volksbühne die

39 Vgl. Bd. II, S. 29.

erste öffentliche Aufführung von *Masse Mensch* inszenierte. Der Bühnenexpressionismus feierte in Fehlings Regiekunst Triumphe, Lichtregie und Andeutungsbühne hatten die Illusionsbühne endgültig verdrängt.

Masse Mensch ist Tollers Rechenschaftsbericht über die Revolutionsereignisse in Bayern; aber noch war »das Ungeheure der Revolutionstage« nicht völlig »seelisches Bild« geworden, noch war die Revolution Gegenwart, nicht Geschichte. In Bayern wurden 1920 sämtliche öffentlichen Aufführungen des Stückes untersagt, zu nahe waren die darin dargestellten Ereignisse, und Sonja Irene L., die einzige »individual betonte« Gestalt, wurde in Kahr-Bayern noch als Porträt der Streikführerin Sonja Lerch aus den Tagen des Munitionsarbeiterstreiks gelesen. Der Erfolg von Jürgen Fehlings Berliner Aufführung war durch Thematik und Inszenierung garantiert, jedoch auch durch Unruhen in Nürnberg, anläßlich geschlossener Aufführungen des Dramas, denen eine Interpellation im Bayerischen Landtag Publizität verschafft hatte.

Mit der zweiten Fassung des Dramas und dem ihr vorangestellten *Brief an einen schöpferischen Mittler*[40], also dem an Jürgen Fehling gerichteten Vorwort, antwortete Toller unter anderem auf die herbe Kritik Siegfried Jacobsohns, der erklärt hatte, daß die mangelnde Publikumsreaktion »wider Toller« zeuge, »dem, leider, das Ingenium, der Funke fehlt. ⟨...⟩ Da Toller Traum und Wirklichkeit nicht zu trennen vermocht hat, versucht es Jürgen Fehling erst gar nicht.«[41]

Die Mehrzahl der zeitgenössischen Kritiker hat wieder nur die vordergründige Problematik gewürdigt und nicht gesehen, daß die aktuell-politische Thematik nunmehr eingeschmolzen ist in die Toller voll bewußte Grundfrage seines Werkes. Sonja Irene L., die verfrüht zum Handeln ruft, scheitert bei dem Versuch, die Gemeinschaft einer in Liebe vereinten

---

40 Vgl. Bd. II, S. 352 ff.
41 Siegfried Jacobsohn, Jahre der Bühne. Theaterkritische Schriften. Hrsg. von Walther Karsch unter Mitarbeit von Gerhard Göhler. Reinbek 1965. S. 206.

Menschheit zu schaffen. Sie sühnt ihre Schuld, indem sie freiwillig ihr Leben der zu läuternden Menschheit opfert, und die Salve, welche ihr Leben beendet, erweckt in den beiden Gefangenen, die ihre Zelle plündern, wenigstens eine Ahnung ihres Menschseins[42].

Der Opfertod des Einzelnen, der den Abgrund zwischen Tun und Sein zu schließen imstande ist, war also Tollers Antwort auf die Frage nach der tragischen Schuld des Handelnden, die er u. a. in der Tragödie Friedrich Hebbels gefunden hatte. Die von ihm gefundene Lösung demonstrierte er dann in den *Maschinenstürmern* am historischen Stoff, wobei er Hauptmanns *Die Weber* in ein proletarisches Drama umdichtete. Durch die Stoffwahl suchte er die zur Darstellung der Revolution nötige, dem Niederschönenfelder Häftling noch immer nicht gegebene, innere Distanz zu gewinnen. Wieder war es zunächst ein äußerer Umstand, der die Uraufführung des Stückes zu einem großen Erfolg machte: Am 24. Juni 1922 wurde Reichsaußenminister Walther Rathenau auf der Fahrt zu seinem Ministerium ermordet, am 30. Juni wurde in Max Reinhardts Großem Schauspielhaus in Berlin die Uraufführung der *Maschinenstürmer* zum spontanen Protest gegen diesen Mord. Von der Zufälligkeit der Ereignisparallelen abgesehen, atmet Tollers Drama so sehr die Luft der Zeit, daß es auch zu jedem anderen Zeitpunkt in diesen Jahren als Protest gegen die nicht abreißende Mord- und Attentatsserie der politischen Rechten verstanden worden wäre.

Tollers Dramen sind in den zwanziger Jahren eine wirksame Waffe der Republik gegen die ständig steigende Flut der Diktaturgelüste, des Antisemitismus und des Nationalismus. Das Theater der Weimarer Republik wurde mit diesen Stücken zum Widerstandszentrum gegen den Ansturm der nationalistischen Leidenschaften, zum Mittelpunkt politischer Auseinandersetzungen. Dies zeigte sich nirgends deutlicher als bei den Skandalen um Tollers bekanntestes in Niederschönenfeld

42 Vgl. Bd. II, S. 110 und 112.

geschriebenes Stück *Der deutsche Hinkemann*. Der die Reihe der Ausschreitungen eröffnende Dresdener Theaterskandal am Vorabend des Reichsgründungstages 1924 hatte ausschließlich politische Ursachen. In dem von der Reichsexekution gegen die Volksfrontregierung überzogenen Sachsen bezeichnete das Theater die Rückzugslinie republikanischer Gesinnung. Der vom »Hochschulring deutscher Art« in Dresden ausgelöste Skandal, wie der von deutsch-völkischen Studenten formierte Demonstrationszug am 10. Februar 1924 in Wien, meinten weniger das Stück als die politische Gesinnung des Autors und seiner Interpreten.

Dabei ist gerade dieses Stück von Toller nicht nur als ein allegorisch auf den Zustand Deutschlands verweisendes Drama, sondern vor allem als die Tragödie des Sozialismus – in der stilistischen Nachfolge von Georg Büchners *Woyzeck* – konzipiert. Wohl vollführen auch hier Nationalismus, Militarismus und Kapitalismus einen schaurigen Totentanz, doch versagt im *Hinkemann* die läuternde Kraft des Sozialismus vor der substantiellen Einsamkeit des Einzelnen. Die Kommunisten in Sachsen erkannten den zutiefst pessimistischen Grundzug der Tragödie und lehnten es ab, Toller als einen der Ihrigen zu bezeichnen. Der Selbstmord Hinkemanns in der ersten Fassung des Stückes ist kein Opfertod im Sinne der vorausgehenden Dramenlösungen, er ist eine Kapitulation vor den dunklen und unbegreiflichen Mächten des Schicksals, vielleicht auch der allein dem Menschen mögliche Protest gegen die Verstrickung in das Netz des blinden Zufalls. Erst die zweite Fassung – es ist anzunehmen, daß sie erstmals der Berliner Aufführung 1924 zugrundelag – suchte, wieder unter dem Eindruck der Kritik, eine neue Lösung: das Ja zum Zwiespalt. In dieser dramatischen Welt, die auch das Zukunftsparadies des Sozialismus relativiert, bleibt die Dichtung als ein Aufruf zur Haltung des ›trotzdem‹: »Was wissen wir? ... Woher? ... Wohin? ... Jeder Tag kann das Paradies bringen, jede Nacht die Sintflut.«[43]

43 Vgl. Bd. IV, S. 170f.

Mit der zweiten Fassung des *Hinkemann* deutete sich eine Stilentwicklung an, die von der Typisierung zur Konkretisierung, vom expressionistischen Schrei des Protestes zur Dokumentation empirischer Realität führte. In *Hoppla, wir leben!*, dem ersten in Freiheit geschriebenen Stück, gelang es Toller, mit dem gewonnenen Abstand zu den Revolutionsereignissen die orgiastische Atmosphäre der späten zwanziger Jahre einzufangen; in ihr wurden Widerstandskräfte zerstört, die dem Aufstieg Hitlers noch im Wege gestanden hatten. Das Stück entstand in Auseinandersetzung mit Erwin Piscator, der versuchte, das »Dichterisch Lyrische« des Dramas, also gerade Tollers eigentümliche Stilzüge, zu tilgen. In Toller und Piscator trafen das Theater des Expressionismus und das von der Propagandabühne beherrschte Theater der späten zwanziger Jahre aufeinander. Toller fügte sich bei der Berliner Uraufführung dem dokumentarisch-pädagogischen Regiewillen des in diesem Sinne erst von Piscator geschaffenen ›Politischen Theaters‹, der Inszenierung gegen die Intention des Textes, der bewußten Fehlbesetzung der mit autobiographischen Zügen versehenen Hauptrolle, doch suchte er in der Leipziger Aufführung, die künstlerische Einheit des eigenen Entwurfes zu demonstrieren und das Schicksal des kämpferischen Dichters als die Position des Außenseiters zu markieren. Von wenigen Freunden nur, doch besonders von der sozialistischen Jugend, wurde diese Position gewürdigt. Dora Fabian schrieb im November 1927 in den Berliner ›Jungsozialistischen Blättern‹:

»In Berlin wurde ein Stück von Erwin Piscator aufgeführt – in Leipzig das Stück von Ernst Toller. Vor allem ist die Gestalt des Thomas hier der Verzerrung entrissen. ⟨...⟩ In Leipzig wurde ⟨Tollers⟩ Schluß in der ursprünglichen Fassung gezeigt: daß Thomas erkennt, daß *nichts* irrsinnig, daß *alles* historische Situation ist, daß er bereit wird, am Alltag sich die Stiefelsohlen abzulaufen. Ob dieser Schluß und Entschluß, an dessen Ausführung man zweifelt, wirklich der stärkere und revolutionärere ist – das mag noch dahingestellt sein.
Aber konterrevolutionär? Unbefriedigend? Weil es nicht nur *eine* re-

volutionäre Lösung gibt, die auf alle Zeiten paßt? Weil gezeigt wird, daß Revolution nicht Wort allein, nicht Temperament allein, nicht Barrikade allein ist, sondern tiefe Tragik, letztes Problem? Weil wir erinnert werden, daß es einen neunten November gab und daß *wir* ihn verloren?
Gewiß nicht! Das Stück gehört der heutigen Jugend ⟨...⟩«

In der spannungsgeladenen Zusammenarbeit mit Piscator lernte Toller den Umgang mit neuen Darstellungsmitteln, die er erstmals voll in *Feuer aus den Kesseln,* dem Drama der Marinejustizmorde des Jahres 1917, einsetzte. In *Feuer aus den Kesseln* ist nicht mehr die autobiographisch grundierte Idealfigur des Proletariers, Friedrich und Irene, die Friedensbringer, oder Karl Thomas, der Skeptiker und Zweifler, oder Eugen Hinkemann, der äußerlich Gesunde, zutiefst aber Verwundete, Kristallisationskern der dramatischen Handlung, sondern der reale, historisch faßbare Proletarier, in der Gestalt der Matrosen Köbis und Reichpietsch. Ihr Tod ist nicht mehr der Tribut des Menschen an das Verhängnis, sondern der Märtyrertod des proletarischen Revolutionärs, dessen »Blut nicht umsonst« geflossen sein sollte. Der dokumentarische Anhang der Buchausgabe versuchte, das »historische Schauspiel« – wie es provozierend genannt wurde – in die Gegenwart zu verlängern, am Beginn der von Toller vorausgesehenen Todesphase der Republik vor der Liquidierung der Revolution und der Republik zugleich zu warnen.
Toller erlebte in den folgenden Jahren, wie die Mehrzahl der Autoren der Weimarer Republik, inmitten von Weltwirtschaftskrise, Massenarbeitslosigkeit und Bürgerkrieg, die gespenstische Echolosigkeit der Literatur und des avantgardistischen Theaters, das völlige Außenseitertum des Autors, welches die Situation des Exils präfigurierte, die unheimliche ›Windstille‹ vor der Machtergreifung des Nationalsozialismus. In dieser Situation fand Toller über den notwendigen Umweg des dokumentarischen Theaters zum Stil jener Werkstufe, welche die Zeit überdauerte, zur autobiographischen Prosa und zur Reportage der dreißiger Jahre. Als es Toller

gelang, statt »Friedrich« oder »Karl Thomas«, »ich« zu sagen, das heißt wegzufinden von den Zweifeln an der Wirklichkeit der empirischen Existenz, nicht etwa diese Zweifel zu lösen, hatte er die ihm gemäße Form seines Werkes gefunden. Über die Konkretisierung der dramatischen Welt gelangte er zum konkret-realen Ich.

So versuchte er nun – schon vor der Vertreibung aus seiner Heimat –, den alten Grundkonflikt des Werkes mit neu gewonnenen Darstellungsmitteln in der Geschichte des eigenen Ich zu gestalten. Mit der Revolution war dem Vierzigjährigen auch die eigene Person historisch geworden, er plante eine autobiographische Trilogie, von der er aber in der Hetze des täglichen Kampfes gegen Faschismus und Diktatur, der mühseligen – und vergeblichen – Versuche einer Sammlung der deutschen Emigration, nur die beiden Bände *Eine Jugend in Deutschland* und *Briefe aus dem Gefängnis* vollenden konnte.

Im Unterschied zu den Dramen ist in den autobiographischen Prosawerken an die Stelle des einzelnen Proletariers eine ganze Gruppe von Personen getreten, die das leidende und das kämpfende Deutschland repräsentiert: Karl Liebknecht, Rosa Luxemburg, Kurt Eisner, Gustav Landauer, Erich Mühsam, Carl von Ossietzky und die große Zahl der unbekannten Häftlinge in den Polizeikellern und den ›Schutzhaftlagern‹ der Nationalsozialisten. Für sie alle, die durch Gewalt am Sprechen verhindert waren, wollte Toller, der nur zufällig den Mördern entkommen war, nun sprechen. Weil er in seinen Freunden und in sich selbst ein ›anderes‹ Deutschland verkörpert sah als das, welches täglich die Welt mit Lautsprecherparolen und Propagandaphrasen überschüttete, um dadurch von den Greueln im eigenen Hause abzulenken, konnte er in dem *Flucht und Verhaftung* überschriebenen Kapitel von *Eine Jugend in Deutschland* die johanneische Gethsemaneszene als Formgerüst für die Beschreibung der eigenen Verhaftung verwenden[44]. Der erst beginnende Leidensweg des »Deutschland von morgen«, welchem die zweite Auflage von *Eine Jugend in*

Deutschland gewidmet ist, wurde in der poetischen Stilisierung des eigenen Leidensweges vorweggenommen.

Auch die *Briefe aus dem Gefängnis* wurden in dieser Weise stilisiert. Toller füllte die Kapitel, für die das eigentliche Briefmaterial nicht ausreichte, mit fingierten, zum Teil aus Zeitungsartikeln hergestellten Brieftexten, datierte, wo es ihm aus Gründen der Ausgewogenheit des Buches nötig schien, Briefe um, bezog Antworten der Briefpartner in den ursprünglichen Brieftext mit ein, bildete innerhalb der Jahreskapitel thematische Schwerpunkte und gab insgesamt eine dokumentarisch-poetische Deutung der auf den Nationalsozialismus zuführenden Zeit im Spiegel des eigenen Lebens. Doppelt sah Toller im Gefängnis, wie »von einer Insel, das Antlitz dieser Zeiten«: im Zerrspiegel des Strafvollzugs und in der Wirkungsgeschichte seiner Werke. Der Strafvollzug an Toller aber war abhängig vom wachsenden Erfolg der Bühnenwerke, so daß durch die Auswahl und die Zueinanderordnung der Briefe ein fast dramatischer Handlungsfaden entstand. Die Namen der meisten Empfänger hat der Autor, soweit es sich nicht wieder um fingierte Empfänger handelt, abgekürzt und nicht alle können heute noch identifiziert werden. Doch hat Toller nicht nur wegen der Verhältnisse in Nazideutschland die Namen seiner Briefpartner zu verbergen gesucht, sie sind ihm für die Handlungsführung des Buches nebensächlich. Ihre Auflösung verstärkte zwar den dokumentarischen Charakter, mit dem künstlerischen Rang des Werkes haben sie wenig zu tun. Die konsequent durchgeführten Abkürzungen nämlich gaben dem Autor die Möglichkeit, mit den wenigen nicht abgekürzten Namen Akzente zu setzen und im Umriß eine die Völker, Parteien und Klassen übergreifende Gemeinschaft des Geistes zu zeichnen, welcher in der Gestalt Hans Wesemanns auch die Figur des Judas nicht fehlte.

Die Jahreskapitel werden jeweils durch Briefe eingeleitet, die programmatisch auf die inneren und äußeren Ereignisse des betreffenden Jahres vorausdeuten. Am Beginn des Jahres 1924 steht so der Ausblick auf den von der bayerischen Justiz geförderten Aufstieg Hitlers, am Anfang des Buches steht leitmotivisch für das ganze Werk der Brief an den pazifistischen Dramatiker Fritz von Unruh; er enthält das Grundthema von Tollers Schaffen und deutet den Titel des Buches, der den »gezwängten Zwang der Menschheit« meint, das Gefängnis als das bedrohliche Symbol menschlicher Existenz.

Durch die Beschäftigung mit dem eigenen Leben traf Toller auf den alten Zwiespalt zwischen Sein und Handeln. Vielleicht schien ihm dieser Zwiespalt – auf dem Wege einer endlosen Flucht, seit 1917 gehetzt und gejagt von den Feinden der Freiheit und des Friedens, inmitten des Ruhmes und der Freunde vereinsamt – nicht mehr literarisch, sondern nur noch existentiell lösbar. Am 22. Mai 1939, wenige Monate vor Beginn des Zweiten Weltkrieges, den er mit tödlicher Sicherheit vorausgesehen hatte, erhängte sich Toller in einem New Yorker Hotelzimmer. Die Gründe für diesen Tod sind unter den Freunden umstritten, doch geben alle Hinweise auf seine bittere Armut, sein Heimweh, seine Einsamkeit, das angebliche Versagen der Kreativkraft, dem schon die Fragmente des Spanienbuches[44] widersprechen, keine ausreichende Erklärung.

In Deutschland gab am 1. April 1933 Joseph Goebbels mit der Boykottrede gegen das Judentum das Signal zum Völkermord. Ernst Toller, Theodor Lessing und die Zeitschrift ›Die Weltbühne‹ zitierte er als die Hauptgegner des Nationalsozialismus. Lessing wurde am 30. August 1933 in Marienbad von nationalsozialistischen Agenten ermordet. Carl von Ossietzky, der Herausgeber der ›Weltbühne‹, starb am 4. Mai 1938 am Ende eines langen Leidensweges in Berlin. Im Mai 1939 feierte Franco in Madrid den mit Hilfe italienischer und deutscher Truppen erfochtenen Sieg über die Spanische Republik, in deren Internationalen Brigaden zahlose Freunde Tollers gekämpft hatten. Das Gefühl der Ohnmacht gegenüber

---

44 Enthalten im Toller-Nachlaß der Yale University Library. Einzelne Teile davon sind reportageartig ausgearbeitet.

der die Welt verdunkelnden Barbarei wurde in Toller wohl übermächtig.

Sein letztes Drama *Pastor Hall,* das in der Namensgleichheit der Hauptfiguren – auch diese Titelfigur heißt »Friedrich« – und in dem ausgeprägten Bekenntnischarakter einen Bogen zurück zur *Wandlung* schlägt, gibt Auskunft über *ein* Motiv seines freiwilligen Todes. *Pastor Hall* ist die Geschichte eines Mannes, der aus Todesfurcht dem Konzentrationslager entflieht, die Furcht überwindet und sich den Verfolgern stellt:

»Wer die Furcht überwunden hat, hat den Tod überwunden. ⟨ . . . ⟩ ich war feige und verzagt, darum bin ich geflohen. Ich stelle mich Ihnen. Die Zelle wird meine Stimme nicht ersticken. Noch der Block, auf den Sie mich spannen, wird eine Kanzel sein, und die Gemeinde so mächtig, daß keine Kirche der Welt sie fassen könnte.«[45]

Dieses Schauspiel ist Dokument einer erschütternden Selbstanklage, daß Ernst Toller nicht den Tod Gustav Landauers, Kurt Eisners, Erich Mühsams, Carl von Ossietzkys und so vieler anderer Freunde gestorben ist. Tollers Tod, von vielen Freunden mißverstanden, war ein Tod gegen Hitler, Demonstration einer letzten dem Menschen verbliebenen Freiheit. Die nationalsozialistische Presse, die in dem zum Zuchthaus gewordenen Deutschland triumphierend das Ende eines ihrer meistgehaßten Gegner verkündete und damit nochmals die um das deutsche Exil errichtete Mauer des Schweigens durchbrach, verschaffte dem Toten einen letzten Sieg.

---

45 Ernst Toller, Friedrich Halls Flucht. Dritter Akt des Dramas ›Pastor Hall‹. In: Das Wort 1939. Heft 1. S. 51.

Register

(Das Register erfaßt sämtliche Teile des vorliegenden Materialienbandes, mit Ausnahme des Nachwortes und der in der Bibliographie ohnehin alphabetisch angeordneten wissenschaftlichen Literatur. Auch nebensächliche Personen wurden verzeichnet, da Toller gelegentlich solche Namen später in autobiographischen Texten verwendet hat. Vgl. etwa [S. 65] den Namen des Münchener Kriminalbeamten »Gradl«, der Toller vermutlich aus der Zeit seiner Verhöre in München 1919 bekannt war, in Bd. IV, S. 169. Um eine rasche Identifizierung der gemeinten Personen zu erleichtern, wurde den Namen in der Regel ein charakterisierendes Stichwort beigegeben.)

1. Personen:

286

290

2. Werke Ernst Tollers:

Bildlegenden

1. Toller vermutlich um 1918/19. Erstveröffentlichung des Bildes April 1924. (Toller Collection, Manuscripts and Archives, Yale University)
2. Toller bei einem Besuch in Dänemark Februar 1927. Foto: Holger Damgaard. (Toller Collection, Manuscripts and Archives, Yale University)
3. Toller in den späten zwanziger Jahren. (Toller Collection, Manuscripts and Archives, Yale University)
4. Toller vermutlich 1927. (Ullstein Bilderdienst)
5. Toller auf dem Ersten Internationalen Schriftstellerkongreß in Paris, Juni 1935. Foto: Fred Stein. (Liselotte Stein, New York)
6. Toller auf einer Vortragsreise durch die USA. San Francisco, Januar 1937. (Toller Collection, Manuscripts and Archives, Yale University)
7. Toller in den USA, um 1937 (Toller Collection, Manuscripts and Archives, Yale University)
8. Totenmaske Tollers, 22. Mai 1939. (Aus dem Besitz von Louise Mendelssohn, jetzt John M. Spalek)
9. Toller (stehend mit Schöpfkübel, hinter der zweiten Reihe) im Ersten Weltkrieg, 1914/15. (Toller Collection, Manuscripts and Archives, Yale University)
10. Toller (Mitte, Hintergrund) im Kreis der Zuhörer Max Webers (Vordergrund mit Hut) auf dem Lauensteiner Kulturkongreß, September 1917. (Leif Geiges, Staufen)
11. Tollers Versteck bei dem Kunstmaler Reichel in München, Werneckstr. 1. Nach der Verhaftung Tollers am 4. Juni 1919. (Library of Congress, Washington)
12. Toller auf der Rednertribüne beim Treffen zum 10. Jahrestag des Kriegsausbruchs. Leipzig, 3. August 1924. Foto: Otto Bernhardi, Witzenhausen.
13. Toller und Netty Katzenstein (Tessa) in Ascona kurz nach der Haftentlassung, vermutlich August 1924. Das Bild ist datiert 1. November 1924, wurde also Toller um diese Zeit zugesandt. (Toller Collection, Manuscripts and Archives, Yale University)
14. Toller um 1925. Foto: Selma Genthe, Leipzig. (Toller Collection, Manuscripts and Archives, Yale University)
15. Toller im Kreis von Teilnehmern des Kongresses der ›Liga gegen

die koloniale Unterdrückung‹ in Brüssel, 10.-14. Februar 1927. Von links nach rechts: der Organisator der internationalen Arbeiterhilfe und Verleger Willi Münzenberg; Jawaharlal Nehru; seine Schwester Krishna; Toller; der deutsche Sozialist Georg Ledebour; die holländische Schriftstellerin Henriette Roland-Holst; der Sekretär der Amsterdamer Gewerkschafts-Internationale Edo Fimmen. (Toller Collection, Manuscripts and Archives, Yale University)

16. Toller bei den Proben zu ›Hoppla, wir leben!‹ im Berliner Theater am Nollendorfplatz, August 1927. Von links nach rechts: der Hauptdarsteller Alexander Granach; Piscator; Der Schauspieler Paul Graetz; Toller; der Bühnenbildner Traugott Müller (oben). Foto: Atelier Stone. (Aus: Alfred Mühr, Kulturbankrott des Bürgertums. Dresden-Berlin 1928)

17. Ernst Toller und Walter Hasenclever (links) beim Schreiben von ›Bourgeois bleibt Bourgeois‹, 1928 in Berlin. (Ullstein Bilderdienst)

18. Porträtbüste Ernst Tollers von der Bildhauerin Renée Sintenis, 1927. (Aus dem Besitz von Louise Mendelsohn, jetzt John M. Spalek)

19. Toller in der Sowjet-Union, 1926. Stehend vermutlich Béla Illés, später Generalsekretär der Internationalen Vereinigung revolutionärer Schriftsteller. (Aus dem Besitz von John M. Spalek)

20. Toller im Kreis von Darstellern seines Schauspiels ›Feuer aus den Kesseln‹, Berlin 1930. Oben links Albert Hörrmann, rechts oben Heinrich Gretler, links unten Hermann Speelmans. (Ullstein Bilderdienst)

21. Toller spricht für die Gefangenen auf der Finkelnburg-Versammlung im Langenbeck-Virchow-Haus, März 1930 (Ullstein Bilderdienst)

22. Toller auf den Schultern begeisterter Zuhörer bei der Vortragsreise durch Jugoslawien, Sommer 1933. (Toller Collection, Manuscripts and Archives, Yale University)

23. Toller auf Hiddensee Anfang September 1930. (Aus: Berliner Tageblatt vom 7. September 1930) Das Bild trägt die Unterschrift: »Ernst Toller durchdachte in Hiddensee noch einmal sein neues Stück ›Feuer aus den Kesseln‹.« (Archiv Trepte)

24. Toller mit Stefan Lorant in Südfrankreich, um 1935. (Aus dem Besitz von Stefan Lorant. Lennox, Mass., USA)

298

25. Die erste Ausbürgerungsliste vom 23. August 1933. (Aus: Deutscher Reichsanzeiger und Preußischer Staatsanzeiger. Nr. 198. Berlin, Freitag, den 25. August 1933, abends.)

26. Toller und Christiane Grautoff in London um die Zeit ihrer Heirat: 16. Mai 1935. (World Wide Photo)

27. Toller (Mitte) vermutlich Lotte Israel (rechts) um 1931/32. (Toller Collection, Manuscripts and Archives, Yale University)

28. Szenenfoto aus ›Die Wandlung‹ (Viertes Bild) in der Inszenierung von Karlheinz Martin in der Tribüne, Berlin. Uraufführung: 30. September 1919. Bühnenbild: Robert Neppach nach Angaben von Karlheinz Martin. Skelette: John Gottowt, Valeska Gert, Hubert von Meyerinck. Foto: Die Neue Schaubühne. (Aus dem Besitz von John M. Spalek)

29. Szenenfoto aus ›Masse Mensch‹ (Fünftes Bild) in der Inszenierung von Jürgen Fehling an der Volksbühne, Berlin. Erstaufführung: 29. September 1921. Vorn Mary Dietrich (als Sonja Irene L.), oben links Hanns Neußing (als Offizier), unter den Arbeitern Heinz Hilpert und Veit Harlan. (Ullstein Bilderdienst)

30. Szenenfoto aus ›Die Maschinenstürmer‹ (5. Akt, 2. Szene) in der Inszenierung von Karlheinz Martin im Großen Schauspielhaus, Berlin. Uraufführung: 30. Juni 1922. Bühnenbild und Kostüme: John Heartfield. Unter den Webern Gerhard Ritter (als Ned Lud), Hans Rodenberg (als John Wible), Willi Fritsch (als der Weber William). Foto: Adolf Winds, Geschichte der Regie. (Aus dem Besitz von John M. Spalek)

31. Szenenfoto aus (vermutlich) ›Chelovek-Massa‹ (›Masse Mensch‹; evtl. die Verhaftungsszene, 5. Bild) in der Inszenierung von Wsewolod Meyerhold am Theater der Revolution, Moskau. Erstaufführung: 31. Januar 1923. (Toller Collection, Manuscripts and Archives, Yale University)

32. Szenenfoto aus ›Hinkemann‹ (2. Akt, 3. Szene) in der Inszenierung von Paul Wiecke am Dresdner Staatstheater, 17. Juni 1924. Im Hintergrund stehend links Bruno Decarli (als Hinkemann), Alfred Meyer (neben Hinkemann, als Budenbesitzer); im Vordergrund (rechts) Lilly Kann (als Grete Hinkemann) und Alexander Wierth (als Paul Großhahn). Foto: Winds, Geschichte der Regie. (Aus dem Besitz von John M. Spalek)

33. Szenenfoto aus ›Hoppla, wir leben‹ (2. Akt, 1. Szene) in der Inszenierung von Alwin Kronacher am Alten Theater, Leipzig. Erst-

aufführung: 7. Oktober 1927. Mirjam Lehmann-Haupt (als Eva Berg) und Peter Stanchina (als Karl Thomas). (Toller Collection, Manuscripts and Archives, Yale University)

34. Szenenfoto aus ›No more Peace‹ (1. Bild) in der Inszenierung von Lester E. Lang im Experimental Theatre des Vassar College, Poughkeepsie, New York, USA. Erstaufführung: 26. Februar 1937. Francis Uridge (als St. Francis), Maurice Manson (als Napoleon), Mary Stewart (als »female angel at a switchboard«). (Toller Collection, Manuscripts and Archives, Yale University)

35. Szenenfoto aus ›Oplá, noi viviamo (Schlußbild), der durch Emilio Castellani und Giorgio Strehler gekürzten Fassung von ›Hoppla, wir leben?‹, in der Inszenierung von Giorgio Strehler am Piccolo Teatro, Mailand. Erstaufführung: 29. November 1951. Oben Gianni Santuccio (als Karl Thomas). Foto: Piccolo Teatro. (Aus dem Besitz von John M. Spalek)